Sport

W0190599

Hartmut Baumann
Herbert Reim

Bewegungslehre

Verlag Moritz Diesterweg
Frankfurt am Main

Verlag Sauerländer
Aarau · Frankfurt am Main · Salzburg

ISBN 3-425-05125-3 (Diesterweg)
ISBN 3-7941-2533-9 (Sauerländer)

3., überarbeitete und erweiterte Auflage 1994

© 1984 Verlag Moritz Diesterweg GmbH & Co., Frankfurt am Main,
Verlag Sauerländer AG, Aarau.

Zeichnungen:
Karlheinz Grindler, Leinfelden; Gottfried Wustmann, Kirchberg i. W.

Umschlagabbildung: Gisela Häring, Frankfurt
Gesamtherstellung: Brühlsche Universitätsdruckerei Gießen

Vorwort

Als Referenten in der Lehrerfortbildung für den Leistungskurs Sport der Kollegstufe wurden wir häufig mit dem Mangel an einschlägiger Fachliteratur insbesondere zur „Bewegungslehre des Sports" konfrontiert. Auch von Sportstudierenden an der Hochschule kam vielfach der Wunsch nach mehr am Berufsfeld „Schule" orientierter Spezialliteratur in diesem Fach. Daraus erwuchs die Idee, eine „Einführung in die Bewegungslehre des Sports" zu konzipieren, die schwerpunktmäßig den Bedürfnissen des Leistungskurses Sport in der Kollegstufe und in geringerem Maße jenen der Sportstudierenden genügen sollte.

Es war nicht unproblematisch, diesen sehr jungen, komplexen Bereich der Sportwissenschaften im Rahmen eines Studienbuchs darzustellen, da in ihm verschiedene Betrachtungsweisen menschlichen Bewegens enthalten sind und zudem der Übergang zur Trainingslehre fließend ist. Die Forderung nach Anschaulichkeit, Verständlichkeit und Übersichtlichkeit zwang zu Zugeständnissen in wissenschaftlicher Hinsicht. Ziel war es somit, verschiedene wissenschaftliche Betrachtungsweisen und Ansätze in diesem Buch zu integrieren und nach didaktischen Gesichtspunkten aufzubereiten. Vor allem mußten die derzeit geltenden Lehrpläne für die „Bewegungslehre" im Fach Sport der Kollegstufe im Hinblick auf Inhalt und Darstellung berücksichtigt werden. Deshalb wurde auch keine Verbindung der Bereiche Bewegungslehre und Trainingslehre hergestellt, wie es in den Sportwissenschaften heute zum Teil üblich ist.

Wir hoffen, daß mit diesem Buch den Kollegiaten eine Grundlage zum Lernen, Studierenden eine einführende Information und Lehrkräften eine Orientierungshilfe bei der Vermittlung des Stoffes gegeben werden kann. Für die wertvollen fachlichen Hinweise danken wir den Kollegen Fritz Zintl und Dr. Sigurd Baumann.

Dr. Hartmut Baumann   *Herbert Reim*
München   Bad Windsheim

Vorwort zur 3. Auflage

Das große Interesse an unserem Buch veranlaßte uns, eine 3. Auflage herauszubringen. Wir standen vor dem schwierigen Problem – unter Beibehaltung des bewährten Grundkonzepts und ohne den Umfang wesentlich zu verändern – neue Aspekte, Theorien und Erkenntnisse der Sportwissenschaften einzuarbeiten und inhaltlich einzelne Bereiche zu ergänzen. Die Erweiterungen beziehen sich insbesondere auf den Bereich der psychischen Handlungsregulation und den damit in Verbindung stehenden wissenschaftlichen Verfahren zur Erfassung des menschlichen Bewegungsverhaltens, wie z. B. Bewegungsbeobachtung, Test, Experiment und Befragung. Eigene Reflexionen und kritische Anmerkungen von Sportlehrern und -lehrerinnen sowie Schülerinnen und Schülern hinsichtlich der Brauchbarkeit des Buches im täglichen Unterrichtseinsatz, veranlaßte uns außerdem zu weiteren strukturellen Verbesserungen. Das Buch ist nach wie vor primär darauf ausgerichtet, Schülern und Schülerinnen im Leistungskurs Sport und Sportstudierenden ein verständliches Lehrbuch an die Hand zu geben. Darüber hinaus bietet es aber Interessierten eine Möglichkeit zum Einstieg in den schwierigen Komplex *Bewegungslehre*.
Im Zuge der, unter Berücksichtigung aktueller Literatur, durchgeführten Überarbeitung und der Erweiterung in Teilbereichen, wurde das Buch insgesamt auf eine breitere wissenschaftliche Basis gestellt.

Hartmut Baumann, Erlangen
Herbert Reim, Bad Windsheim   Im Frühjahr 1994

Inhaltsverzeichnis

1 Grundlegende Bemerkungen zum menschlichen Bewegungsverhalten

1.1 Zum Begriff „Bewegung"

Einige grundlegende Bemerkungen über die menschliche Bewegung, ihre Erscheinungsformen und ihre Bedeutung für den Menschen sollen die Notwendigkeit für eine „Bewegungslehre" des Sports als Lehr- und Forschungsbereich begründen.

1.1.1 Bedeutungsvielfalt

Bewegung ist ein Begriff, der in der Umgangssprache ganz unterschiedliche Bedeutung haben kann. Die folgenden Beispiele geben einen Eindruck von der Bedeutungsvielfalt. Man kann sich selbst fortbewegen oder Gegenstände bewegen, die Bewegung von entfernten Objekten, z. B. Sternen, beobachten, durch ein beeindruckendes Erlebnis bewegt werden, sich in einer Gesellschaft gewandt bewegen, einer Sache mit bewegten Worten Ausdruck verleihen, eine Bewegung als besonders eindrucksvoll erleben, Menschen mit einer bewegten Vergangenheit kennenlernen. Es wird also unterschieden zwischen der Bewegung des Gegenständlichen, der Bewegung des Leibes, der Bewegung des Gemüts, der Bewegung des Denkens und Wollens (vgl. HEIDEMANN 1965).
Eine Differenzierung der Bedeutungsvielfalt des Begriffs Bewegung wäre bereits die Einteilung in *Fremd*- und in *Selbstbewegungen,* wobei Fremdbewegung als Ortsveränderung materieller Objekte in der unbelebten Natur angesehen wird, Selbstbewegung das freie Verfügen über das Bewegungsrepertoire des Menschen zur spontanen Tätigkeit und zur aktiven Auseinandersetzung mit der Umwelt bedeuten soll (vgl. MEUSEL 1976).

1.1.2 Sinnrichtungen von Bewegung im Überblick

Gegenstand der nachfolgenden Betrachtung ist ausschließlich die Selbstbewegung des Menschen. Ihre Bedeutung zeigt sich bei detaillierter Betrachtung sowohl für den Ausführenden selbst wie für andere, die mit ihm über die Bewegung in Beziehung treten, in mehrfacher Weise.

– Mit Hilfe von Bewegungen kann man etwas erreichen, herstellen, ausdrücken, darstellen, erproben, verändern (*instrumentelle Bedeutung*).
– Über die Bewegung ist es möglich, etwas über die eigene Körperlichkeit zu erfahren (Körpererfahrung). Wir erleben dabei, was unser Körper leisten kann, was trainieren bzw. üben bewirkt. Wir erfahren etwas über Ermüdung und Anstrengung und über die Entspannung nach körperlicher Anstrengung. Darüber hinaus bekommen wir Informationen über die materielle Beschaffenheit von Dingen (*explorierend – erkundende Bedeutung*).
– Über die Bewegung können Beziehungen zu anderen Menschen hergestellt werden (*soziale Bedeutung*).
– Man kann in der eigenen Bewegung und durch sie sich selbst erleben, erfahren, verwirklichen (*personale Bedeutung*) (angelehnt an GRUPE 1976 a, 1990; KURZ 1992).

1.1.3   Einteilungsmöglichkeiten von Bewegungen

Auf Grund der Mannigfaltigkeit der Bedeutung von Bewegungen und ihrer Erscheinungsformen soll versucht werden, eine Klassifikation zu erstellen. Da eine umfassende Systematisierung auf Grund der unterschiedlichen Betrachtungsweisen nicht möglich ist, werden einige gebräuchliche Unterscheidungsformen vorgestellt. Eine Unterteilung könnte erfolgen nach:

– Alltagsbewegungen
– Sportbewegungen
– Arbeitsbewegungen
– Ausdrucksbewegungen
– Einfachen Bewegungen/komplizierten Bewegungen
– Schnellen Bewegungen/langsamen Bewegungen

Differenzierter und brauchbarer ist die Einteilung der Bewegungen nach folgender Einteilung.

Offene und geschlossene Bewegungen
Offene Bewegungen sind Handlungen, bei denen der Weg der Ausführung zu einem bestimmten Ziel nicht vorbestimmt ist, z. B. Bewe-

gungen in einem Ballspiel. Die geschlossene Bewegung ist dadurch charakterisiert, daß der Ablauf genau festgelegt ist, z. B. die Hürdentechnik.

Zyklische und azyklische Bewegungen
Wiederholen sich bestimmte Grundzyklen zur Erreichung eines Bewegungsziels (z. B. beim Schwimmen, Radfahren, Laufen) in ständig wiederkehrender Reihenfolge, so spricht man von zyklischen Bewegungen. Zyklische Bewegungen sind im Gegensatz zu azyklischen Bewegungen nur zweiphasig. Azyklische Bewegungen sind einmalige Aktionen, die sich in drei Phasen strukturieren lassen, z. B. Kugelstoß, Kippaufschwung (s. Kap. 3).

Einfache, komplexe und kombinierte Bewegungen
Bei dieser Systematik wird versucht, die Aktionsdichte bei Bewegungsabläufen zu erfassen. Von einfachen Bewegungen wird dann gesprochen, wenn die Anzahl der auszuführenden Einzelaktionen sich auf wenige beschränkt (z. B. Wegschießen eines ruhig liegenden Balls). Komplexe Bewegungen zeichnen sich durch eine hohe Anzahl von Einzelaktionen aus, z. B. Kugelstoß. Kombinierte Bewegungen sind solche, bei denen verschiedene Einzelbewegungen miteinander verbunden werden, z. B. Kippaufschwung – Hocke, Paß aus dem Lauf.

Grobmotorische und feinmotorische Bewegungen
Hier ist die Bewegungsqualität zugrundegelegt. Von grobmotorischen Bewegungen wird dann gesprochen, wenn die Bewegung noch nicht beherrscht wird, d. h. daß sie noch fehlerhaft, jedoch die angezielte Bewegung bereits erkennbar ist. Als feinmotorisch gelten Bewegungen, wenn sie in allen Teilen ökonomisch und harmonisch ablaufen, d. h. die Bewegungsmerkmale sind optimal ausgeprägt (s. Kap. 4).

Bewußte und automatisierte Bewegungen
Bewegungen werden während des Neulernens bewußt gesteuert. Im Zuge der Stabilisierung der Bewegungsausführung erfolgt die Steuerung zunehmend automatisiert.

Großmotorische und kleinmotorische Bewegungen
Großräumige Ganzkörperbewegungen werden als großmotorisch eingestuft, isolierte Bewegungen der Extremitäten wie z. B. filigrane Bewegungen der Hände und Füße als feinmotorisch.

Zeitbeeinflußte und nicht-zeitbeeinflußte Bewegungen

Diese Einteilung wird dann vorgenommen, wenn die Bewegungen innerhalb eines Zeitschemas bzw. unter einer Geschwindigkeitsvorgabe ablaufen, z. B. Bewegungen mit Musikbegleitung. Bei Bewegungen ohne Zeitdruck erfolgt die Ausführung nach einem selbstbestimmten Tempo.

1.2 Anmerkungen zur Bedeutung der Bewegung aus anthropologischer Sicht

Anthropologie ist die Wissenschaft vom Menschen; sie beschäftigt sich mit seiner Entstehung, seiner Entwicklung, seinen psycho-physischen Eigenschaften, seinen Beziehungen zur Umwelt und den zum Teil daraus resultierenden Verhaltensweisen. Die *philosophische Richtung* der Anthropologie untersucht das Wesen des Menschen in Raum und Zeit und geht der Frage nach: „Was ist der Mensch?"

In diesem Zusammenhang kommt der Bewegung des Menschen eine große Bedeutung zu, da es über sie erst möglich ist, sich mit der Umwelt aktiv auseinanderzusetzen. Umwelt bedeutet sowohl materiale (Gegenstände, allgemein ausgedrückt: die unbelebte Natur) als auch personale Umwelt (Lebewesen). Aus anthropologischer Sicht interessiert nun die Frage, welche Bedeutung die Bewegung für die Persönlichkeitsentwicklung des Menschen hat. Als generelle Vorgabe ist zu berücksichtigen, daß die Persönlichkeitsentwicklung abhängig ist von einem *„Menschenbild"*, das innerhalb einer Gesellschaft, eines Kulturraums bzw. in einer Zeitepoche eine prägende Leitfunktion hat. Das *„Menschen(vor)bild"* wird geprägt von den jeweils vorherrschenden Normen und Wertvorstellungen, die als Orientierungsmaßstab für erzieherische Maßnahmen zur Persönlichkeitsentwicklung Heranwachsender dienen. Als Beispiel für die ideologisch-weltanschauliche Prägung und die damit einhergehende Einengung bzw. Verzerrung kann das Menschenbild in der nationalsozialistischen Zeit oder der vom Kommunismus bestimmten Staaten angeführt werden. Gegenwärtig wird in den westlichen Industriegesellschaften das Bild vom selbstbestimmten, eigenverantwortlich handelnden, somit vom mündigen Menschen als erstrebenswert erachtet (vgl. Meinberg 1988, S. 3 ff).

Zusammenfassend kann gesagt werden, daß das menschliche Handeln zu seiner Orientierung Menschenbilder bedarf, die sowohl eine kritische als auch eine bestätigende oder utopisch-konstruktive Funktion haben können. Für die Erziehungswissenschaft ist das Menschenbild insofern von praktischer Bedeutung, als sie danach Bildungs- und Erziehungsziele ausrichtet. Letztere sind nicht die eigentlichen Problemstellungen einer *Bewegungslehre des Sports.* Da die Bewegungslehre sich vorrangig mit der menschlichen Bewegung und deren Bedeutung für die Persönlichkeitsentwicklung befaßt, lassen sich Querverbindungen zur Anthropologie, hier insbesondere zur pädagogischen Anthropologie und zur Erziehungswissenschaft, herstellen.

Nachfolgend soll die Bedeutung der Bewegung aus anthropologischer Sicht detailliert betrachtet werden.

1.2.1 Charakteristische Merkmale menschlicher Entwicklung

Der Mensch kommt als unfertiges Wesen, als *„instinktentlastetes"* Wesen (vgl. GEHLEN 1971) oder anders gesagt, als „Mängelwesen" (PORTMANN 1962) auf die Welt. Im Gegensatz zum Tier, das umweltgebunden und *„instinktgesichert"* ist, ist der Mensch umweltentbunden, d. h. er kann sich eine gegebene Welt individuell erschließen und ausgestalten. Verhaltensweisen und Strategien, die er zur Lebensbewältigung braucht, muß er erst erlernen. Da der Mensch hineingeboren wird in eine bestimmte Umwelt, die gekennzeichnet ist durch zivilisatorische, kulturelle und naturgebundene Gegebenheiten, ist er auf Grund seiner unspezialisierten ererbten Anlagen auf Hilfe angewiesen, anders gesagt, von Erziehung abhängig. Er verfügt also nicht über angeborene Verhaltensmuster wie das Tier, sondern er ist auf Erfahrungsgelegenheiten und auf die Verarbeitung von Erfahrungen angewiesen. In der pädagogischen Anthropologie (ROTH 1966, S. 147) wird er „nicht nur als das lernbedürftigste und lernfähigste", sondern auch als das „erziehungsbedürftigste und erziehungsfähigste" Wesen betrachtet. Der Mensch ist also in seiner Entwicklung darauf angewiesen, Erfahrungen zu sammeln, die er in der individuellen Auseinandersetzung mit seiner materialen und personalen Umwelt erlebt. Der Zusammenhang zwischen Subjekt und Umwelt wird uns in der sog. Gestaltkreistheorie von Viktor v. Weizsäcker in anschaulicher Weise vor Augen geführt. Dieses Kreismodell zeigt – auch hier vereinfacht dargestellt – daß in jeder Handlung Wahrnehmen und Bewegen zu einer Einheit verschmelzen (psycho-physische Einheit).

Das Ineinandergreifen von Subjekt und Umwelt, welches durch das Wahrnehmen und Sich-Bewegen situativ hergestellt wird, zeigt folgendes Modell (vgl. BECKERS 1986, S. 87).

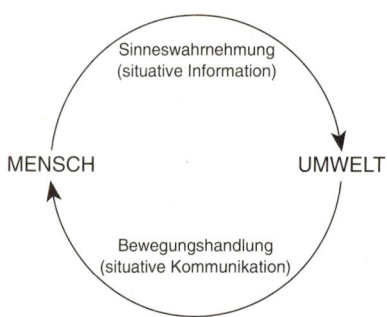

Abb. 1.1: Grundschema zur Einheit von Wahrnehmung und Bewegung.

Über die Wahrnehmung unserer Umwelt werden mittels Denkprozessen Bewältigungsstrategien entwickelt. Damit wird es möglich, durch gezielte Bewegungen auf die Umwelt zu reagieren. Bewegung ist also als eine Nahtstelle zwischen Subjekt und Umwelt anzusehen. Im „Sich-Bewegen" hat der Mensch die Möglichkeit, sich in seinen organischen Funktionen den Umweltgegebenheiten anzupassen, d. h. es erfolgt eine Abstimmung des Wahrnehmungs- und Bewegungsverhaltens auf die situativen Umweltbedingungen. Ein einfaches Beispiel dazu: Wenn wir in der Ebene laufen, können wir bei gleichbleibender Schrittlänge und Schrittfrequenz relativ lange entsprechende Ausdauerleistung vollbringen. Bei ansteigendem Gelände erfolgt über die Wahrnehmung der veränderten Umwelt eine Veränderung der Schrittlänge und Schrittfrequenz. Hier wird deutlich, daß Wahrnehmung und Bewegung als biologische Einheit zu betrachten sind. Nun kommt aus anthropologischer Sicht noch etwas Bedeutsames hinzu. Die Ganzheitlichkeit menschlichen Wahrnehmungs- und Bewegungsverhaltens, d. h. der psychophysische Zusammenhang zeigt sich in der Fähigkeit, Bewegungen zu erleben. Das Bewegungserlebnis – die psychische Komponente der Bewegungsaktivität – zeigt die untrennbare psycho-physische Einheit des Menschen. Handlung und Bewußtsein fließen gewissermaßen zusammen. Dafür gibt es in der amerikanischen Literatur den Ausdruck

„*Flow*" (Csikszentmihalyil/Csikszentmihalyi 1988). Im Stadium des „*Flow*" hinterfragt und befragt sich der Handelnde nicht (Volger 1990, S. 86). Bewegungserlebnisse können also kaum an konkreten „Ereignissen" im Körper beschrieben bzw. festgemacht werden, wie dies bei bestimmten Bewegungserfahrungen (z. B. Schmerz und Ermüdung) der Fall ist, die benenn- und lokalisierbar sind. Als überholt gilt heute vor allem der von Descartes (1596–1650) herrührende Dualismus, der „Körper und Seele" als getrennte Einheiten sieht.

1.2.2 Zum Bewegungserleben des Menschen

Befassen wir uns etwas genauer mit der speziellen Fähigkeit des Menschen, Bewegungen zu erleben.
Zugangsweisen des Menschen zur Welt sind: *Erkennen – Verstehen – Erleben* (vgl. Grössing 1991, S. 117 ff). Diese Fähigkeiten stehen in einer engen Verbindung zum *Sich-Bewegen.* Dies kommt besonders in der Weltzuwendung des Kindes zum Ausdruck. Erkennen geht einher mit „*Begreifen*" im wahrsten Sinne des Wortes. Beim Erwachsenen herrscht dagegen die abstrakte erkennende und verstehende Zugangsweise vor. Das Verhältnis von Mensch und Umwelt ist, wie bereits dargestellt, gekennzeichnet durch die Einheit von Wahrnehmung, Bewegung, Erleben und Verarbeiten, wobei „Erleben und Verarbeiten" sich auf rationale, emotionale Prozesse, bewußt und unbewußt Erfahrenes beziehen können. Gerade bei sportlicher Betätigung kommt die ursprüngliche Weltzuwendung des Menschen als psycho-physische Einheit zum Tragen. Treffend ist in diesem Zusammenhang der Satz von Buytendijk: „So wie einer ist, so bewegt er sich, und wie er sich bewegt, so ist er" (vgl. Plessner/Bock/Grupe 1967, S. 104). Aus sportpädagogischer Sicht ist es möglich, Bewegungserlebnisse durch eine bestimmte Auswahl von Bewegungen bzw. Sportarten, in Abhängigkeit von Alter und Geschlecht, gezielt herbeizuführen, z. B. Klettern, Abenteuerspiele (Wagnis, Risiko), Entspannungsgymnastik/Yoga (psychisches Wohlbefinden). Damit werden Verbindungen hergestellt zwischen Anthropologie und Pädagogik, bzw. Sportpädagogik.

1.3 Die Bedeutung von sportlicher Bewegung für den Menschen in unserer Zeit

Die in jüngerer Vergangenheit begonnene Industrialisierung führte in vielen Berufen durch Uniformierung der Tätigkeit zu einer weitgehenden Spezialisierung von Bewegungsabläufen. Ganzkörperbewegung ist nur noch in den wenigsten Berufen gefordert. Die Hauptarbeit wird von „Maschinen" übernommen. Neben eingeschränkter Bewegungsbeanspruchung wird es im Rahmen der hochtechnisierten Arbeitsprozesse auch sehr erschwert, zwischenmenschliche Kontakte zu knüpfen. Durch Beschränkung der Tätigkeit auf wenige, von Zweckmäßigkeit geprägten Handlungen, sind die Möglichkeiten zu kreativem Tun weitgehend eingeschränkt. Diese Erscheinung ist in den meisten Berufszweigen erkennbar. Dem Bedürfnis des Menschen nach vielseitiger Bewegung und unterschiedlichem Erlebnisgehalt kann nur noch in eingeschränktem Maß Rechnung getragen werden. Als Folge davon treten in unserer Zeit vermehrt Zivilisationsschäden, sowohl schwerpunktartig im psychischen als auch im physischen Bereich auf.

In diesem Zusammenhang kommt dem Sport eine wichtige Funktion zu, da er dem Menschen Gelegenheit bieten kann, sein Bedürfnis nach vielseitiger Bewegungsbeanspruchung und nach Bewegungserlebnissen zu befriedigen. Dadurch ist es möglich, Defizite im psychischen (Selbstwertgefühle, Sicherheit, Zufriedenheit, Ausgeglichenheit u. a.) und physischen Bereich (Kraft, Ausdauer, Koordination, u. a.), hervorgerufen durch einseitige Belastung im Berufsleben, auszugleichen. Betrachten wir die Bedeutung von Bewegungen innerhalb des Sports in unserer Gesellschaft etwas detaillierter. Bewegungen im Sport unterliegen, abhängig von gesellschaftlichen Veränderungen, einem ständigen Wandel im Hinblick auf Ausprägungsformen, Sinngebungen und Wertmustern. Seit Beginn der modernen Sportbewegung besteht die Frage, ob Sport Kultur- und Bildungsgut oder eher Körperkult ist. Hierzu werden unterschiedliche Ansichten vertreten:

So sehen Kritiker im Sport eine „Veräußerlichung des Leibes" als psycho-physische Einheit, damit einhergehend eine Überbewertung des Körpers als dessen physische Komponente. Dies kommt zum Ausdruck in der hemmungslosen Ausnutzung des Körpers im individuellen bzw. kollektiven Erfolgsinteresse sowie in einer Mißachtung des

Geistigen. Die Befürworter sind dagegen der Meinung, daß dem Sport eine hohe gesundheitliche, pädagogische und soziale Bedeutung zukomme und daß er insbesondere geeignet sei, den Menschen nicht nur körperlich, sondern auch moralisch im positiven Sinne zu verändern. Dieser Streit ist bis heute noch nicht abgeschlossen (vgl. GRUPE 1990, S. 87 ff). Als erwiesen kann jedenfalls angesehen werden, daß sich Sport in den letzten 20 Jahren entscheidend verändert hat und daß er mit seinen unterschiedlichen Ausprägungsformen und Zielsetzungen ein Teil des kulturellen Lebens geworden ist. Dies läßt sich auch damit rechtfertigen, daß sich das Verständnis von Kultur in den letzten Jahrzehnten tiefgreifend verändert hat. Kultur ist zu einer diffusen „Hintergrundgröße" geworden. Ein unscharfes Kulturverständnis bezieht fast alle menschlichen Tätigkeiten ein. Allein damit zu rechtfertigen, daß Sport ein Kulturgut ist, wäre zu einfach. Verantwortlich dafür sind jedoch die Tatsachen, daß Sport auf Grund seiner Ausbreitung und Entwicklung zu einem Teil der *Alltagskultur* geworden ist und sich das *kulturelle Leben* insgesamt „*versportlicht*" hat (GRUPE 1990, S. 88).

Die beiden Bereiche sollen nachfolgend kurz erläutert werden:
Immer mehr Menschen treiben Sport, und die Zahl der Sportarten wird zusehends größer. Sport wird nicht mehr nur in Vereinen betrieben, sondern auch in anderen Institutionen und Einrichtungen. Individuelle Sportaktivitäten nehmen zu (Skilauf, Segeln usw.). Im Gegensatz zum organisierten Sport entwickelt sich damit eine „alternative Körper- und Bewegungskultur", z. B. Tai Chi, Yoga. Auf der anderen Seite wird Sport in bestimmten Bereichen zu einem Medienspektakel (Hochleistungssport, Schausport).

Der Sport hält Einzug in alle Lebensbereiche. Sport bestimmt die Medien, die Presse. Die Werbung bedient sich des Sports, um für Artikel und Dienstleistungen zu werben. Selbst Menschen, die selbst nicht aktiv Sport treiben, schmücken sich mit Attributen, um sich ein sportliches Image zu geben. Sportlichkeit ist nicht mehr allein Angelegenheit der Sportler – sie ist *Bestandteil des individuellen Lebensstils* unserer Zeit.
Der Sport bietet eine reiche Palette von Angeboten. Sie reichen von Fußball über Surfen, Reiten bis hin zu Tai Chi und lassen sich mit unterschiedlichen Sinnrichtungen des Sich-Bewegens wie Leistung, Abenteuer, Gestaltung, Gesundheit, Geselligkeit verbinden (vgl. KURZ 1992, S. 15 ff). Auf Grund der vielschichtigen Erlebnis- und Erfahrungsmöglichkeiten befriedigt der Sport das Bedürfnis vieler Menschen nach bestimmten Lebensgefühlen.

Die Vielzahl der Erfahrungs- und Erlebnismöglichkeiten des Sports wird in folgender Auflistung erkennbar: Der Sport

- deckt das Bedürfnis nach sozialen Kontakten, Individualität, Selbstverwirklichung,
- vermittelt Einsichten und Erfahrungen, die der Mensch in anderen Bereichen nicht gewinnen kann,
- gibt Gelegenheit, etwas für die Gesundheit zu tun, wirkt so dem Bewegungsmangel entgegen,
- ermöglicht ein intensives Körpergefühl,
- ermöglicht, Können zu erproben, Sieg und Niederlage faßbar zu machen,
- bietet die Möglichkeit, die Ästhetik des Körpers zu erfahren,
- hält Grundsätze wie Fairneß und Chancengleichheit gegenwärtig.

Der Sport unserer Tage tritt aber auch mit negativen Merkmalen in Erscheinung und gibt so den Kritikern recht, die Sport als „Un-Kultur" bezeichnen. Es sind dies:

- Dominanz von Konkurrenz und Wettbewerb,
- Rangplatzzuweisung in allen Bereichen des Sports,
- Diskriminierung von Leistungsschwachen und Randgruppen,
- Vermarktung des Sports,
- Doping,
- Billigung von Gewalt,
- Nationalismus,
- Beeinflussung des Sports durch Politik und Wirtschaft u. a. m. (vgl. GRUPE 1990, S. 105, DIGEL 1986, S. 39 ff.).

Von diesen aufgezeigten Veränderungen im Bereich der Körper- und Bewegungskultur bleibt auch der Schulsport nicht unbeeinflußt, was sich u. a. in der Neukonzipierung von Lehrplänen (vgl. Lehrplan für das bayerische Gymnasium, KMBL I, So.-Nr. 17, S. 753/1992) zeigt. Die Bewegungserziehung in der Schule hat vorrangig zwei Aufgaben: Die Vermittlung der *sportlichen* und der *nichtsportlichen Bewegung.*

Dabei bezieht sich die sportliche Bewegung auf das sportliche Tun (vorwiegend sportartspezifisch) während der Schulzeit und danach, die nichtsportliche Bewegungsausbildung auf die Schulung von Gesundheits- und Körperbewußtsein, Erlebnisorientierung und Umweltsensibilität (vgl. MÜLLER 1991, S. 34). Die Ausgewogenheit in der Erziehung zur sportlich-gegenwärtigen und nichtsportlich-zukünftigen Körper- und Bewegungskultur ist die schwierige, aber notwendige Verpflichtung von Sportdidaktik und Schulsport (vgl. GRÖSSING 1988, S. 83).

Wesentliche Bezugspunkte einer zukunftsorientierten Bewegungserziehung sind die Verantwortung gegenüber der jeweils erschlossenen und gestalteten Umwelt sowie die Selbsterfahrung durch Bewegung (BRAAKE 1985).

Damit werden enge Beziehungen zur Umwelt- und Gesundheitserziehung offenkundig. Daraus folgt auch, daß Bewegungserziehung offen sein muß für Bewegungsangebote, die über das traditionelle Sportartenkonzept hinausgehen, wie z. B. Jonglieren, Bewegungskünste, Tai Chi, Yoga, u. a.

Eine allgemeine, pädagogisch orientierte, sportbezogene Bewegungslehre sollte das nötige Wissen über die menschliche Bewegung, deren Bedeutung, Zustandekommen und Meßbarkeit, deren Einflußfaktoren sowie die menschlichen Voraussetzungen zum Sich-Bewegen aufzeigen und damit der Bewegungserziehung nutzbar machen.

1.4 Die Bewegung als Forschungsgegenstand

Im täglichen Leben wird das Zustandekommen sog. Alltagsbewegungen wie z. B. Gehen, Steigen, Heben usw. als selbstverständlich hingenommen. Man fragt im allgemeinen nicht danach, wie solche Bewegungen entstehen bzw. von welchen Faktoren sie abhängen. Mit der Problematik des *Funktionierens einer Bewegung* wird man häufig erst dann konfrontiert, wenn

– es um den Vollzug komplizierter Bewegungen geht,
– besonders anspruchsvolle Bewegungsleistungen erreicht werden sollen,
– sich beim Ausführen von Bewegungen körperliche Schäden einstellen (z. B. infolge von Alterungsprozessen),
– bisher gekonnte Bewegungen nicht mehr beherrscht werden (z. B. nach Verletzungen).

Dies kann in den verschiedensten Lebensbereichen auftreten:

– im Berufsleben beim Erlernen von Arbeitsbewegungen wie etwa das Betätigen von komplizierten Maschinen,

- bei der Wiedererlangung der Bewegungsfähigkeit nach Krankheit oder Verletzung,
- beim Erlernen schwieriger Bewegungen im Sport,
- bei der Verbesserung von Sportbewegungen zur Erreichung von Höchstleistungen.

Da Bewegungen im Sport im Regelfall über das normale menschliche Bewegungsrepertoire hinausgehen, ist es erforderlich, daß man sich mit den Bewegungsabläufen und deren Zustandekommen bewußt auseinandersetzt. In diesem Zusammenhang stellen sich folgende Fragen:

- Welche anatomischen und physiologischen Voraussetzungen sind für die Realisierung von Bewegungen verantwortlich?
- Welche psychischen Einflußgrößen (wie z. B. Stimmungen, Gefühle, Ängste) bestimmen die Realisierung von Bewegungen?
- Welche äußeren Faktoren (personale, materiale Umweltfaktoren) wirken auf die Bewegung?
- Welche Prozesse laufen beim Bewegungslernen ab?
- Wie entwickeln sich Bewegungen, Bewegungskarrieren im Verlauf des Lebens und in Abhängigkeit von individuellen Lebensläufen?
- Welche Einflüsse haben physische und psychische Extrembelastungen (z. B. Hochleistungssport) auf das menschliche Bewegungsverhalten?
- Wo liegen die Grenzen des menschlichen Bewegungsvermögens?
- Welche Bedeutung haben Bewegungen im Sport für die lebenslange Entwicklung des Menschen?
- Wie wirken sich sportliche Bewegungen auf die Erlebniswelt des Menschen aus?
- Welchen Veränderungen unterliegt die Bedeutung der Bewegung (individuelle Sinnperspektive) für den Menschen im Verlauf eines Lebens (z. B. Leistungsorientiertheit in der Jugend, Geselligkeit in der Lebensmitte, Gesundheit im Alter)?
- Umwelt-, Freizeit- und Gesundheitserziehung stehen mit der Bewegungserziehung in einem integrativen Zusammenhang. Welche Rolle kommt der Bewegungserziehung und damit auch der Bewegungslehre in diesem Zusammenhang zu?

Die Beantwortung der oben gestellten Fragen macht es notwendig, Bewegung von verschiedenen wissenschaftlichen Ausgangspositionen her zu beleuchten.

1.4.1 Zur historischen Entwicklung der Bewegungslehre

Ansätze systematischer Bewegungsbetrachtung reichen weit in die Vergangenheit zurück. So beschäftigte sich z. B. bereits LEONARDO DA VINCI (1452–1519) mit den Bewegungen des menschlichen Körpers vom Standpunkt der Gesetze der Mechanik aus. Eine im engeren Sinne wissenschaftliche Bewegungserforschung setzte erst in jüngerer Zeit ein. Zu nennen wären hier Beiträge von STREICHER 1959; BUYTENDIJK 1956; KOHL 1956 u. a. m.

Auf dem Weg zu einer Theorie der sportlichen Bewegung bzw. der sportlichen Motorik unter pädagogischem Aspekt setzte MEINEL (1960) mit seiner „Bewegungslehre" einen Markstein. Er versuchte, das Denken und Forschen um die sportliche Bewegung, ausgehend von den Bedürfnissen und Problemen der Sport- und Unterrichtspraxis, umfassend aufzuarbeiten. In der MEINELschen Theorie der sportlichen Bewegung steht die Bewegungshandlung im Mittelpunkt der Betrachtung. Dabei werden vor allem folgende Bereiche dargestellt:

- Die qualitative Besonderheit und der Zusammenhang der Bewegungsformen;
- Der Handlungscharakter der sportlichen Bewegung und ihre soziale Determiniertheit;
- Phylogenese (Stammesgeschichte), Ontogenese (Individualentwicklung) und Aktualgenese der sportlichen Motorik;
- Die Rolle der Praxis im Erkennungsprozeß als Bezugssystem für Aufgaben und Fragestellungen der Bewegungslehre.

Zusammenfassend kamen hier also historisch-gesellschaftliche, psychologische und biomechanische Betrachtungsweisen der Bewegung zum Tragen. Schwerpunktmäßig wurde die morphologische Betrachtungsweise der Bewegung bevorzugt, d. h. das Hauptaugenmerk auf die Bewegungsqualität, also auf das äußere Erscheinungsbild der Bewegung, gelegt. Diese etwas einseitig ausgerichtete Bewegungsbetrachtung blieb in der Fachwelt nicht ohne Kritik. Eine Erweiterung erfuhr das MEINELsche Konzept durch SCHNABEL (1976, 1987), der ein Modell der *Bewegungskoordination* vorstellte, das mit Hilfe eines der *Kybernetik* entlehnten Regelkreismodells erklärt wird. Damit war ein weiterer bedeutsamer Schritt auf dem Wege zu einer umfassenden Darstellung einer Sportmotorik erfolgt. Parallel dazu erfolgte die Erforschung der Bewegungen im Sport im Hinblick auf physikalische Gesetzmäßigkeiten. Damit gewann die

Biomechanik zunehmend an Bedeutung. Zu nennen sind hier u. a. die Arbeiten von Hochmuth (1975) und Donskoi (1975).

Eine ausschließlich biomechanisch orientierte Betrachtung des Bewegungsverhaltens des Menschen führte insofern wieder zu Einseitigkeit, als nur solche Anteile des Bewegungsverhaltens erfaßt werden konnten, die durch sportmotorische Tests zu objektivieren waren.

Die Erforschung der Bewegungen im Sport auf der Grundlage kybernetischer Betrachtungsweisen beschäftigt sich speziell mit Fragen der Informationsverarbeitung sowie Steuerungs- und Regelungsprozessen. Diese *kybernetisch* orientierte Bewegungsforschung wird als *Sensomotorik* bezeichnet. Darin kommt zum Ausdruck, daß der Wahrnehmung von Informationen und deren Verarbeitung besondere Bedeutung beigemessen wird, die sich in Form von sog. sensomotorischen Regelkreismodellen darstellen lassen.

Zu dieser Forschungsrichtung sind vor allem die Arbeiten von Ungerer (1977) wegweisend geworden. Durch Regelkreismodelle lassen sich aber nicht alle Prozesse innerhalb einer Bewegung als Handlung abbilden. Über *psychologisch* orientierte Handlungsmodelle eröffnen sich Möglichkeiten, noch bestehende Lücken zur Erklärung von Bewegungen als Handlung zu schließen. Die Lücken beziehen sich auf die Einbindung emotional-affektiver und z. T. kognitiver Komponenten beim Zustandekommen von Bewegungen.

Die dazu vorliegenden Ansätze sind noch sehr unterschiedlich begründet [1].

Zur Klärung der Fragen nach dem Sinn von Bewegungen im Sport bieten sich *philosophisch-ethische* Betrachtungsweisen an [2].

Diese skizzierten Ausführungen zur Entwicklung einer *„Bewegungslehre des Sports"* als wissenschaftlicher Bereich lassen erkennen, daß auf Grund dieser unterschiedlichen Betrachtungsweisen eine Bewegungslehre als selbständiges Gebiet innerhalb der Sportwissenschaften nur bedingt vorstellbar ist. Sie kann sich vielmehr nur als Integrationswissenschaft verstehen, indem sie die Methoden anderer Wissenschaften für die Betrachtung ihres zentralen Gegenstands „Bewegung" integriert.

---

1 Vgl. dazu Arbeiten von Bernstein, Galanter u. a., A. Thomas, Nitsch, Kaminski, Hacker, Rokusfalvy u. a.
2 Wissenschaftliche Aussagen liegen hierzu u. a. von Grupe, Lenk, Kuchler, Niedermann, Rösch, Kurz, Brodtmann, V. v. Weizsäcker vor.

1.4.2 Wissenschaftliche Betrachtungsweisen von Bewegungen im Sport

Will man die menschliche Bewegung als grundlegende Dimension menschlichen Verhaltens (vgl. BUYTENDIJK 1956) mit wissenschaftlichen Methoden beleuchten, so ist aus den bisherigen Andeutungen bereits zu erkennen, daß dabei verschiedene Wissenschaftszweige notwendig sind, um sie in ihrer ganzen Bedeutungsbreite erfassen zu können.

Betrachtet man bei Bewegungen lediglich die mögliche Ortsveränderung nach zeitlich-räumlichen bzw. dynamischen Gesichtspunkten, so ist die Physik, hier vor allem die Mechanik, Ausgangspunkt wissenschaftlicher Betrachtung. Als sportwissenschaftliche Disziplin entsteht so unter Einbeziehung des menschlichen Bewegungsvermögens die sog. Biomechanik bzw. *Sportmechanik.*

Die Betrachtung menschlichen Bewegungsverhaltens erfolgt vor allem mit den methodischen Mitteln der Psychologie. Die *Sportpsychologie* betrachtet also – verallgemeinert – menschliches Bewegungsverhalten im Bereich des Sports.

Die Einflußnahme auf das menschliche Verhalten über die Bewegung ist, eingeengt auf Bewegungen im Sport, u. a. Gegenstand der *Sportpädagogik.*

Die Erforschung menschlicher Interaktionen, z. B. gruppendynamischer Prozesse, wie sie im Sport innerhalb von Spielmannschaften ablaufen, ist u. a. Aufgabe der Soziologie, am vorliegenden Beispiel der *Sportsoziologie.*

Fragen nach dem Sinn des Sports, Erhellung seiner Probleme, ethische Fragestellungen, das Handeln im Sport analysieren und kritisch zu hinterfragen und andere Inhalte mehr, sind Gegenstand der Philosophie, im besonderen der *Sportphilosophie.*

Die Entwicklung des menschlichen Bewegungsvermögens ist ein Gegenstand der Anthropologie, sinngemäß der *Sportanthropologie.* Die isolierte Untersuchung von Muskeln, Nerven sowie des Skeletts ist Gegenstand der Anatomie. Deren funktionelle Zusammenhänge, auch in Verbindung mit Stoffwechselvorgängen, werden vor allem von der Physiologie behandelt. Werden allgemeine Sachverhalte aus der Anatomie und Sportphysiologie auf den Sport übertragen, so spricht man von *funktioneller Anatomie* und *Sportphysiologie* oder von *Sportbiologie.*

Die *Kybernetik* im Sport eröffnet Möglichkeiten, Informationsaufnahme und -verarbeitungsprozesse auf der Grundlage von Steuerung und Regelung und damit gegebene Wirkungszusammenhänge zwischen dem Menschen und seiner Umwelt zu erklären.

Mit der Möglichkeit der Optimierung der Bewegungsausführung im Sinne einer Leistungssteigerung befaßt sich, bezogen auf Sportbewegungen, die *Trainingslehre*.

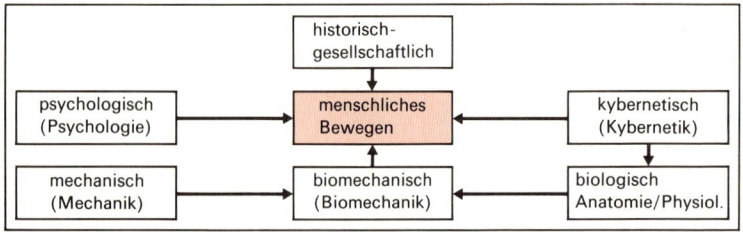

Abb. 1.2: Betrachtungsweisen menschlichen Bewegens.

Die wissenschaftlichen Teilbereiche, die sich mit der Bewegung befassen – hier im besonderen mit der Sportbewegung – sind damit nicht erschöpft, es ließen sich weitere anführen: Geschichte – Sportgeschichte, Publizistik – Sportpublizistik.

Die unterschiedlichen Betrachtungsweisen des komplexen Gegenstands „Bewegung" führen zwangsläufig zu einseitigen Interpretationen. Eine einheitliche Bewegungstheorie, die auf den wissenschaftlichen Erkenntnissen unterschiedlicher Standorte (sportwissenschaftlicher Teilbereiche) beruht, fehlt bisher. Es gibt aber Ansätze, z. B. auf der Basis naturwissenschaftlich-philosophischer Denkweisen, verschiedene wissenschaftliche Ausgangspunkte zu integrieren (s. dazu HATZE 1976).

1.5 Aufgabenfelder der Bewegungslehre des Sports

Die Bewegungslehre umfaßt verschiedene Konzeptionen. Der Grund dafür liegt im unterschiedlichen Verständnis von Bewegung. So existieren z. B. Bewegungslehren aus physikalischer Sicht, Bewegungslehren, die vorwiegend an kognitiven Verhaltenstheorien orientiert sind und Bewegungslehren, die die kybernetische Betrachtung in den Vordergrund rücken. Anthropologische Betrachtungen werden in den bestehenden Bewegungslehren jedoch kaum berücksichtigt. Eine pädagogisch ausgerichtete Bewegungslehre erleichtert dem Leser den Übergang von der Bewegungslehre zur Bewegungserziehung. Wir erachten es daher als notwendig, gerade die anthropologische Sichtweise als Orientierungshilfe für das Menschenbild, das Anlaß und Zielpunkt aller Erziehungs- und Bildungsprozesse ist, an den Anfang zu stellen.

Damit wird es uns möglich und einsichtig, einseitige Betrachtungsweisen von Bewegung, z. B. die physikalische oder die kybernetische, in ihrer Bedeutung zu relativieren und sie in einem integrativen Zusammenhang sinnvoll zu gewichten.

Wenn auch die Bewegungslehre als Wissenschaft kaum Eigenständigkeit haben kann, so läßt sie sich doch inhaltlich eingrenzen und beschreiben.

Bewegungslehre befaßt sich:

- mit der menschlichen Bewegung als objektiv in Erscheinung tretende Ortsveränderung in Raum und Zeit,
- mit den Prozessen ihrer Entstehung und den sie bedingenden äußeren und inneren Einflußgrößen,
- mit Sinngehalten und Erlebniswerten des Sich-Bewegens.

Die Bedeutung von Bewegungslehre ist zweigeteilt:

1. Bewegungslehre verwertet wissenschaftlich gewonnene Erkenntnisse über ihren Gegenstandsbereich zur Vermittlung und Anwendung in der Praxis und Unterrichtspraxis des Sports (Bewegungslehre als Anwendungslehre).
2. Die Bewegungslehre als Bereich innerhalb der Sportwissenschaften ist bestrebt, aus unterschiedlichen Wissenschaften neue Erkenntnisse über die menschliche Bewegung, ihre Einflußgrößen und Wirkungsweisen zu gewinnen (Bewegungslehre als Teil der Sportwissenschaften).

Damit schließt die Bewegungslehre auch die Bewegungsforschung im Sinne einer Verhaltensforschung mit ein.

Lernerfolgskontrolle

1. Was bedeutet „Bewegungslehre"?
2. Zeigen Sie die Bedeutungsvielfalt des Begriffs „Bewegung" auf!
3. Welche Systematisierungsmöglichkeiten menschlicher Bewegungen kennen Sie?
4. Welche Bedeutung hat die Bewegung aus anthropologischer Sicht?
5. Die Persönlichkeitsentwicklung eines Menschen ist abhängig von einem Menschenbild. Welche Faktoren bestimmen das Menschenbild einer Zeitepoche?
6. Skizzieren Sie die menschliche Entwicklung im Vergleich zum Tier!
7. Welche Bedeutung haben Bewegungen im Sport für den Menschen in unserer Zeit?
8. Welche Erfahrungs- und Erlebnismöglichkeiten kann der Sport dem Menschen in der Gegenwart bieten?
9. Bei welchen Fachwissenschaftlern findet man in der Vergangenheit bereits Ansätze systematischer Bewegungsforschung?
10. Welche speziellen Inhalte hat eine physikalisch orientierte Bewegungsforschung?
11. Womit befaßt sich die kybernetisch orientierte Bewegungsforschung?

2 Physische Voraussetzungen und biomechanische Grundlagen menschlicher Bewegung

Die besondere Bewegungsfähigkeit des Menschen basiert auf dem differenzierten Zusammenwirken von Bewegungsapparat und Nervensystem. Sie wird von Faktoren beeinflußt, die angeboren oder erworben sein können. Die angeborenen oder Anlagefaktoren sind einerseits körperliche Merkmale wie Größe, Hebelverhältnisse der Extremitäten, andererseits Fähigkeiten wie motorische Schnelligkeit, Beweglichkeit. Zu den erworbenen Faktoren gehören u. a. Bewegungserfahrung und vorhandenes Bewegungskönnen.
Hinzu kommen biomechanische Gegebenheiten und Gesetzmäßigkeiten, die bei der Ausführung von Bewegungen wirksam werden.

2.1 Physische Voraussetzungen

2.1.1 Der Bewegungsapparat

Der Bewegungsapparat setzt sich aus einem aktiven (Muskulatur) und einem passiven Bereich (Knochen, Knorpel, Sehnen und Bänder) zusammen, deren Anteile am Gesamtgewicht des Menschen verschieden sind. So wiegt z. B. die Muskelmasse eines untrainierten, 70 kg schweren Mannes ca. 30 kg. Dies entspricht rund 43% des Gesamtkörpergewichts. Das Skelett wiegt dagegen nur 12,5 kg, entsprechend 17,5% des Gesamtkörpergewichts (vgl. TITTEL 1978, S. 88).
Der Bewegungsapparat wird durch bewußt und unbewußt ablaufende Steuerimpulse des Zentralnervensystems in Aktion versetzt. Das daraus resultierende Bewegungsspektrum ist breit gefächert. So kann z. B. die menschliche Hand, ein feingliedriges Gebilde, das hauptsächlich durch die Muskulatur des Unterarms bewegt wird, sowohl eine Stecknadel aufnehmen, als auch Lasten halten, die über das Tausendfache des Gewichts der an der Aktion beteiligten Muskulatur hinausgehen (vgl. KUHN 1981).

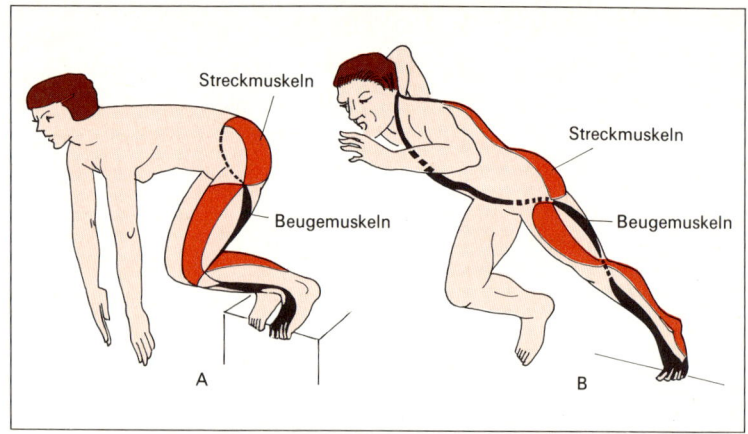

Abb. 2.1: Darstellung des Zusammenspiels von Beuge- und Streckmuskeln am Beispiel des Starts beim Schwimmen (A) und des Kurzstreckenlaufs (B).

Der aufrechte Gang des Menschen bedingt eine besondere statische Entwicklung, die sich an Besonderheiten seines Bewegungsapparates zeigt. Auf einem federnden, dreipunktgelagerten Fußgewölbe ruht die Gesamtlast des Körpers. Stabile Röhrenknochen tragen den Rumpf und ermöglichen in Verbindung mit kräftiger Muskulatur des Rumpfes und der Beine großflächige Ansatzpunkte. Die Wirbelsäule weist drei Hauptbewegungen auf:

- Beugung und Streckung nach vorn und hinten (Medialebene).
- Seitliche Neigung (Frontalebene).
- Verdrehung um die Längsachse (vgl. DE MARÉES/MESTER 1983, S. 19).

Die doppel-S-förmige Krümmung der Wirbelsäule wirkt stoßdämpfend – vor allem im Hinblick auf das empfindliche Gehirn. Sie gibt den oberen Extremitäten und dem Schädel Halt. Festigkeit und Dicke des Knochenskeletts und der Muskulatur nehmen im wesentlichen von oben nach unten zu und tragen somit zur höheren Belastbarkeit und Kraft bei (vgl. KUHN 1981).

2.1.2 Das Nervensystem

Alle Bewegungen des Skelettsystems sind von Kraft- und Längenänderungen der Muskulatur abhängig. Die Aktionen der an der Bewegung beteiligten Muskeln und Muskelgruppen werden vom Nerven-system zeitlich, räumlich und dynamisch aufeinander abgestimmt. Wir unterscheiden, vereinfacht dargestellt, Muskelaktionen, die auf Grund eines Umweltreizes unbewußt veranlaßt werden, sog. *Reflexe* (Fluchtreaktionen, Körperhaltung u. a.) und solche, die vom Gehirn auf Grund vielfältiger äußerer bzw. innerer Reize bewußt und direkt veranlaßt werden, sog. *Willkürbewegungen.* Reize von „außen" und „innen" werden von verschiedenen Rezeptoren (Auge, Ohr, Haut u. a.) aufgenommen und weitergeleitet (vgl. DE MARÉES 1981, S. 52).

Das Verständnis dieser Zusammenhänge erfordert detailliertere Kenntnisse über das Nervensystem des Menschen, die im Überblick nachfolgend beschrieben werden.

2.1.2.1 Der Aufbau des Zentralnervensystems

Für die willkürliche und unwillkürliche Kontrolle von Haltung und Bewegung sind nervöse Systeme verantwortlich, die in verschiedenen Abschnitten des Zentralnervensystems liegen.

Das Zentralnervensystem läßt sich in *Rückenmark* und *Gehirn* (Abb. 2.2) unterteilen.

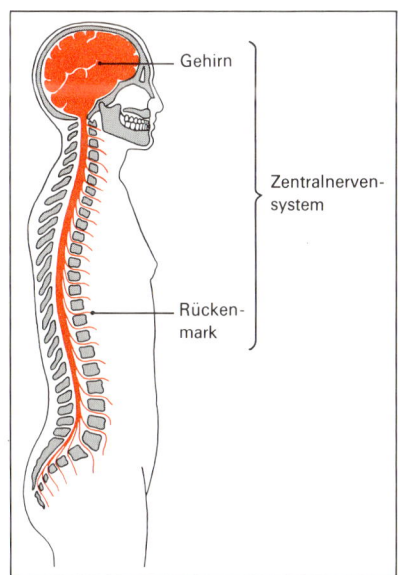

Abb. 2.2: Schematische Darstellung des Zentralnervensystems.

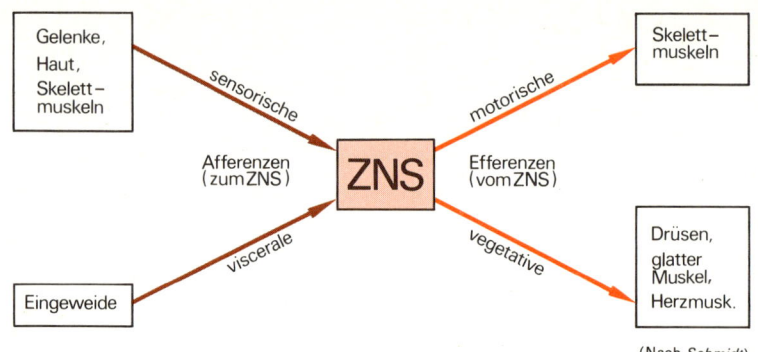

Abb. 2.3: Schematische Einteilung der Nervenfasern nach Herkunft und Funktion.

Die Bausteine des Nervensystems sind die Nervenzellen, meist *Neuronen* genannt.

Die meisten Neuronen haben über Synapsen Verbindungen zu anderen Neuronen. Nur ein kleiner Teil steht mit anderen Zelltypen in Verbindung, wie z. B. Muskelzellen, die für Bewegungen und Energiebereitstellung verantwortlich sind. Diese bewegungsausführenden Organe sind die *Effektoren* des Nervensystems (vgl. dazu SCHMIDT 1979, S. 8 ff). Um sich zweckmäßig mit seiner Umwelt auseinanderzusetzen, braucht das Nervensystem „Fühler", die Veränderungen der Umwelt wahrnehmen und über den Zustand des Organismus und die Tätigkeit der Effektoren berichten. Diese spezialisierten Nervenzellen werden *Rezeptoren* genannt.

Die Nervenfasern der Rezeptoren nennt man afferente Nerven oder Afferenzen. Sie werden unterteilt in sog. *viscerale Afferenzen*, wenn sie über die Verhältnisse in den Eingeweiden berichten und in *sensorische Afferenzen,* wenn sie Informationen aus Gelenken, Haut und Skelettmuskeln übermitteln. Nach Verarbeitung der über afferente Nervenbahnen einlaufenden Informationen im Zentralnervensystem erfolgt von dort Befehlsübermittlung über sog. *efferente Nervenfasern* zu den Muskeln, Drüsen, Eingeweiden (vgl. dazu SCHMIDT 1979; DE MARÉES u. MESTER 1983). Nerven, die Erregungen an die Skelettmuskulatur übermitteln, werden als *motorische Efferenzen* bezeichnet, autonom ablaufende Steuerungsvorgänge, die die Muskulatur der Eingeweide, der Gefäße, die Herzmuskulatur und alle Drüsen des Körpers versorgen, *vegetative Efferenzen* genannt (s. Abb. 2.3).

Das Rückenmark

Das Rückenmark ist ein ca. 40–50 cm langes, etwa 1 cm dickes, strangförmiges Gebilde, das aus *Nervenzellen* und deren Fortsätzen besteht. Seitlich entspringen am Rückenmark die Rückenmarks- oder Spinalnerven. Diese verlassen den Wirbelkanal durch die Zwischenwirbelöffnungen. Ein Querschnitt durch das Rückenmark zeigt

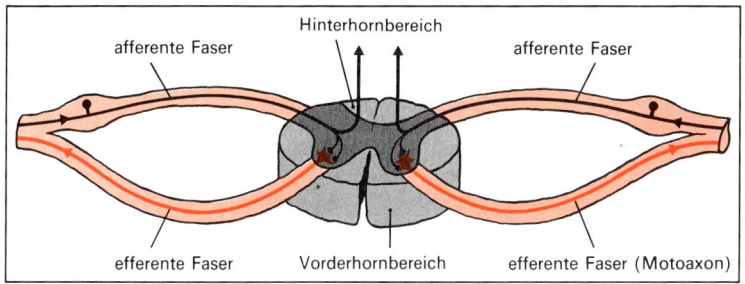

Abb. 2.4: Schematischer Querschnitt durch das Rückenmark.

die im Zentrum liegende *graue Substanz*, die einer Schmetterlingsfigur ähnelt. Sie besteht aus den Nervenzellen (Abb. 2.4).
Die graue Substanz ist von auf- und absteigenden Nervenfasern umgeben, der *weißen Substanz*. Diese farbliche Abstufung ist darauf zurückzuführen, daß diese Nervenfasern von einer Markscheide umgeben sind (s. dazu DE MARÉES u. MESTER 1983; HOLLMANN u. HETTINGER 1980; SCHMIDT 1979). Die im Schnitt schmetterlingsförmige, graue Substanz wird in den Vorderhornbereich und den Hinterhornbereich unterteilt. Die Hinterhörner nehmen sensible (afferente) Fasern auf, während die motorischen (efferenten) Nervenfasern die Vorderhörner verlassen (Abb. 2.4).

Das Gehirn

Das Gehirn, das mit dem Rückenmark durch das verlängerte Mark verbunden ist, gliedert sich von vorn oben nach hinten unten in: Endhirn, Zwischenhirn, Mittelhirn, Brückenhirn und Kleinhirn und das verlängerte Mark (Abb. 2.5). Das verlängerte Mark stellt die Verbindung zwischen Gehirn und Rückenmark her.
Das Endhirn macht 80% des Gesamthirns aus. Es besteht aus dem Großhirnmantel und den darunterliegenden Endhirnkernen. Am

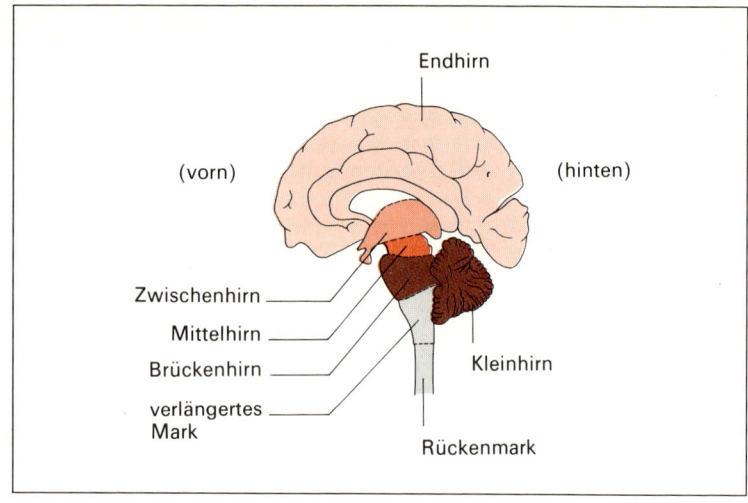

Abb. 2.5: Gliederung des Zentralnervensystems.

Großhirnmantel unterscheidet man die Großhirnrinde und das tiefer gelegene weiße Mark. Ein längsverlaufender Einschnitt unterteilt die *Großhirnrinde* in zwei sog. *Hemisphären*, deren Oberfläche durch Furchen und Einkerbungen stark vergrößert ist. Die abwärts anschließenden Hirnabschnitte des Mittelhirns, die Brücke mit Kleinhirn und das verlängerte Mark werden unter funktionalen Gesichtspunkten als Hirnstamm zusammengefaßt.

Alle genannten Abschnitte sind durch eine Vielzahl von Nervenbündeln untereinander verknüpft. Die komplizierte Verschaltung erschwert eine Aufdeckung der Hauptfunktionen der einzelnen Hirnbereiche (vgl. dazu DE MARÉES u. MESTER 1983).

2.1.2.2 Die motorischen Steuerungszentren

Die sog. motorischen Systeme liegen in verschiedenen Abschnitten bzw. Zentren des Zentralnervensystems: im Rückenmark, im Hirnstamm mit Kleinhirn, im Großhirn und in den Basalganglien (Abb. 2.6). Alle motorischen Zentren sind für das Zustandekommen von Bewegungen in unterschiedlicher Weise mitverantwortlich. Welche motorischen Zentren jeweils bei der Entstehung und Ausführung einer Bewegung wirksam werden, läßt sich am besten über die Klassifikation von Bewegungen in reflektorische und bewußt gesteu-

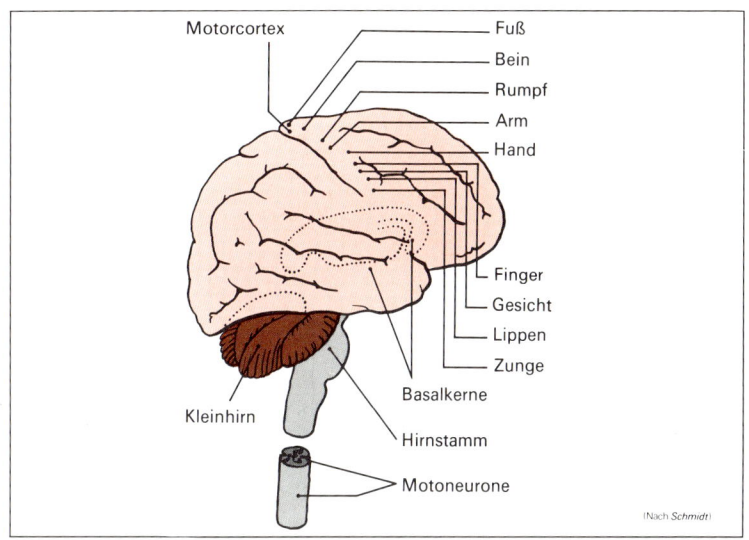

Abb. 2.6: Die Lage der motorischen Zentren im Gehirn.

erte Bewegungen erklären. Ergänzend dazu ist zu erwähnen, daß es darüber hinaus eine Reihe von Zwischenformen gibt.

Die reflektorischen Bewegungen werden allgemein in angeborene (unbedingte) und erworbene (bedingte) Reflexe unterteilt. Nachfolgend soll auf das Zustandekommen von angeborenen Reflexen eingegangen werden.

Steuerungsvorgänge auf Rückenmarksebene

Die Hauptaufgabe des Rückenmarks besteht in der *Steuerung einfacher Bewegungsmuster*. Die einfachsten Reaktionsabläufe, die als Funktionsglieder komplexer Verhaltensweisen aufgefaßt werden können, nennt man *Reflexe*. Man unterteilt sie in Dehnungsreflexe und Beugereflexe. Letztere werden auch Schutzreflexe genannt.

Dehnungsreflexe

Ein Schlag auf eine Sehne löst eine rasche Muskelkontraktion aus. Wird z. B. auf die Patellarsehne unterhalb der Kniescheibe geschlagen, so schnellt der Unterschenkel nach vorn auf Grund einer Kontraktion des Quadrizeps, des Muskels, der auf das Kniegelenk streckend wirkt. Eine derartige, auf einen Reiz folgende Muskelzuckung,

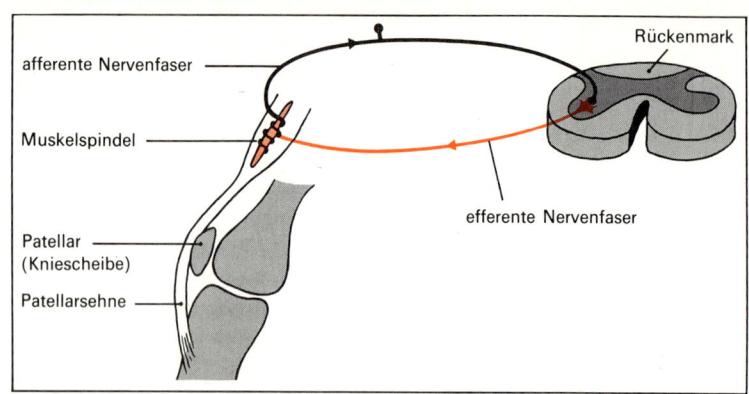

afferente Nervenfaser

Rückenmark

Muskelspindel

efferente Nervenfaser

Patellar
(Kniescheibe)

Patellarsehne

Abb. 2.7: Vereinfachte schematische Darstellung des Eigenreflexes am Beispiel des Patellarsehnenreflexes.

nennt man Dehnungsreflex. Der mechanische Schlag auf die Sehne dehnt die Muskulatur. Dadurch werden die zwischen der Arbeitsmuskulatur eingelagerten Muskelspindeln (Reizempfänger) gedehnt und damit sensible Nerven erregt. Diese Erregungen werden über die Hinterhörner dem Rückenmark zugeleitet (s. Abb. 2.4). Es erfolgt eine Umschaltung auf die Vorderhörner, die über efferente Nervenbahnen die Arbeitsmuskulatur zur Kontraktion (Effektoren) veranlassen. Durch die Kontraktion erschlaffen die Muskelspindeln, der Vorgang ist abgeschlossen. Da Rezeptor (Signalempfänger) und Effektor (Auslöser) im selben Organ, dem Muskel liegen, spricht man von *Eigenreflex* (Abb. 2.7). Das Modell gilt jedoch nur für die „künstliche Reizsituation" bei Reflexprüfungen.

Etwas differenziertere Vorgänge zwischen den beteiligten Nerven und Muskeln liegen beim sog. *Reflexbogen* vor. Einfach ausgedrückt entsteht ein Reflexbogen dadurch, daß der Spannungszustand in den beteiligten Muskelspindeln von den entsprechenden Nerven im Zentralnervensystem ständig neu eingestellt wird, um eine bestimmte Körperposition im Gehen oder im Stehen zu erhalten. Dies soll an einem Beispiel erläutert werden.

Durch das Körpergewicht entsteht beim Aufrechtstehen eine Tendenz zum Beugen des Kniegelenks. Der Streckmuskel des Oberschenkels (Quadrizeps) wird entsprechend gedehnt. Dieser Dehnungsreiz bewirkt über den beschriebenen Reflexbogen fortlaufend feinabgestimmte Kontraktionen verschiedener motorischer Einheiten (Muskel mit dazugehörigem Neuron), so daß die Beugetendenz ausgeglichen wird. Dies läßt sich sinngemäß auf andere Körperbereiche übertragen.

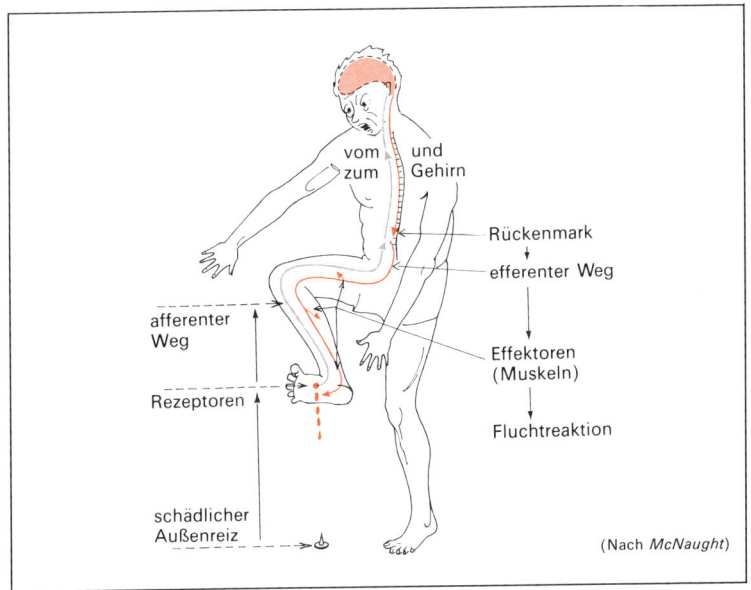

Abb. 2.8: Schematische Darstellung eines Fremdreflexes.

Beugereflex

In diesem Fall geht der Reiz nicht von der Muskulatur selbst aus, sondern von anderen Stellen, die überwiegend in der Haut liegen. Kommt es z. B. zu plötzlichen Schmerzempfindungen durch Reizungen bestimmter Rezeptoren in der Haut, wie etwa bei der Berührung einer heißen Herdplatte mit den Fingern, oder dem Tritt auf einen Reißnagel, so wird mit einer reflektorischen Bewegung geantwortet, um dem Schmerz zu entgehen. Dabei kommt es zu einer ruckhaft ausgeführten Beugung im Knie- und Hüftgelenk (Abb. 2.8.).

In abgekürzter Form läßt sich dieser Vorgang wie folgt erklären: Die von den Hauptrezeptoren einlaufenden Erregungen werden auf den Schaltapparat des Rückenmarks übertragen. Von dort geht ein Reiz an die zu beugenden Muskelgruppen. Rezeptor (Haut) und Effektor (Beugemuskel) sind im Organismus räumlich voneinander getrennt, so daß hier von *Fremdreflexen* gesprochen wird. Dieser Gruppe zuzuordnen sind auch der sog. Saugreflex, Wischreflex, Hustenreflex, Niesreflex, Lidschlagreflex. Fremdreflexe werden, weil damit überwiegend Flucht und Abwehrreaktionen verbunden sind, auch *Schutzreflexe* genannt.

27

Steuerungsvorgänge auf Hirnstammebene

Der Hirnstamm – er setzt sich zusammen aus Mittelhirn, Brücken-hirn, verlängertem Mark (Abb. 2.5) – ist hauptsächlich verantwortlich für die Körperstellung im Raum. Für diese Aufgabe werden afferen-te Meldungen zahlreicher Rezeptoren verwertet. Von besonderer Wichtigkeit sind dabei die Rezeptoren der Gleichgewichtsorgane. Sie liegen im Labyrinthbereich des Felsenbeins. Daneben erhält der Hirnstamm Informationen von den Dehnungsrezeptoren (Muskel-spindeln) der Halsmuskulatur und den Gelenkrezeptoren der Hals-wirbelsäule.

Mit Hilfe dieser Informationen ist es dem Hirnstamm möglich, eine kontinuierliche und völlig unwillkürliche Einstellung und Aufrechter-haltung der normalen Körperhaltung zu gewährleisten. Dazu werden im Hirnstamm auch Informationen vom Kleinhirn, den Basalgangli-en, Bereichen der Großhirnrinde und der Peripherie (Haut, Gelenke) verwertet. Der Hirnstamm übernimmt folgende Aufgaben:

- Sicherung und Kontrolle der Körperstellung im Raum
- Veränderung des Muskeltonus
- Verbindungen zum vegetativen Nervensystem herstellen
- Durchlaufende Informationen für das Zustandekommen von Be-wegungen verwerten (vgl. SCHMIDT 1979, S. 192).

Steuerungsvorgänge auf Großhirnebene

Für die Steuerungsvorgänge auf Großhirnebene sind die motori-schen Rindenfelder verantwortlich. Dem Motorkortex als Ausfüh-rungsorgan obliegt dabei die Aufgabe, Bewegungsprogramme, die in übergeordneten Zentren gebildet wurden, über Hirnstamm und Rückenmark an die Skelettmuskulatur weiterzuleiten.

An einem Beispiel soll die Bedeutung dieser Steuerungsebene auf-gezeigt werden:

Entfernt man bei einem Versuchstier die gesamte Hirnrinde, so weist es bezüglich seiner Motorik [1] gegenüber einem normalen Tier we-sentliche Defekte auf.

So können z. B. differenzierte reflektorische Bewegungsabläufe nicht mehr ausgeführt werden, gelernte Bewegungen gelingen nicht mehr

---

1 Unter menschlicher Motorik versteht man die Gesamtheit der willkürlichen aktiven Muskelbewegungen des Menschen. Sie umfaßt als wichtige Bereiche Bewegungsbe-gabung, Bewegungserfahrung, neurophysiologische Bewegungsentwicklung, Bewe-gungsausführung sowie motorische Fähigkeiten. Man unterscheidet Alltagsmotorik, Arbeitsmotorik, Ausdrucksmotorik und Sportmotorik (vgl. FETZ 1989; RIEDER 1991).

(vgl. dazu Schmidt 1979). Der Ausfall derartiger Funktionen läßt darauf schließen, daß in der Großhirnrinde Informationen über *Bewegungsmuster* gespeichert sind, über die nicht mehr verfügt werden kann.

Zwischen diesen, die Bewegung steuernden Bereichen der Hirnrinde und den motorischen Nerven des Rückenmarks, die die Muskulatur in der Peripherie aktivieren, bestehen direkte und indirekte Verbindungen. Diese Verbindungen nennt man *pyramidale* und *extrapyramidale Nervenbahnen*. Die Pyramidenbahn zieht ununterbrochen von den motorischen Bereichen der Großhirnrinde bis zum Rückenmark. Im Hirnstamm, in der sog. Pyramide, erfolgt eine Kreuzung der meisten dieser Nerven, so daß die motorischen Bereiche der linken Gehirnhälfte Muskelgruppen der rechten Körperhälfte versorgen und umgekehrt. Andere, in den motorischen Bereichen entspringende Nerven werden in extrapyramidalen Nervenbahnen zusammengefaßt, in der Pyramide nicht gekreuzt und auf ihrem Weg zum Rückenmark mehrfach umgeschaltet.

Über die Pyramidenbahnen werden von der Großhirnrinde aus *Willkürbewegungen* abgerufen. Andere Bereiche des Zentralnervensystems sind aber notwendig, um diese groben Bewegungsmuster korrigierend und glättend zu beeinflussen.

Steuerungsvorgänge auf Kleinhirn- und Basalganglienebene

Die Basalganglien und das Kleinhirn sind ein wichtiges Bindeglied zwischen den Assoziationsfeldern des Endhirns, in denen vermutlich Bewegungsentwürfe gebildet werden (s. Fußnote), und den motorischen Zentren der Großhirnrinde.

Sie sind an der Programmierung der vom Großhirn eingeleiteten Bewegungsabläufe gleichrangig beteiligt (vgl. Schmidt 1979).

Die Aufgaben des Kleinhirns und der Basalganglien liegen in der Mitwirkung bei der Umsetzung von Bewegungsplanung in Bewegungsprogramme. Sie unterscheiden sich darin, daß Basalganglien hauptsächlich für die Programmierung langsamer Bewegungsabläufe zuständig sind, während das Kleinhirn rasche Bewegungen programmiert, Kurskorrekturen vornimmt und die Programme mit der Haltung verknüpft. Außerdem beeinflußt das Kleinhirn den Muskeltonus.

Neben den bereits beschriebenen motorischen Bereichen des Endhirns (motorische Rindenfelder) gibt es dort sog. *Motivations*- und *Antriebsareale* und *Assoziationszentren*. Die Motivations- und An-

Tab. 2.1: Bereiche des Zentralnervensystems und ihre Funktion bei der Entstehung von Bewegungen (in Anlehnung an DE MARÉES 1981, S. 70)

Struktur	Funktion
Motivationsareale	Entscheidung über den Abruf und die Bildung von
Assoziationsfelder Cortex	Programmentwürfen, die
Kleinhirn/Basalganglien	in räumlich-zeitlich gegliederte Bewegungsprogramme umgesetzt,
Motorcortex	dem mot. Cortex als Ausführungsorgan für das Bewegungsprogramm zugeleitet werden. Über absteigende motorische Bahnen erreichen die differenzierten Bewegungsmuster für die Bewegungen bei angepaßter Stützmotorik über den
Hirnstamm	Hirnstamm
Rückenmark	die Motoneurone im Rückenmark, die die motorischen Einheiten der aktivierten Muskelgruppen zu
Skelettmuskulatur	Muskellängen- und Muskelkraftänderung und damit zu Bewegung oder Haltungsänderung veranlassen.

triebsareale bilden die Entscheidungsinstanz für den Abruf bzw. für die Erstellung von Bewegungsentwürfen[1]. Die Assoziationszentren sind sehr wahrscheinlich verantwortlich für die Entstehung sowie Speicherung solcher Bewegungsentwürfe (Programme) im Gedächtnis (s. dazu DE MARÉES u. MESTER 1983, S. 117; WEINECK 1986, S. 58). In der Übersicht (Tab. 2.1) sollen der Zusammenhang und die wesentliche Funktion der einzelnen hier beschriebenen Bereiche des Zentralnervensystems dargestellt werden.

---

1 Unter Bewegungsentwurf versteht man ein vor der Bewegungsausführung organisiertes Schema (Muster) des Bewegungsverlaufes, das im Gedächtnis gespeichert wird. Es handelt sich also um eine interne Ausführungsvorschrift zur Realisierung von Bewegungen. Der Begriff Bewegungsentwurf wird in der Literatur nicht einheitlich verwendet (vgl. HACKER 1973; UNGERER 1977 u. a., MÖRIKE/BETZ/MERGENTHALER 1989, 15–75, MEINEL/SCHNABEL 1987).

Anmerkung: Über die Entstehung von Bewegungsentwürfen ist manches noch ungeklärt. Ebenso unklar ist, wie es zu Handlungsantrieben kommt. Man weiß nur, daß durch Denken und Wollen die neuralen Aktivitäten des Gehirns geändert werden. Dies zeigt sich in einer Zunahme der Gehirnströme vor der eigentlichen Bewegung, die gemessen werden kann. Man spricht in diesem Zusammenhang von Bereitschaftspotential. Offensichtlich wird in diesem Stadium der Willensbildung das Bewegungsprogramm ausgearbeitet und über seinen Abruf entschieden.

Lernerfolgskontrolle zu physischen Voraussetzungen

1. Worauf beruht die besondere Bewegungsfähigkeit des Menschen? Von welchen Faktoren wird sie zusätzlich beeinflußt?
2. Zeigen Sie Besonderheiten des menschlichen Bewegungsapparats auf, deren Entwicklung sich auf den aufrechten Gang zurückführen lassen!
3. In welche großen Abschnitte läßt sich das Zentralnervensystem unterteilen?
4. Wie nennt man die kleinsten Bausteine des Nervensystems? Auf welche Weise sind sie untereinander verschaltet?
5. Wie nennt man allgemein die Befehlsempfänger des Nervensystems (Muskeln, Drüsen etc.)?
6. Wo befinden sich die motorischen Zentren im ZNS?
7. Worin besteht die Hauptaufgabe des Rückenmarks?
8. Wie tritt ein Dehnungsreflex äußerlich in Erscheinung? Auf welche nervösen Steuerungsvorgänge ist dies zurückzuführen?
9. Wie tritt ein Beugereflex in Erscheinung? Erklären Sie den Vorgang!
10. Der Beugereflex wird der Gruppe der Fremdreflexe zugeordnet. Welche bekannten Reflexe werden noch dieser Gruppe zugewiesen?
11. Für welche Steuerungs- und Regelungsvorgänge ist die Hirnstammebene verantwortlich? Von welchen Informationen sind diese Steuerungsimpulse abhängig?
12. Welche Aufgaben übernimmt im Rahmen der Bewegungssteuerung und -regelung die Großhirnrinde?
13. Welche Aufgaben erfüllen Kleinhirn und Basalganglien?
14. Was geschieht vermutlich in den Assoziationsfeldern des Gehirns?
15. Definieren Sie den Begriff „Bewegungsentwurf"!

2.2 Biomechanische Grundlagen

2.2.1 Mechanische Gegebenheiten

Unter physikalischen Gesichtspunkten wird Bewegung allgemein definiert als die Ortsveränderung eines Körpers in Raum und Zeit bezüglich eines Bezugssystems. Immer sind Kräfte nötig, um einen Körper – unbelebt oder belebt – in Bewegung zu versetzen, oder einen Körper, der sich in Bewegung befindet, anzuhalten.

In Zusammenhang mit der menschlichen Bewegung unterscheiden wir zwischen *Selbstbewegung* und *Fremdbewegung*.

Selbstbewegung ist die Bewegung, die aus eigenem Kraftantrieb (z. B. Laufen) erfolgt. Im Gegensatz dazu wird Fremdbewegung durch äußere Kräfte (z. B. Motorsport) hervorgerufen. Das Zustandekommen von Bewegungen ist somit abhängig vom Zusammenspiel einer Vielfalt von Kräften, die im einzelnen nun aufgeführt werden.

Aktive innere Kräfte
Bei aktiven inneren Kräften handelt es sich um die Aktivierung von Muskelkraft, die bei allen Bewegungen von Bedeutung ist. Der Mensch ist dabei in der Lage, sowohl den ganzen Körper in Bewegung zu versetzen (Lauf, Sprung), als auch mit den Extremitäten Teilbewegungen auszuführen (Würfe, Schläge, Stöße).

Passive innere Kräfte
Die Elastizitätseigenschaft der Muskulatur und des Bindegewebes, die Trägheitskräfte der inneren Organe und Flüssigkeiten des Körpers werden als sog. passive innere Kräfte bezeichnet. Diese Kräfte treten vor allem dann hemmend in Erscheinung, wenn bei schnellen Bewegungen die Elastizitätskräfte der Antagonisten überwunden werden müssen. Die Wirkung der Trägheitskräfte der inneren Organe und Flüssigkeiten ist dagegen vernachlässigbar klein. Positiv wirken die Elastizitäts- und Reibungskräfte, indem sie explosive Krafteinsätze dämpfen, z. B. bei negativen Kraftstößen (Niedersprüngen u. a.).

Aktive äußere Kräfte
Darunter versteht man Kräfte, die den menschlichen Körper in Bewegung versetzen. Es sind dies z. B.: die Schwerkraft, die Kraft des Windes beim Segeln oder Surfen, die Fließkraft des Wassers beim Kajak-

Abb. 2.9: Fremdbewegung durch Ausnutzen äußerer Kräfte beim Windsurfen.

fahren, die Auftriebskraft der Thermik beim Segelfliegen, die Kraft des Partners beim Bobfahren u. v. m. Negativ wirken die Kräfte dann, wenn z. B. Seitenwinde die Flugbahn des Skispringers beeinflussen, Schwimmer beim Durchqueren eines Flusses von der Wasserkraft weggedrückt werden usw.

Passive äußere Kräfte

Ohne die Trägheitskräfte der Medien, die den Menschen umgeben, wäre es nicht möglich, Muskelkraft wirksam werden zu lassen. Die Bedeutung dieser Kräfte wird offensichtlich, wenn wir versuchen, auf einer glatten Eisfläche schnell zu starten, oder von einer Weichbodenmatte hoch abzuspringen. Der Vortrieb des Schwimmers ist abhängig von der Trägheit des Wassers, die Flugweite des Skispringers vom Widerstand der Luft, um nur einige Beispiele zu nennen. Andererseits bereiten äußere passive Kräfte dem Sportler auch Probleme, und er versucht, sie zu verringern. So bemüht sich z. B. der Abfahrtsläufer, durch Einnahme einer aerodynamischen Haltung die Widerstandskraft des Windes zu verringern und durch Wachsen die Reibung des Skis auf dem Schnee zu mindern. Die Sportartikelindustrie unterstützt diese Bemühungen:

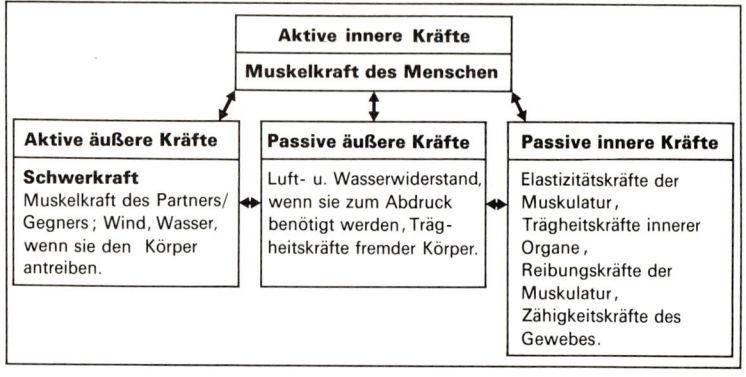

Abb. 2.10: Wirkung äußerer passiver Kräfte. Beim Rudern wird durch den Wasserwiderstand (äußere passive Kraft) der Riemen gebogen.

Aktive innere Kräfte		
Muskelkraft des Menschen		
Aktive äußere Kräfte	**Passive äußere Kräfte**	**Passive innere Kräfte**
Schwerkraft Muskelkraft des Partners/ Gegners; Wind, Wasser, wenn sie den Körper antreiben.	Luft- u. Wasserwiderstand, wenn sie zum Abdruck benötigt werden, Trägheitskräfte fremder Körper.	Elastizitätskräfte der Muskulatur, Trägheitskräfte innerer Organe, Reibungskräfte der Muskulatur, Zähigkeitskräfte des Gewebes.

Abb. 2.11: Schematische Darstellung des Zusammenhangs innerer und äußerer Kräfte.

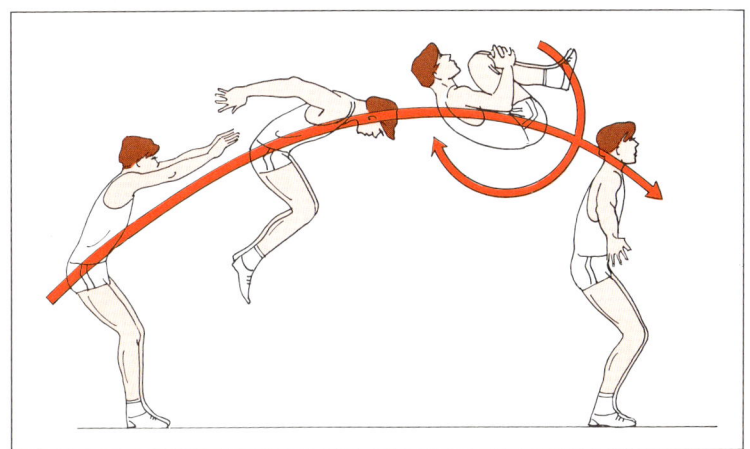

Abb. 2.12: Überlagerung von Translation und Rotation beim Salto vorwärts am Boden. a=Translation, b=Rotation.

1. Geräte werden konstruiert, die den Abdruck vergrößern, z. B. Flossen, Schuppenski, besonders geformte Ruder- und Skullblätter.
2. Durch Bereitstellung besonderer Bekleidung, windschlüpfriger Bobs und die Konstruktion von strömungsgünstigen Booten wird versucht, Widerstände und Reibungskräfte in Luft und Wasser zu verringern.

Zu den mechanischen Grundlagen der Bewegung von Körpern gehört auch die Unterscheidung zwischen *Rotation* und *Translation*.
Rotation ist eine Drehbewegung um eine Drehachse (bzw. einen Drehpunkt) innerhalb (z. B. Pirouette) oder außerhalb des Körpers (z. B. Riesenfelge).
Als *Translation* bezeichnet man die fortschreitende Bewegung aller Punkte eines Körpers um dieselbe Streckenlänge (Parallelverschiebung), z. B. Seitrutschen im Skilauf. Sie kann sich auf einer geraden oder gekrümmten Bahn vollziehen. Meist sind Ganzkörperbewegungen aber eine Mischung aus Rotation und Translation (Abb. 2.12).
Die Bewegungsmöglichkeiten der Extremitäten (Arme, Beine, Kopf) sind stark abhängig von den Gelenkformen und überwiegend rotatorisch angelegt.
Dieses Wechselspiel der Kräfte, das in der menschlichen Bewegung ihren Ausdruck findet, läßt sich mit den Gesetzen der Mechanik erklären. Der Mensch unterliegt ihnen wie jeder materielle Körper.

Abb. 2.13: Verringerung des Luftwiderstandes durch günstige Körperhaltung beim Radrennfahren.

Die Grundgesetze der klassischen Mechanik stammen von dem englischen Physiker Newton, der drei Axiome formuliert hat, die die Grundlage für die Lehre der Bewegungen, der Materie und materieller Systeme bilden. Die Gesetze sind wie folgt formuliert:

Grundgesetze der klassischen Mechanik

1. Axiom (Trägheitsgesetz)

> Jeder Körper verharrt in seinem Zustand der Ruhe oder der gleichförmigen Bewegung, sofern er nicht durch einwirkende Kräfte gezwungen wird, seinen Zustand zu verändern.

Dieses Trägheitsgesetz sagt also aus, daß zur Änderung des Bewegungszustandes – Erhöhung oder Verringerung der Geschwindigkeit, Beschleunigung oder Verzögerung eines Körpers – *Kräfte* erforderlich sind. Um den menschlichen Körper aus der Ruhe in die Bewegung zu versetzen, sind äußere (Partner, Medien etc.) oder innere aktive Kräfte (Muskelkraft) erforderlich. Die Verringerung der Bewegungsgeschwindigkeit wird hervorgerufen durch innere und äußere passive Kräfte (Reibungskräfte der Muskulatur, Organe – Luftwiderstand, Wasserwiderstand, Reibungskräfte an Geräten u. a. m.).

Die äußeren passiven Kräfte *Luft- und Wasserwiderstand* nehmen mit dem Quadrat der Geschwindigkeit zu. Die Größe dieser Widerstände wird deutlich, wenn man aus einem schnell fahrenden Auto die Hände in den Fahrtwind streckt. Bei dichteren Medien (Wasser) tritt dies schon bei geringen Geschwindigkeiten in Erscheinung. Es wird verständlich, daß bei allen Sportarten, bei denen es darauf ankommt, eine möglichst hohe Geschwindigkeit mit geringem Kraftaufwand zu erreichen und zu erhalten, versucht wird, diese Widerstände (äußere passive Kräfte) möglichst klein zu halten (Abfahrtslauf, Eisschnellauf etc.; Abb. 2.13).

2. Axiom (Beschleunigungsgesetz)

Die Änderung der Bewegung ist der Einwirkung der bewegenden Kraft proportional und geschieht nach der Richtung derjenigen geraden Linie, nach der jene Kraft wirkt.

Im Beschleunigungsgesetz wird der quantitative Zusammenhang zwischen Kraft und der durch sie an eine bestimmte Körpermasse erteilten Beschleunigung oder Verzögerung erfaßt, außerdem die Richtung der Kraftwirkung. Daraus ergibt sich das NEWTONsche Kraftgesetz (Dynamisches Grundgesetz):

Kraft = Masse × Beschleunigung.

Unter Kraft versteht man dabei das Maß der mechanischen Einwirkung eines Körpers auf einen anderen (vgl. DONSKOI 1975), unter Masse das Maß der Trägheit eines Körpers und unter Beschleunigung das Verhältnis von Geschwindigkeitsänderung zu Zeitzunahme (vgl. HOCHMUTH 1975).

HOCHMUTH erläutert dieses Gesetz am Beispiel zweier Wagen, die beschleunigt werden sollen. An einem Wagen ist die angreifende Kraft doppelt so groß wie am anderen. Die Zeiten der Kraftwirkungen verhalten sich aber umgekehrt. In beiden Fällen wird die gleiche Endgeschwindigkeit erreicht werden können. Auf die Sportpraxis übertragen würde dies bedeuten, daß ein schwächerer Schwimmer einen entsprechend länger dauernden Krafteinsatz benötigt, um die gleiche Endgeschwindigkeit zu erzielen wie ein starker Schwimmer. Dieses Beispiel ist rein theoretisch aufzufassen. In der Praxis setzen anatomische Gegebenheiten Grenzen. Die Bedeutung eines langen Beschleunigungsweges bei maximaler Kraft wird aber durch dieses Gesetz offensichtlich.

3. Axiom (Gegenwirkungsgesetz)

> Zu einer Wirkung besteht immer eine entgegengesetzt gerichtete und gleiche Gegenwirkung. Oder mit anderen Worten: Die Wirkungen zweier Körper aufeinander sind stets gleich und von entgegengesetzter Richtung.

Dieses Prinzip ist auch unter der Bezeichnung *„actio et reactio"* bekannt. Mit Aktion wird die Kraftwirkung auf einen Körper bezeichnet, mit Reaktion die Kraftwirkung dieses Körpers auf den ersten Körper, von dem die Aktion ausgeht. Zu einer Kraftwirkung gehören also immer zwei Körper, zwei Massen. Fehlt der zweite Körper, dann handelt es sich um ein sog. frei bewegtes System. Der Mensch befindet sich z. B. bei Sprüngen in diesem Zustand.
Nach diesem Gesetz benötigt der Mensch immer einen zweiten Körper, mit dem er in Aktion treten kann, um Bewegungen ausführen zu können. Dieser zweite Körper ist die Erde. Die Reaktionskraft der Erde wird als *Bodenwiderstandskraft* bezeichnet. Wäre die Erde von gleicher Masse wie der Mensch, der auf ihr steht, so würde eine Kraftwirkung, die vom Menschen ausgeht, bewirken, daß zwei Kraftwirkungen entstehen, die gleich groß sind, aber entgegengesetzte Wirkung haben. Das würde also bedeuten, daß sich Erde und Mensch entgegengesetzt voneinander fortbewegen. Das Produkt aus Masse × Beschleunigung ist in diesem Fall gleich groß. Da aber in Wirklichkeit die Masse der Erde sehr groß ist, kann ihre Beschleunigung vernachlässigt werden. Erkennbar ist nur die Reaktion, also der Absprung des Menschen vom Boden. Wie wichtig diese Bodenwiderstandskraft für das Zustandekommen von Bewegungen ist, zeigt sich bei dem Versuch, von einer Weichbodenmatte abzuspringen oder im Sand schnell zu starten.
Bei Bewegungen auf kleiner Unterstützungsfläche oder im freien Flug führt das *Gegenwirkungsgesetz* zu Gegendrehungen (Entgegengesetztes Schwingen der Arme zu den Beinen beim Gehen). Beim freien Flug sind die inneren Kräfte nach dem gleichen Prinzip einander gleich und entgegengesetzt. Der Körper kann nur um die Schwerpunktbahn herum bewegt werden.
Es wäre aber falsch, die menschliche Bewegung allein über die Gesetzmäßigkeiten der Mechanik erklären zu wollen. Die Bewegung lebender Organismen als biologische Erscheinung kann nur auf der Grundlage der untrennbaren Verbindung zwischen mechanischen und biologischen Zusammenhängen verstanden und erklärt werden.

Die wissenschaftliche Disziplin, die Bewegungen lebender Organismen unter Berücksichtigung vorgenannter Kriterien untersucht, wird als *Biomechanik* bezeichnet. Gegenstand biomechanischer Untersuchungen ist infolgedessen die mechanische Bewegung (Ortsveränderung von Masseteilen in Raum und Zeit) von Mensch und Tier unter Berücksichtigung der mechanischen Eigenschaften und Voraussetzungen der Bewegungsapparate, die ihrerseits von den biologischen Bedingungen der Organismen abhängig sind.

2.2.2 Hinweise zu biomechanischen Prinzipien

Unter biomechanischen Prinzipien im Sport versteht man die allgemeinen Erkenntnisse über das rationale Ausnutzen mechanischer Gesetze bei sportlichen Bewegungen. Sie stellen gewissermaßen die auf die Bewegung des Menschen angewandten mechanischen Gesetze unter einer bestimmten Zielstellung dar.

Biomechanik baut also auf den Lehren der Mechanik, der Anatomie und der Physiologie auf. Im folgenden soll besonders auf die mechanischen Zusammenhänge eingegangen werden. Die koordinativen-neurophysiologischen Funktionssysteme wurden bereits behandelt. Allerdings soll hier noch einmal darauf hingewiesen werden, daß die Gesetze der Mechanik starrer Körper nicht unreflektiert auf das bewegliche Gliedersystem Mensch übertragen werden können. Die Biomechanik muß in ihre Untersuchungen die Funktionsmöglichkeiten des Menschen mit einbeziehen.
Rationale, ökonomische, sportliche Bewegungen entstehen allerdings nicht auf Grund biomechanischer Erkenntnisse sozusagen auf dem Reißbrett, sondern durch Ausprobieren und Üben meist zufällig (FOSBURY-Flop, O'BRIEN-Technik). Über biomechanische Erkenntnisse ist es in Folge dann möglich, festzustellen, unter welchen Bedingungen eine weitere Leistungssteigerung möglich ist. Biomechanische Prinzipien sind demnach aus der Beobachtung und nachträglichen Erklärung mechanischer Gesetze hervorgegangen.
Man kann sechs *biomechanische Prinzipien* unterscheiden:

- das Prinzip der maximalen Anfangskraft,
- das Prinzip des optimalen Beschleunigungswegs,
- das Prinzip der Koordination von Teilimpulsen,
- das Prinzip der Gegenwirkung,

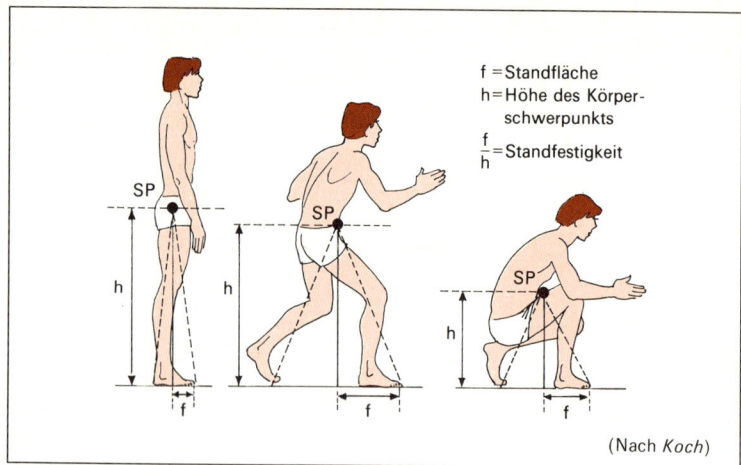

f = Standfläche
h = Höhe des Körperschwerpunkts
$\frac{f}{h}$ = Standfestigkeit

(Nach *Koch*)

Abb. 2.14: Abhängigkeit der Standfestigkeit von der Körperstellung (SP Schwerpunkt des Körpers, h Höhe des Schwerpunkts, f Breite der Unterstützungsfläche).

– das Prinzip des Drehrückstoßes,
– das Prinzip der Impulserhaltung.

Zum besseren Verständnis werden hierzu zunächst einige theoretische Grundlagen vorangestellt, wie *Körperschwerpunkt* und *Standfestigkeit.*

Als *Körperschwerpunkt* wird der Punkt bezeichnet, der sich nach den Gesetzen der Mechanik so bewegt, als wäre die Gesamtmasse des betrachteten Körpers in ihm vereinigt und als würden alle auf diesen Körper einwirkenden Kräfte an ihm angreifen (insbesondere die Schwerkraft).

Seine Lage hängt von der jeweiligen Körperform sowie der Massenverteilung im Körper ab. Der Körperschwerpunkt kann sich sowohl innerhalb als auch außerhalb des Körpers befinden. Dies hängt von der Lage der Körperteile zueinander ab. So ist der Körperschwerpunkt beim aufrechten Stand mit herabhängenden Armen etwa in Bauchnabelhöhe im Körperinneren. Er verändert seine Lage mit jeder Veränderung der relativen Lage der Körperteile zueinander. Zur Bestimmung des Körperschwerpunkts gibt es verschiedene Verfahren. Eine Methode basiert auf der Ermittlung von Körperteilschwerpunkten, mit Hilfe derer der Körperschwerpunkt gefunden werden kann. Für die Anwendung biomechanischer Prinzipien auf Bewegungen des menschlichen Körpers ist die Kenntnis des Körperschwerpunktes und dessen Funktion (Drehpunkt bei Rotationsbewegungen) eine wichtige Voraussetzung.

> Die Standfestigkeit des menschlichen Körpers wird bestimmt durch das Gewicht des Körpers, durch die Breite der Unterstützungsfläche und durch die Lage des Körperschwerpunkts.

Eine Vergrößerung der Standfestigkeit wird also durch *Vergrößerung der Unterstützungsfläche* bzw. durch *Absenken des Körperschwerpunkts* erreicht. Die Standfestigkeit steht in engem Zusammenhang zur Gleichgewichtsfähigkeit (s. S. 40). In manchen Sportarten kommt es darauf an, den Körperschwerpunkt zur Erreichung eines hohen Maßes an Standfestigkeit möglichst weit abzusenken (Judo, Ringen). Bei anderen Sportarten ist eine große Standfestigkeit auf Grund von Regelvorschriften erschwert (Turnen am Schwebebalken, Schlittschuhlaufen), (Abb. 2.14).

2.2.2.1 Das Prinzip der maximalen Anfangskraft

Die Länge des Beschleunigungswegs bei sportlichen Bewegungen ist in der Regel begrenzt. Gründe dafür sind:

– die anatomischen Verhältnisse des menschlichen Körpers (Länge der Arme, der Beine, Schwingungsweite der Gelenke);
– die Tatsache, daß der Muskel nur bei einem bestimmten Vordehnungsgrad optimale Zugspannung entwickeln kann (s. dazu Muskelphysiologie);
– Regel- und Wettkampfvorschriften (z. B. die Größe des Wurfkreises beim Kugelstoß, die Länge des Tennisschlägers);
– physikalische Gesetzmäßigkeiten (z. B. Fliehkraft/Haltekraft beim Hammerwurf).

Auf Grund des begrenzten Beschleunigungswegs ist es also notwendig, auf Wurfgeräte bzw. den Gesamtkörper am Anfang des Beschleunigungsvorgangs eine möglichst große *Kraft* einwirken zu lassen, um eine möglichst große Endgeschwindigkeit zu erzielen. Dies läßt sich nur durch Ausholbewegungen erreichen (s. dazu EHLENZ/GROSSER/ZIMMERMANN 1991; BÄUMLER/SCHNEIDER 1982).
Ausholbewegungen dienen also der Verlängerung des Beschleunigungswegs und der Vergrößerung der Anfangskraft.

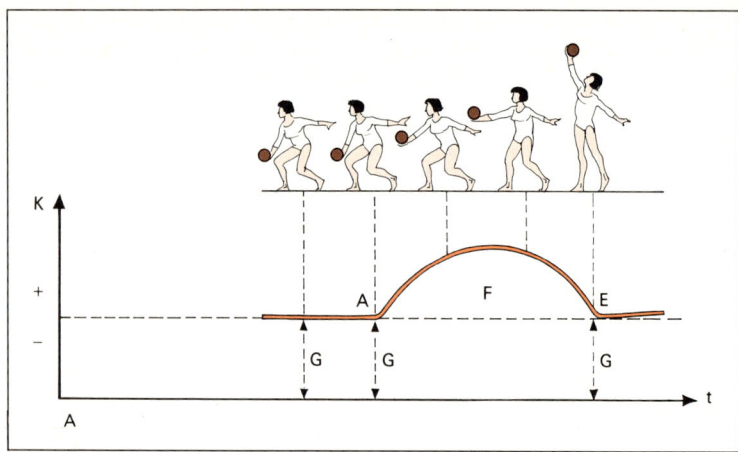

Abb. 2.15 A: Kraft-Zeitkurve beim Ballwurf ohne Ausholbewegung: A Beginn der Wurfbewegung, E Ende der Wurfbewegung, F Beschleunigungskraftstoß, G Gewicht.

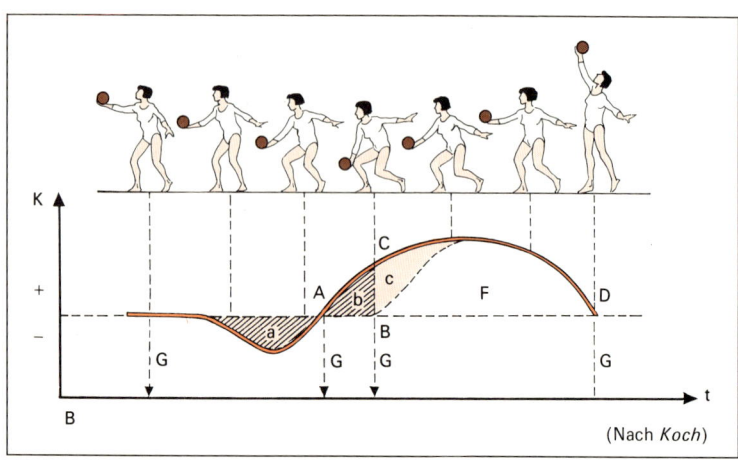

(Nach *Koch*)

Abb. 2.15 B: Kraft-Zeitkurve beim Ballwurf mit Ausholbewegung: A Beginn des Bremskraftstoßes; B Beginn des Beschleunigungskraftstoßes; B–C Anfangskraft; E Ende der Wurfbewegung; a negativer Kraftstoß der Ausholbewegung; B Bremskraftstoß; c+F Beschleunigungskraftstoß; G Gewicht.

Wie läßt sich die Vergrößerung der Anfangskraft physikalisch erklären? Wir wollen dies am Beispiel zweier Wurfbewegungen aufzeigen. Dazu vergleichen wir einen Ballwurf mit Ausholbewegung mit einem ohne Ausholbewegung. Die Länge des *Beschleunigungsweges* ist in beiden Fällen gleich, da beim Wurf ohne Ausholbewegung der Werfer das Gerät vor der Wurfbewegung durch Beugung in Knie- und Hüftgelenken absenkt. Um die unterschiedlichen Beschleunigungskraftstöße kenntlich zu machen, stellen wir die Akteure auf eine Kraftmeßanlage. Sie registriert den Kraft-Zeitverlauf vor, während und nach der Wurfbewegung. In der Ausgangsstellung beim Wurf ohne Ausholbewegung drückt der Sportler mit der Kraft G, die seinem Gewicht entspricht, auf die Meßanlage. Mit Beginn der Wurfbewegung nimmt das Gewicht bzw. die Kraft zu, was sich in der Kurve in positiver Richtung niederschlägt. Am Ende der Wurfbewegung sinkt die Kurve wieder ab. Es wird wieder die Kraft G erreicht. Die Fläche unter der Kraft-Zeitkurve verdeutlicht die Größe des Kraftstoßes (Abb. 2.15 A).

Anders verhält es sich, wenn der Wurfbewegung unmittelbar eine Ausholbewegung vorausgeht. Die Ausgangsposition ist in diesem Fall der aufrechte Stand. Die Meßanlage zeigt wiederum die Kraft G an. Nun beginnt der Sportler mit der Ausholbewegung. Der Druck auf die Meßanlage (Kraft) nimmt ab, was sich in einem negativen Kurvenverlauf abzeichnet (negativer Kraftstoß). Diese Abwärtsbewegung von Körper und Wurfgerät wird nun durch Muskelkraft abgebremst. Dazu müssen positive Kräfte erzeugt werden, was zu einem Anstieg der Kraft-Zeitkurve über G hinaus bis C erkennbar ist. Dieser positive Kraftstoß (b), auch *Bremskraftstoß* genannt, muß genauso groß sein wie der negative Kraftstoß (a). Da aber die Bewegung nach Beendigung des Bremskraftstoßes (C) nicht abgebrochen wird, sondern nun in die eigentliche Wurfbewegung, den *Beschleunigungskraftstoß,* übergeht, steigt die Kurve weiter an. Der Beschleunigungskraftstoß beginnt hier nicht wie bei Würfen ohne Ausholbewegung bei A, sondern, wie aus der Abb. 2.15 B deutlich wird, bei C. Ein Vergleich der Flächen der Beschleunigungskraftstöße macht den Kraftstoßzugewinn sichtbar;

a)   Kraftstoßfläche ohne Ausholbewegung = F
b)   Kraftstoßfläche mit Ausholbewegung = c+F

Da der Beschleunigungskraftstoß umso größer wird, je größer die Anfangskraft ist (B–C), könnte man daraus schließen, daß eine besonders große Ausholbewegung in Verbindung mit dem entsprechenden Bremskraftstoß zu einer besonders großen Anfangskraft

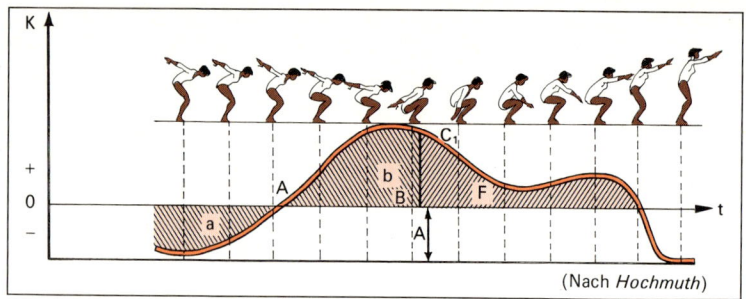

Abb. 2.16: Kraft-Zeitkurve beim Absprung mit zu kräftiger Ausholbewegung (A Beginn des Bremskraftstoßes, B–C Anfangskraft, a negativer Kraftstoß der Ausholbewegung, b Bremskraftstoß, F Beschleunigungskraftstoß).

führt. Diese physikalische Gesetzmäßigkeit läßt sich aber nur eingeschränkt auf die Verhältnisse des menschlichen Organismus übertragen. Hier bewirken übertriebene Ausholbewegungen

– einen unzweckmäßigen Arbeitswinkel der an der Aktion beteiligten Muskelgruppen,
– eine Überschreitung des optimalen Dehnungsgrads der Muskulatur,
– einen Verbrauch von Muskelkräften für den Bremskraftstoß, der
dann nicht mehr für den Beschleunigungskraftstoß verfügbar ist.

In Abb. 2.16 holt der Sportler sehr kräftig aus. Dies führt in der Abwärtsbewegung zu einem großen negativen Kraftstoß, der durch einen entsprechend großen positiven, entgegengesetzt gerichteten
Kraftstoß (Bremskraftstoß b) die Geschwindigkeit auf 0 abbremst
(tiefste KSP-Lage). Daher treten bereits während des Bremskraftstoßes (Fläche b) die größten positiven Kräfte auf. Beim anschließenden Beschleunigungskraftstoß (Fläche F) sinken die Kraftwerte so,
daß bereits weit vor Vollendung der Streckung (s. vorletzte Figur)
dieser auf 0 zurückgeht.

2.2.2.2 Das Prinzip des optimalen Beschleunigungswegs

Betrachten wir zunächst noch einmal die Beziehung zwischen Kraftstoß und Impuls:

Eine konstante Kraft gibt einer Masse eine Endgeschwindigkeit,
die um so größer ist, je länger die Kraft auf die Masse einwirkt.

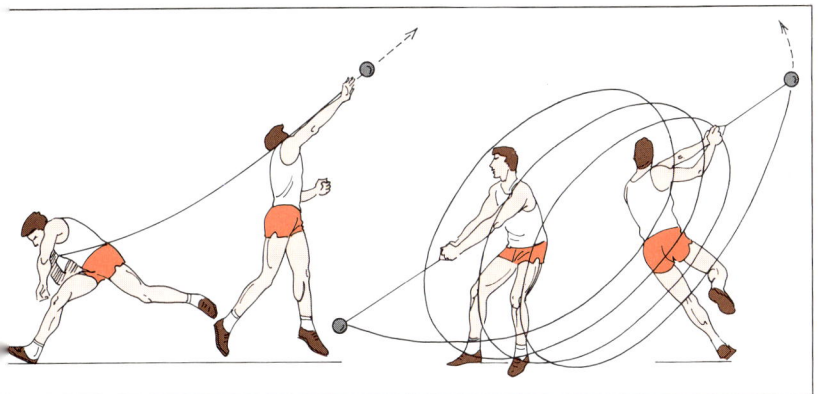

Abb. 2.17: Unterschiedliche Längen der Beschleunigungswege beim Kugelstoß und Hammerwurf.

Dieses mechanische Gesetz ist besonders für die Sportarten von Be-
deutung, bei denen es gilt, eine möglichst große Wurf-, Stoß- und
Sprungweite (-höhe) zu erzielen.
Die *Länge des Beschleunigungswegs* ist demnach ein entscheiden-
des Kriterium. Aber auch die *Form des Beschleunigungswegs* ist von
Bedeutung. Ein geradliniger Beschleunigungsweg ist am zweckmä-
ßigsten. Auf Grund der überwiegend rotatorisch angelegten Bewe-
gungen der Extremitäten ist dies nur unter Aufbietung bestimmter
Techniken (z. B. O'BRIEN-Technik) möglich.
Bei gekrümmten Beschleunigungswegen geht ein Teil der zur Verfü-
gung stehenden Kraft verloren, um der Fliehkraft entgegenzuwirken.
Über *kreisförmige Beschleunigungswege* (Hammerwurf, Diskus,
Schleuderball etc.) ist es möglich, sehr lange auf das Wurfgerät ein-
zuwirken. Dadurch kann eine große Wurfweite erzielt werden
(Abb. 2.17).
Da bei sportlichen Bewegungen der Beschleunigungsweg einmal
aus anatomischen Gegebenheiten (Länge des Wurfarms), zum anderen auf Grund von Regelbestimmungen (Größe des Wurfkreises etc.)
begrenzt ist, muß versucht werden, über eine möglichst große Kraft
dem Körper bzw. dem Wurfgerät eine große Geschwindigkeit zu verleihen.
Die beiden beschriebenen biomechanischen Prinzipien „Maximale
Anfangskraft" und „Optimaler Beschleunigungsweg" stehen in einem engen Zusammenhang mit dem Gesetz vom vorgedehnten

45

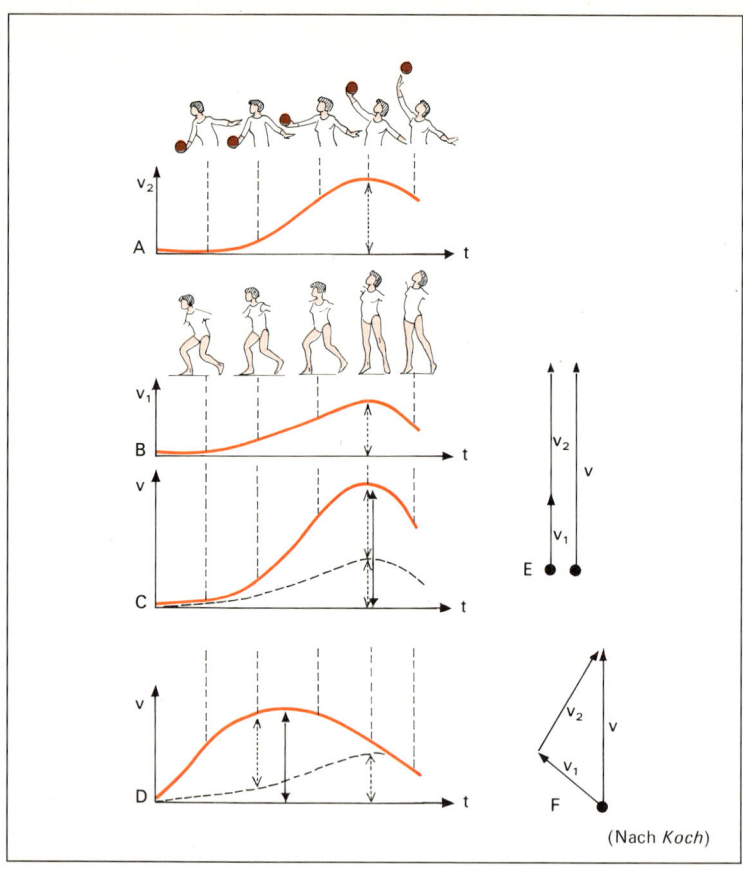

Abb. 2.18: A Geschwindigkeits-Zeitdiagramm des Armes mit dem Ball in Bezug zum Körper; B Geschwindigkeits-Zeitdiagramm des Rumpfes; C Addition der Teilgeschwindigkeiten von Arm und Rumpf, zeitliches Zusammentreffen der Maxima der Teilgeschwindigkeiten v_1 und v_2 zu v (E); D Maxima der Geschwindigkeiten von Arm und Rumpf fallen nicht zusammen, entsprechend geringere Endgeschwindigkeit V (F); (v Geschwindigkeit, t Zeit).

Muskel. Es sind demzufolge auch physiologische Gründe, die die Länge der Beschleunigung und die maximale Anfangskraft einschränken können. Durch eine extreme Vordehnung der Muskulatur wird der Punkt der optimalen Zugspannung überschritten. Andererseits werden bei Überdehnung die mechanischen Hebelverhältnisse ungünstig beeinflußt; der Arbeitswinkel ist für eine optimale Beschleunigung zu groß.

2.2.2.3 Das Prinzip der Koordination von Teilimpulsen

Die Bedeutung dieses Prinzips ist Sportlern aus der eigenen Praxis geläufig. So achtet in der Leichtathletik der Hochspringer auf das koordinierte Zusammenwirken von Sprungbein, Armen und Schwungbein, der Speerwerfer auf die Verbindung von Rumpf-, Arm- und Beineinsatz.

Sportliche Bewegungen lassen sich hinsichtlich der Koordination von Teilimpulsen in zwei Gruppen unterteilen. Entweder soll einem *Körperteil oder* dem *Gesamtkörper* eine möglichst große Endgeschwindigkeit verliehen werden. Im ersten Fall wären dies z. B. Würfe und Stöße – im zweiten Fall Sprünge oder turnerische Übungen.

Koordination von Teilimpulsen
zur Beschleunigung eines Körperteils

Für die Koordination von Teilimpulsen sind zeitliche und räumliche Komponenten maßgebend.

Betrachten wir zuerst die *zeitliche Komponente* am Beispiel von Wurfbewegungen. So werden beim „Ballhochwurf" (Abb. 2.18) zuerst der Rumpf durch die Streckbewegung der Beine, dann die Arme durch das Aufrichten des Rumpfes und das Wurfgerät durch die Schwungbewegung des Armes und der Hand beschleunigt. Durch diese Beschleunigungsvorgänge werden den verschiedenen Körperteilen Endgeschwindigkeiten vermittelt. Die Endgeschwindigkeit des Balles setzt sich also aus der Summe der aus den Teilimpulsen resultierenden Teilgeschwindigkeiten zusammen. Dies ist aber nur dann möglich, wenn diese zeitlich zusammenfallen und sich somit addieren. Ist dies nicht der Fall – fallen also die Geschwindigkeitsmaxima nicht zusammen – so kommt es zu keiner Addition. Die Wurfbewegung wird unökonomisch, die Wurfleistung geringer (Abb. 2.18).

Neben der zeitlichen ist auch die *räumliche Komponente* der Koordination der Teilimpulse, also ihre Richtung, von Bedeutung. Die Gesamtgeschwindigkeit erreicht dann einen besonders hohen Wert, wenn die Teilgeschwindigkeiten gleichgerichtet sind. Ist dies nicht der Fall, so kann jeweils nur die Resultierende für die Beschleunigung des Wurfgeräts genutzt werden.

Gleichgerichtete Beschleunigungen sind aber mit Hilfe des menschlichen Körpers nur schwer auszuführen, da alle Gliederbewegungen

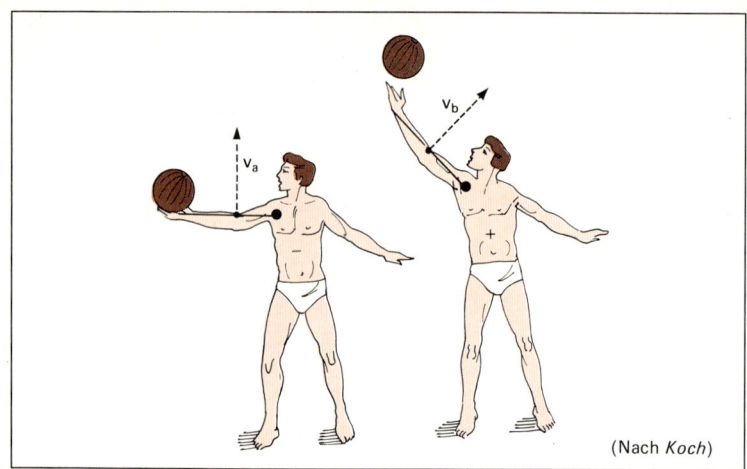

Abb. 2.19: Richtung und Größe der Bahngeschwindigkeiten (v und v) in unterschiedlichen Phasen einer Wurfbewegung.

Rotationsbewegungen um Gelenke sind. So wird in unserem Beispiel die größte Endgeschwindigkeit des Armes beim Ballhochwurf erst dann erreicht, wenn der Ball die Hand verläßt (Abb. 2.19).
In der Praxis wird durch entsprechende Gestaltung der Wurf- und Stoßtechniken versucht, zwischen anatomischen Gegebenheiten und mechanischen Gesetzmäßigkeiten einen Kompromiß zu finden.

Koordination von Teilimpulsen
zur Beschleunigung des Gesamtkörpers
Auch wenn es darum geht, den Gesamtkörper zu beschleunigen, findet das Prinzip der Koordination von Teilimpulsen Anwendung. Eine Impulsübertragung beim Hochsprung ist nur dann optimal, wenn das Maximum der senkrechten Beschleunigung der Schwerpunkte von Schwungbein und Armen dann erreicht wird, wenn die beschleunigende Wirkung der Strecker des Sprungbeins gerade beendet ist.
In diesem Zusammenhang darf aber nicht unberücksichtigt bleiben, daß Teilimpulse von Extremitäten auch entgegengesetzt gerichtete Reaktionskräfte erzeugen. Diese Reaktionskräfte sind insofern von großer Bedeutung, als sie die zum Erreichen einer maximalen Anfangskraft nötige Vorspannung in bestimmten Körperbereichen erzeugen.

2.2.2.4 Das Prinzip der Gegenwirkung

Die Grundlage zu diesem Prinzip bildet das dritte NEWTONsche Axiom (s. S. 38).

Der Mensch wendet das Prinzip der Gegenwirkung in den verschiedenen Fortbewegungsarten an. So bringt er z. B. beim Gehen gleichzeitig mit dem linken Bein den rechten Arm nach vorn und umgekehrt. Hüfte und Schulterachse drehen sich dadurch gegensinnig zur Körperachse. Das ist darauf zurückzuführen, daß das Körpersystem Mensch in horizontaler Richtung kräftefrei ist, d. h. horizontal gerichtete Kräfte finden keine Stützreaktion an der Umwelt, sie sind in bezug zum Menschen innere Kräfte und kön-nen den vorhandenen Impuls des Körpers nicht verändern. Die Reibung des Fußes ist sehr klein und kann deshalb vernachlässigt werden.

Wir finden diese *Drehung* und *Gegendrehung* bei einer Vielzahl sportlicher Bewegungen. Die Gegendrehung wird um so größer, je größer der Drehimpuls ist (Fußballtorschuß, Sprungwurf im Handball etc.). Bei dem als Beispiel angeführten Handballsprungwurf bewegt sich der menschliche Körper als frei bewegtes System im Sprung bzw. im Flug. Die Bewegungsbahn ist bei allen diesen Bewegungsakten (Weitsprung, turnerische Sprünge, Wasserspringen) durch Größe und Richtung der Abfluggeschwindigkeit sowie durch die Größe der Erdanziehung festgelegt, wenn keine weiteren äußeren Kräfte wirksam werden. Die biomechanischen Besonderheiten des menschlichen Körpers erlauben jedoch eine Vielzahl von Bewegungen der einzelnen Körperteile zueinander. Für diese Bewegungen gilt wie folgt das *Gegenwirkungsprinzip.* War im freien Flug der Körper anfangs gestreckt und wird nun der Oberkörper, wie es beim Weitsprung der Fall ist, nach vorne gebeugt, so führt der Unterkörper einschließlich der Beine eine gegensinnige Bewegung nach vorne-oben aus. Dies ermöglicht in diesem besonderen Fall ein Nachvornebringen der Beine zu einer optimalen Landung. Besteht bei sportlichen Bewegungen dagegen Kontakt mit der Erde, so nimmt die Umwelt die Aktionskräfte auf (Abb. 2.20).

Die eigentliche Reaktionsbewegung führt jetzt die Erde aus, die man allerdings wegen der sehr kleinen Beschleunigung der im Verhältnis zum menschlichen Körper sehr großen Erdmasse nicht wahrnehmen kann.

Zusammenfassend ist festzustellen, daß sowohl die Kraftwirkung einzelner Körperteile zueinander als auch die des Gesamtkörpers gegenüber der Erdoberfläche nach dem Prinzip „actio et reactio" zustandekommt.

Abb. 2.20: Prinzip der Gegenwirkung beim A Weitsprung und B Handballwurf. Die Flugbahn des Körperschwerpunkts ist festgelegt. Auf Grund der Gegenwirkung (Beine bewegen sich vorwärts-aufwärts, Oberkörper vorwärts-abwärts) werden die Beine zur Landung weit vorgebracht. Die Bewegungsrichtung des Wurfarms in der Ausholbewegung und des Schwungbeins sind entgegengesetzt. Dasselbe gilt für die Bewegung des Wurfarms in der Wurfbewegung und der Hüfte.

2.2.2.5 Das Prinzip des Drehrückstoßes

Auch das Prinzip des Drehrückstoßes läßt sich über obengenanntes mechanisches Gesetz erklären. Spüren wir z. B. nach einer Hocke über das Sprunggerät zuviel Vorlage, so kreisen wir automatisch mit den Armen mehrfach vorwärts. Durch diesen Drehrückstoß wird der Rumpf im Sinne einer Rückwärtsdrehung wieder aufgerichtet. Ver-

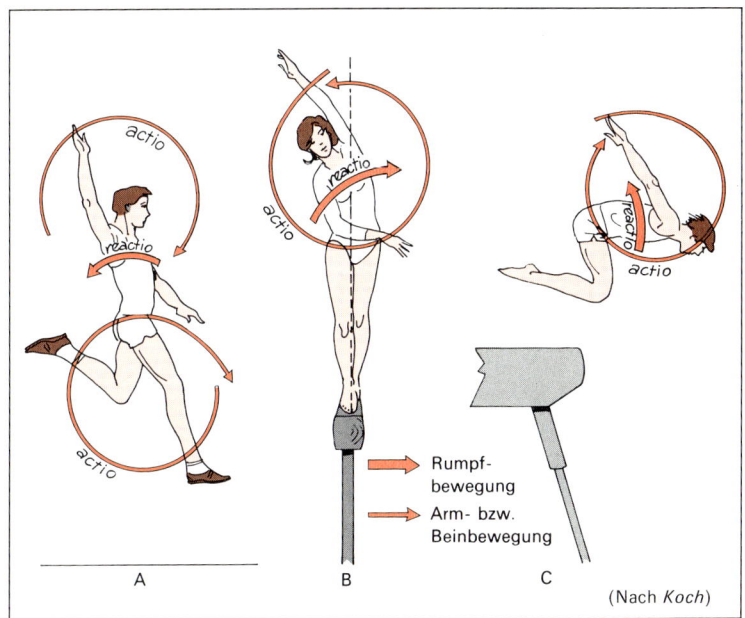

Rumpf-
bewegung

Arm- bzw.
Beinbewegung

A   B   C

(Nach *Koch*)

Abb. 2.21: Prinzip des Drehrückstoßes bei A Lauftechnik im Weitsprung, B Balancieren am Schwebebalken und C Sprunghocke am Pferd.

gleichbar sind die Ruderbewegungen beim Skispringen und die Ausgleichsbewegungen auf dem Schwebebalken, um das Gleichgewicht wiederzugewinnen. In den genannten Fällen ist das *Trägheitsmoment* des korrigierenden Körperteils im Vergleich zum Trägheitsmoment des zu korrigierenden Körperteils (Arme zu Rumpf) sehr klein. Deshalb sind weiträumige, schnelle Kreisbewegungen auszuführen (Abb. 2.21).

2.2.2.6 Das Prinzip der Impulserhaltung

Bei Pirouetten im Eiskunstlauf kann man sehen, daß die Läufer durch Veränderung ihrer Arm- und Beinhaltung die Drehbewegung ohne erkennbaren zusätzlichen Krafteinsatz verlangsamen bzw. beschleunigen. Im Turnen ist es z. B. möglich, sich am Hochreck trotz des Reibungsverlustes durch die Hände aus dem Handstand in den Handstand aufzuschwingen (Riesenfelge). Diese Vorgänge lassen sich mit

Abb. 2.22: Vergrößerung der Winkelgeschwindigkeit durch Verkleinerung des Trägheitsmoments infolge Annäherung der Extremitäten (Massenteile) an die Drehachse (A Körperquerachse, B Körperlängsachse, C Reckstange als Drehachse).

Hilfe des Prinzips der Impulserhaltung erklären. Erläutern wir es am Beispiel der Pirouette im Eiskunstlauf. Durch einen Beinabdruck von der Eisfläche erfährt der Körper einen Drehimpuls, der den Körper mit weggestreckten Armen bzw. eines Beines in Drehung versetzt. Dabei haben alle außerhalb der Drehachse liegenden Körperpunkte die gleiche Winkelgeschwindigkeit. Die Umlaufgeschwindigkeit der einzelnen Körperpunkte wächst dagegen mit Entfernung von der Drehachse. Auf Grund des Impulserhaltungsgesetzes kann die Winkelgeschwindigkeit dadurch erhöht werden, daß das *Trägheitsmo-*

ment des Körpers verringert wird, was durch Anlegen der Arme an den Körper möglich ist. Bei konstanter Drehung ist die Winkelgeschwindigkeit dem Trägheitsmoment umgekehrt proportional. Die Gesamtenergie der bewegten Massen bleibt gleich. Luftwiderstand und Bodenreibung werden dabei unberücksichtigt gelassen.

Ein wesentlicher Faktor bei allen Drehbewegungen ist das *Massenträgheitsmoment*. Es ist durch die Körperhaltung des Menschen festgelegt. Die gehockte Körperstellung hat z. B. nur den dritten Teil des Trägheitsmoments der gestreckten Körperstellung. Werden beim Salto vorwärts, nachdem der gestreckte Körper einen Drehimpuls erhalten hat, die Beine angehockt, so verdreifacht sich nach diesen Berechnungen die Winkelgeschwindigkeit.

Auch bei Drehungen um sog. starre Achsen hat das Impulserhaltungsgesetz Gültigkeit. So sind z. B. beim Reckturnen, wie schon erwähnt, bestimmte Übungen (Riesenfelge, Felgumschwünge etc.) ohne Berücksichtigung dieses Prinzips nicht möglich (Abb. 2.22).

Bei der Riesenfelge z. B. besitzt der Körper durch das Aufschwingen in den Handstand in bezug zu seinem tiefsten Punkt eine bestimmte Lageenergie (*potentielle Energie*). Schwingt der Turner nun mit gestrecktem Körper nach hinten ab, so verwandelt sich diese Lageenergie in Bewegungsenergie (*kinetische Energie*). Nach Durchschwingen des tiefsten Punktes im Hang wird wieder Lageenergie aufgebaut. Wäre keine Reibung vorhanden (Luft, Reckstange), so würde sich der Körper unendlich weiterdrehen. Durch die Reibung erreicht der Körper aber nicht mehr die Ausgangsstellung. Mit jeder nachfolgenden Pendelbewegung verringert sich das Höhenniveau. Um trotz der Reibung wieder in den Handstand zu kommen, muß sich der Turner deshalb einer bestimmten Technik bedienen. Durch Verringerung des Trägheitsmoments, d. h. durch Abwinkeln des Körpers beim Aufschwung, vergrößert er nach dem Impulserhaltungsgesetz die Winkel-geschwindigkeit. Dadurch erreicht er trotz Reibung wieder die Ausgangsstellung.

Auch bei Drehbewegungen in der Leichtathletik kommt das Prinzip der Impulserhaltung zum Tragen. Der Diskuswerfer z. B. beginnt die Drehung mit dem größtmöglichen Massenträgheitsmoment (fast sitzende Stellung, Diskus weit vom Körper weggestreckt). Gegen Ende der Drehung verkleinert der Werfer sein Massenträgheitsmoment durch Körperstreckung und Herannehmen des Wurfarmes an den Körper. Die Winkelgeschwindigkeit vergrößert sich dadurch, und der Drehimpuls des Körpers überträgt sich auf die Wurfmasse. Das Abstoppen der Körpermasse beim Wurf erfolgt also nicht von außen her, sondern ist die Reaktion auf die Beschleunigung des Wurfgeräts. Der Diskus muß aus diesem Grund auch der Körpermasse hinterhereilen, um dann bei Impulsübertragung die Körperrotation schnell überholen zu können. Das Nachschleppen des Wurfarmes findet allerdings auch eine Begründung in der Länge des Beschleunigungsweges.

Lernerfolgskontrolle

1. Wie läßt sich Bewegung unter physikalischen Gesichtspunkten definieren?
2. Was verstehen Sie unter „Selbstbewegung", was unter „Fremdbewegung"?
3. Von welcher Kraftwirkung spricht man, wenn
   a) Gegenstände und Geräte geworfen oder gestoßen werden,
   b) Kräften widerstanden wird?
4. Der Mensch ist ständig der Einwirkung verschiedener Kräfte ausgesetzt.
   a) Um welche Kräfte handelt es sich dabei,
   b) auf welche Weise können sie in Erscheinung treten,
   c) welche Bedeutung haben Sie für das Zustandekommen von Sportbewegungen?
5. Was versteht man unter inneren aktiven und inneren passiven Kräften?
6. Menschliche Körper können sich translatorisch und rotatorisch bewegen.
   a) Was verstehen Sie darunter?
   b) Suchen Sie Beispiele aus der Sportpraxis, in denen diese Bewegungsformen *rein* und in denen sie *gemischt* auftreten.
7. a) Was sagt das 1. Axiom (Trägheitsgesetz) aus?
   b) Erläutern Sie dieses Gesetz unter Berücksichtigung der für das Zustandekommen von menschlichen Bewegungen verantwortlichen Kräfte.
   c) Welche Konsequenzen ergeben sich daraus für bestimmte Sportarten?
8. a) Welche mechanischen Zusammenhänge werden im Beschleunigungsgesetz erfaßt?
   b) Wie lautet die Formel für das dynamische Grundgesetz?
9. a) Was verstehen Sie unter dem Gegenwirkungsgesetz?
   b) Erläutern Sie anhand dieses Gesetzes das Zustandekommen menschlichen Bewegens und im besonderen die Situation bei Bewegungen auf kleiner Unterstützungsfläche und im freien Flug!

10. Womit beschäftigen sich biomechanische Untersuchungen?

11. Welche Bedeutung haben biomechanische Prinzipien für das Verständnis von Sportbewegungen?

12. Auf welche Weise kann die Lage des Körperschwerpunkts beim Menschen wissenschaftlich ermittelt werden?

13. Wodurch ist die Standfestigkeit eines Körpers bestimmt?

14. Von welchen Kriterien hängt die Lage des Schwerpunkts in einem Körper ab?

15. Welchen Zweck haben Ausholbewegungen bei sportlichen Bewegungen?

16. Erläutern Sie die unterschiedlichen Beschleunigungskraftstöße bei Wurfbewegungen mit und ohne Ausholbewegungen anhand von Kaft-Zeit-Kurven.

17. Was bewirken übertriebene Ausholbewegungen?

18. Wodurch ist der Beschleunigungsweg bei sportlichen Bewegungen eingeschränkt?

19. Kugel und Hammer haben das gleiche Gewicht. Weshalb ist es möglich, beim Hammerwerfen ca. viermal so große Weiten zu erzielen im Vergleich zum Kugelstoßen?

20. Welche Komponenten müssen beachtet werden, um einem Körperteil eine möglichst hohe Endgeschwindigkeit zu erteilen?

21. Welche Komponenten müssen hinsichtlich der Koordination von Teilimpulsen beachtet werden, wenn dem Gesamtkörper eine möglichst hohe Endgeschwindigkeit erteilt werden soll?

22. Was bewirken Teilimpulse von Extremitäten zusätzlich zur Impulsübertragung?

23. Auf welches mechanische Grundgesetz baut das biomechanische Prinzip der Gegenwirkung auf?

24. Beim Gehen ist erkennbar, daß Arme und Beine gegensinnig vor- und zurückschwingen und sich Hüfte und Schultern in gleicher Weise verdrehen. Worauf ist dies zurückzuführen?

25. Bei welchen sportlichen Bewegungen treten Gegenwirkungen besonders deutlich in Erscheinung?

26. Wodurch wird die Flugbahn eines Körpers bestimmt?

27. Bei sportlichen Bewegungen mit freiem Flug wird welches biomechanische Prinzip bewußt eingesetzt, um Leistungsverbesserungen zu erzielen?

28. Erläutern Sie die mechanischen Vorgänge bei Lauf und Sprung unter Berücksichtigung des Gesetzes „actio et reactio"!

29. Auf welchem mechanischen Gesetz basiert das biomechanische Prinzip des Drehrückstoßes?

30. Auf welche Weise wird auf Grund des Drehrückstoßes eine Körperbewegung eingeleitet?

31. Drehbewegungen können – durch Veränderung der Körperhaltung verlangsamt oder beschleunigt werden.

    a) Welchem biomechanischen Prinzip liegt diese Erscheinung zugrunde?

    b) Wie läßt sich dieser Vorgang am Beispiel der Pirouette und am Beispiel einer Riesenfelge erklären?

3   Die menschliche Bewegung als Bewegungshandlung

Einen Kopfsprung vom 10-m-Turm ausführen, einen Fußballdoppelpaß im Spiel anwenden oder an den Ringen eine Kürübung turnen, stellt eine Palette verschiedener Bewegungen dar, die von verschiedenen Voraussetzungen abhängig sind. Der Sprung vom 10-m-Turm erfordert Mut, Konzentration und präzise Bewegungssteuerung; das Anwenden einer technisch-taktischen Variante im Fußball die Verfügbarkeit eines Komplexes von sog. Bewegungsfertigkeiten wie Ballannahme, Passen und z. B. die Fähigkeit, situationsangepaßt schnell reagieren zu können und sich zu orientieren. Eine Übung an den Ringen verlangt vorrangig Kraft, Beweglichkeit und die Fähigkeit, Gleichgewicht zu halten. Wie die Beispiele verdeutlichen, stellt das Gelingen verschiedener Bewegungen im Sport unterschiedliche Anforderungen an den Ausführenden.

Allgemein wird unter Fähigkeit die gelernte, oder auf Anlage beruhende physische oder psychische Voraussetzung für das Vollbringen einer bestimmten Leistung verstanden (VOLKAMER 1987, 218). Anstatt des Begriffs Fähigkeit findet man in der Fachliteratur auch oft den Begriff Eigenschaft. Fähigkeiten – im allgemeinen auf kognitive, motorische (koordinative, konditionelle) Leistungsvoraussetzungen bezogen – sind einerseits Voraussetzung für das Zustandekommen zielorientierter Bewegungsaktionen, die wir als Bewegungshandlung bezeichnen (s. unten). Andererseits werden sie durch den Handlungsvollzug verändert bzw. verbessert. So wird beispielsweise die Kraftfähigkeit (Sprungkraft) durch das Üben des Fosbury-Flops (Bewegungshandlung) verbessert. Hinzu kommt, daß ohne die Verfügbarkeit bestimmter Fertigkeiten, also von Bewegungen oder Teilbewegungen, die keiner bewußten Steuerung mehr unterliegen (z. B. Gehen, Laufen), Bewegungshandlungen nicht durchführbar wären.

3.1 Aufbau einer Bewegungshandlung – Begriffsbestimmung

Eine Bewegungshandlung – man spricht auch von einer sportmotorischen Handlung – stellt einen Prozeß dar, der von außen betrachtet, durch einen bestimmten räumlichen, zeitlichen und dynamischen Verlauf gekennzeichnet ist. Die Bewegungshandlung ist dadurch charakterisiert, daß sie zielgerichtet und erwartungsgesteuert ist und daß motorische, kognitive und emotionale/affektive Faktoren eine entscheidende Rolle spielen.

Eine Bewegungshandlung kann in mehrere Abschnitte gegliedert werden, die funktional miteinander verbunden und voneinander abhängig sind. Grob schematisiert kann man Antrieb, Orientierung, Entscheidung, Ausführung und Ergebnis voneinander unterscheiden. Ihre Funktion wird vom Handlungsziel bestimmt.

Der *Antriebsteil* stellt die energetische Komponente der Handlungsstruktur dar. Motive, Einstellungen, Bedürfnisse, Interessen, Erwartungen wirken als antriebsregulierende Faktoren und bestimmen den Grad der Motiviertheit eines Sportlers. Der Antriebsteil steht in einer steten Wechselwirkung mit dem Orientierungsteil. Die darin angesprochenen Faktoren wirken auf den gesamten Handlungsverlauf ein.

Im *Orientierungsteil* kommt es zur Planung der Handlungsausführung auf der Grundlage des Erkennens und Analysierens situativer

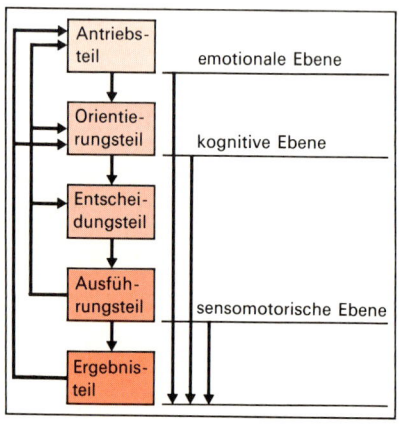

Abb. 3.1: Vereinfachte schematische Darstellung einer Bewegungshandlung.

Gegebenheiten. Dieser Bereich ist gekennzeichnet durch Denkprozesse (kognitive Prozesse), die von Aufmerksamkeit und Konzentration beeinflußt werden. Dabei spielen bereits gespeichertes Wissen und Erfahrungen über die Bewältigung gleicher oder ähnlicher Situationen eine wichtige Rolle. Hinzu kommt die Einschätzung eigener Fähigkeiten und Fertigkeiten zur Erstellung eines Handlungsplans oder mehrerer alternativer Handlungspläne.

Im *Entscheidungsteil* wird der gebildete Handlungsplan abgerufen. Bei mehreren zur Auswahl stehenden Handlungsplänen wird der zur Zielerreichung günstigste ausgewählt.

Der Handlungsvollzug erfolgt im *Ausführungsteil*. Dieser Teil unterliegt ständiger Regulation auf der Grundlage sowohl differenzierter Aufnahme als auch differenzierter Verarbeitung körperinterner und körperexterner Informationen.

Die Regulation kann auf verschiedene Weise erfolgen:

– bei schnell ablaufenden Bewegungen bzw. Bewegungen, die unter Zeitdruck ausgeführt werden, erfolgt sie weitgehend unbewußt. Das bedeutet, daß ein einmal erstelltes Handlungsprogramm unverändert ausgeführt wird. Dies rührt daher, daß rücklaufende Informationen in höhere Steuerungszentren des ZNS (Feedback, s. motorisches Lernen) mehr Zeit beanspruchen als der Bewegungsablauf (vgl. Motorische Zentren, S. 24).

– Bei langsamen ohne Zeitdruck ablaufenden Bewegungen kann die Regulation durch kognitiv gesteuerte Maßnahmen weitgehend bewußt erfolgen. Auch hierbei unterliegen Teilbereiche des Ausführungsteils, wie z. B. Erhaltung des Gleichgewichts, nicht bewußter Regulation (vgl. Steuerungsvorgänge auf Rückenmarksebene, S. 25). Die kognitive Ebene der Handlungsregulation ist deshalb der *sensomotorischen Ebene* übergeordnet. Durch die Denkprozesse während des Handlungsverlaufs werden Änderungen der Handlung ausgelöst, die die sensomotorische Steuerung bzw. Regulation beeinflussen können. Schon während des Verlaufs einer Bewegungshandlung kommt es im Ausführungsteil zu einer gedanklichen Beurteilung und emotionalen Bewertung des erreichten Ergebnisses. Das Resultat dieser Beurteilung kann unmittelbar als Information (Feedback, s. S. 132 ff) zur Verbesserung und Änderung des Handlungsplans verwertet werden, wodurch sich der Ausführungsteil entsprechend verändern kann. Daraus wird ersichtlich, daß die im Orientierungsteil einmal vorgenommene Handlungsplanung nicht unveränderbar im Ausführungsteil realisiert werden muß. Vielmehr kommt es in diesem Abschnitt zu einer fortlaufenden Verarbeitung von aufgenommenen Informationen, die zu einer gleitenden Veränderung des Handlungsplans führen können. Es sind aber auch Rückwirkungen auf den Antriebsteil möglich, die sich als hemmend (Resignation) oder aktivierend (Begeisterung) niederschlagen können.

Antriebs-, Orientierungs- und Entscheidungsteil sind, wie hier dargestellt, nur formal zu trennen. Tatsächlich können die im Antriebs- und Orientierungsteil ablaufenden Prozesse auch zeitgleich oder auch zeitlich gegeneinander verschoben ablaufen.

Nach Abschluß des Ausführungsteils kommt es im *Ergebnisteil* zu einer abschließenden gedanklichen Beurteilung und emotionalen Bewertung, die dann als gespeicherte Information für eine nachfolgende gleiche oder ähnliche Bewegungshandlung zur Verfügung stehen kann.

Das hier skizzierte Handlungsgeschehen soll an einem Beispiel aus der Sportpraxis erläutert werden.

Ein reizvoller Hang weckt in einem Skifahrer das Bedürfnis, ihn zu befahren. Er ist durch die Einschätzung seiner Fähigkeiten entsprechend leistungsmotiviert und freut sich auf das Erlebnis der bevorstehenden Abfahrt (Antriebsteil). Er nimmt die situativen Gegebenheiten (Schnee- und Geländeverhältnisse) visuell auf und überlegt sich die Route, die er zu fahren beabsichtigt. Dabei bezieht er verschiedene Möglichkeiten in seine Überlegungen ein. Die Einschätzung des eigenen Fahrkönnens ist bei der Handlungsplanung und schließlich für die Entscheidung zur Handlungsausführung (Wahl der Route, Kurzschwünge oder weitgezogene Schwünge, Wahl der Technik, wie z. B. Hochschwünge oder Tiefschwünge) bestimmend (Orientierungs-/Entscheidungsteil).

Während der Abfahrt muß er nun seine Aufmerksamkeit ständig auf seine Umgebung richten. Er nimmt während der Handlungsausführung also fortlaufend Informationen auf, die er von der Umwelt über verschiedene Sinnesorgane erhält. Er verarbeitet Informationen über Schneeverhältnisse, Geländebeschaffenheit, Sichtverhältnisse und andere Skifahrer, um sie zur Steuerung seiner Bewegungshandlungen verwerten zu können (Verminderung der Geschwindigkeit bei schlechter Sicht, stärkerer Kanteneinsatz bei Eisstellen). Dazu kommt die Aufmerksamkeit auf innere Vorgänge, z. B. auftretende Ermüdungserscheinungen, Schmerzen durch übermäßige Belastung von Gelenken, die ebenso die Handlungsausführung beeinflussen können. Nach Abschluß der Fahrt wird der Handlungsverlauf in bezug auf das Erreichen des Handlungszieles hin kognitiv bewertet. Dies betrifft die Effektivität der gewählten Schwungtypen sowie die Qualität der Bewegungsausführung (z. B. durch Betrachten der hinterlassenen Spur im Tiefschnee). Im Zusammenhang damit kommt es zu einer emotionalen Bewertung der Fahrt, die sich z. B. in Zufriedenheit oder Unzufriedenheit äußert.

Das Beispiel weist auf bestimmte Fähigkeiten und Fertigkeiten des Skifahrens hin, die Voraussetzung für die Handlungsausführung sind. Dazu gehören: sich an äußeren Gegebenheiten zu orientieren, Informationen differenziert nach ihrer Bedeutung für die beabsichtigten Bewegungshandlungen zu verarbeiten, situationsangepaßt zu reagieren, den Bewegungsrhythmus an äußere Gegebenheiten anzupassen und Technikformen (z. B. Kurzschwingen) richtig einzusetzen. Daneben sind aber auch bestimmte Persönlichkeitseigenschaften wie Mut, Entschlußkraft, Begeisterungsfähigkeit gefordert.

Neben diesem skizzierten Handlungsverlauf, bei dem eine relativ klare Abgrenzung der einzelnen Handlungsabschnitte erkennbar ist, gibt es auch Variationen, bei denen einzelne Abschnitte verkürzt bzw. kaum erkennbar sind. Dies trifft z. B. auf sog. *Spontan- und Impulsivhandlungen* zu, bei denen der Orientierungsteil, d. h. die bewußte gedankliche Auseinandersetzung mit den äußeren Gegebenheiten keine Bedeutung hat. Als Beispiel kann man hier den unüberlegten Torschuß aus einer ungünstigen Position heraus nennen. Im Zusammenhang mit der Beschreibung eines Handlungsgeschehens taucht immer wieder der Begriff *Bewegungsfertigkeit* auf. Dabei handelt es sich um elementare Bewegungsabläufe, die durch Übungs- und Automatisierungsprozesse weitgehend unbewußt ablaufen. Als Fertigkeiten werden z. B. Gehen, Laufen, Dribbeln, Schwimmen usw. angesehen. Es muß allerdings darauf hingewiesen werden, daß die genannten Fertigkeiten während des Aneignungsprozesses den Charakter von Bewegungshandlungen haben. Daraus läßt sich folgende Definition ableiten:

Eine Bewegungsfertigkeit stellt eine erworbene Bewegung im Sport dar, deren Ausführung weitgehend automatisch abläuft, d. h. ohne bewußte Lenkung der Aufmerksamkeit auf die Steuerung des Bewegungsablaufs (vgl. PÖHLMANN 1986, S. 17; MECHLING 1987, S. 222).

Man unterscheidet zwischen *geschlossenen* und *offenen* Fertigkeiten:

Geschlossene Fertigkeiten sind solche, bei denen festgelegte und gleichbleibende Umfeldbedingungen vorliegen. Sie beziehen sich also auf einen präzise auszuführenden, genau festgelegten Bewegungsablauf, z. B. einen Fosbury-Flop.

Offene Fertigkeiten sind dadurch gekennzeichnet, daß sie unter sich verändernden situativen Umfeldbedingungen ausgeführt oder frei variiert werden. Ein Beispiel für sich verändernde situative Umfeld-bedingungen ist das Durchfahren einer Buckelpiste mit Ausgleichs-schwüngen und das Anwenden einer bestimmten Technik. Die freie Gestaltung von Tanzschritten oder die Anwendung verschiedener Techniken bei der Wildwasserfahrt sind Beispiele für offene Fertig-keiten unter dem Variationsaspekt (vgl. BREHM 1989; ROTH 1989; MECHLING 1988, S. 39–42).

3.2 Einflußgrößen auf eine Bewegungshandlung

Um Bewegungshandlungen ausführen zu können, sind, wie bereits erwähnt, verschiedene Fähigkeiten (koordinative, konditionelle, ko-gnitive), Fertigkeiten und Persönlichkeitseigenschaften notwendig. Fähigkeiten und Persönlichkeitseigenschaften sind erlernte und z. T. auf Anlagen zurückzuführende Voraussetzungen für das Vollbringen einer bestimmten Leistung.
In einer Bewegungshandlung lassen sich verschiedene Ebenen von-einander unterscheiden (s. Abb. 3.2), nämlich die emotionale, kogni-tive und sensomotorische Ebene. Diesen Ebenen lassen sich lei-stungsbestimmende Fähigkeiten zuordnen.

Emotionale Ebene
Hier bestimmen emotionale Zustände und Prozesse das Wirksam-werden von Fähigkeiten. Selbstvertrauen und Erfolgsmotiviertheit, im Gegensatz dazu Zaghaftigkeit und Versagerangst, wirken auf Er-lebnisfähigkeit, Begeisterungsfähigkeit, Entschlußkraft, Willensaus-dauer, Beharrlichkeit und Funktionslust ein.

Kognitive Ebene
Sie ist gekennzeichnet durch Denkprozesse, die u. a. abhängig sind von der Beobachtungsfähigkeit, der Fähigkeit, Wissen und Erfahrun-gen zu reproduzieren sowie der Einschätzung des eigenen Könnens. Zwischen der emotional-affektiven und der kognitiven Ebene gibt es gleitende Übergänge (vgl. THOMAS 1978; OERTER u. WEBER 1975).

Sensomotorische Ebene
Zur Ausführung einer Bewegung sind weitere Fähigkeiten notwen-dig, die sich grob in zwei Bereiche unterteilen lassen. Einmal in die vom Zusammenwirken von Nervensystem und Bewegungsapparat

abhängigen „Koordinativen Fähigkeiten" und die auf energetischen Prozessen beruhenden „Konditionellen Fähigkeiten", wie z. B. Kraft-, Schnelligkeits- und Ausdauerfähigkeit. Diese Fähigkeiten sind einerseits Voraussetzungen, andererseits das Ergebnis von Bewegungshandlungen und Bewegungsfertigkeiten. Sie entwickeln sich z. T. auf der Grundlage ererbter Anlagen (Muskelstruktur, Konstitution usw.) und durch Verbesserung (Üben) bestimmter neurophysiologischer und psychologischer Funktionen (s. Reifungs- und entwicklungsbedingte Faktoren).

Zusammenhänge zwischen Fähigkeiten, Bewegungsfertigkeiten und Bewegungshandlungen

Bewegungshandlungen sind nicht grundsätzlich einzelne, isolierbare Bewegungsabläufe wie z. B. der Kugelstoß, der Flop im Hochsprung, der Kippaufschwung. Sie können auch komplexer Art sein, d. h. verschiedene Bewegungen einer oder mehrerer Personen einschließen. Eine längere Abfahrt im Skilauf beispielsweise kann als Bewegungshandlung verschiedene Bewegungen – hier Schwungformen – enthalten, die je nach Verfügbarkeit bereits als Bewegungsfertigkeit vorliegen können. Man kann hier auch von einer Abfolge mehrerer Einzelhandlungen anstatt von einer einzigen Bewegungshandlung sprechen (vgl. KAMINSKI 1973).

Als eine komplexe Bewegungshandlung wäre auch eine Angriffsaktion im Volleyball, das „Stellen" und „Schmettern" zu betrachten. Hier sind bei entsprechender Könnensstufe zwei Bewegungsfertigkeiten, von zwei Spielern ausgeführt, in eine Bewegungshandlung eingebunden.

Die enge Verzahnung bzw. Wechselwirkung von Fähigkeiten, Bewegungsfertigkeiten und Bewegungshandlungen läßt sich am Beispiel „Sporttanz" aufzeigen. Als Voraussetzung dazu sind u. a. koordinative Fähigkeiten, wie z. B. Anpassungsfähigkeit, Rhythmisierungsfähigkeit sowie konditionelle Fähigkeiten wie z. B. Ausdauerfähigkeit vonnöten. Über den Erwerb von Bewegungsfertigkeiten, deren Verbindung und Integration, entsteht eine zunehmend komplexer werdende Bewegungshandlung, in diesem Fall ein bestimmter Tanz. Im Zuge dieser Prozesse werden die oben genannten Fähigkeiten weiter verbessert.

Fähigkeiten sind also nicht grundsätzlich als Voraussetzung für den Erwerb von Bewegungsfertigkeiten (primäre Fähigkeiten) anzusehen. Der Prozeß zum Erwerb von Bewegungsfertigkeiten führt im allgemeinen auch zu einer Verbesserung jeweils hier notwendiger Fähigkeiten.

Man kann sogar feststellen, daß das Verfügen möglichst vieler Bewegungsfertigkeiten erst komplexe oder übergreifende Fähigkeiten, wie z. B. „Tanzfähigkeit", ermöglicht. Dies trifft z. B. auch auf die sog. „Spielfähigkeit" zu, die über Bewegungsfertigkeiten (Dribbling, Wurf usw.) verbessert werden kann.

Wir sehen an diesen Beispielen, daß sich Fähigkeiten, Bewegungshandlungen und Bewegungsfertigkeiten wechselseitig bedingen können (vgl. ROTH in WILLIMCZYK u. GROSSER 1979).

Für das Zustandekommen einer Bewegungshandlung ist eine Fülle unterschiedlicher Einflußgrößen maßgebend. Im Antriebs-, Orientierungs- und Entscheidungsteil sind verschiedene psychische bzw. kognitive Einflußgrößen, wie z. B. Motivation, Einstellung, von zentraler Bedeutung. Im Ausführungsteil spielen koordinative und konditionelle Fähigkeiten die ausschlaggebende Rolle. Im folgenden sollen wesentliche Einflußgrößen einer näheren Betrachtung unterzogen werden – unter besonderer Beachtung der koordinativen Fähigkeiten.

3.2.1 Einflußgrößen im Antriebs-, Orientierungs- und Entscheidungsteil

Wie aus der Abb. 3.2 erkennbar, wird eine Bewegungshandlung u. a. durch Motivationsprozesse ausgelöst. Sie haben neben der bewegungsauslösenden Funktion im Antriebsteil, aber auch im weiteren Verlauf der Bewegungshandlung und über ihren Abschluß hinaus, einen steuernden Einfluß auf die momentane Bewegungsausführung und auf nachfolgende Bewegungshandlungen. Neben diesen Motivationsprozessen sind emotionale Prozesse, wie etwa Freude, Enttäuschung, Niedergeschlagenheit, in das Handlungsgeschehen integriert. Kognitive Prozesse, wie z. B. Erkennungsvorgänge, Informationsverarbeitungs- und Speicherungsvorgänge, sind besonders im Orientierungs-, Entscheidungs-, aber auch im Ausführungsteil von Bedeutung (s. auch „Motorisches Lernen").

3.2.1.1 Motivationsprozesse

Motivationsprozesse setzen beim Menschen das Vorhandensein bestimmter Motive (Bedürfnisse) voraus. Wir verstehen unter *Motiv* die innere Veranlassung zum Handeln.

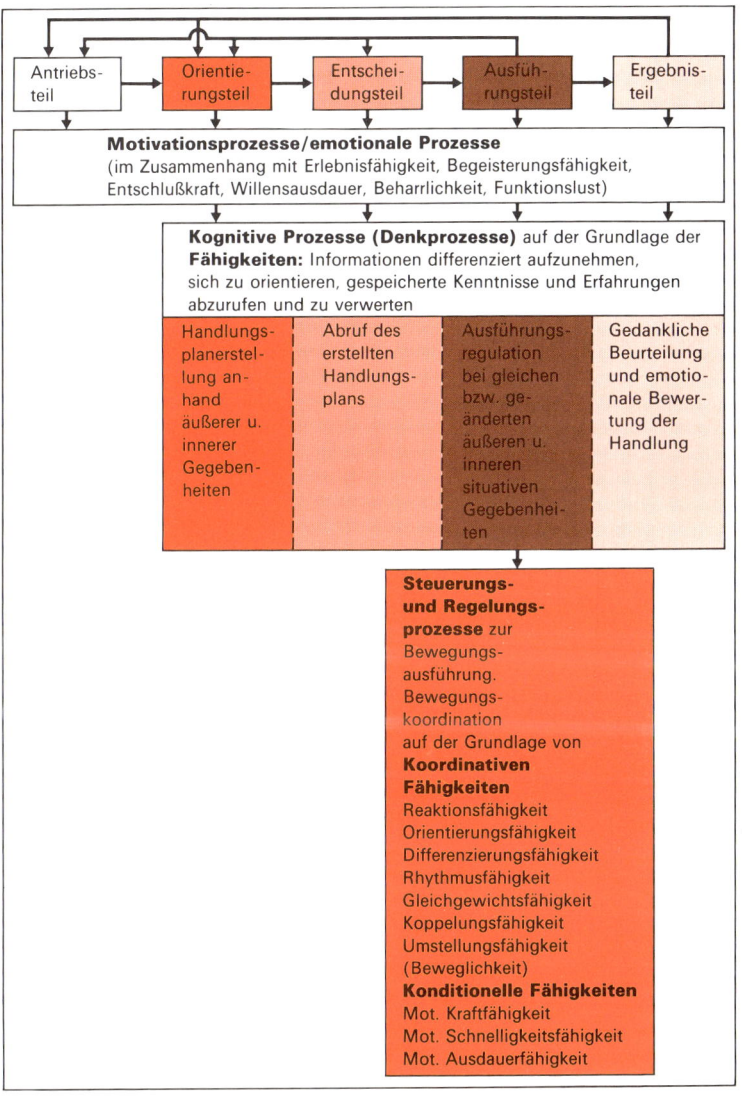

Abb. 3.2: Vereinfachte schematische Darstellung der Prozesse während einer Bewegungshandlung.

Motive im Sport können bereits in früher Kindheit entstehen und sich zunehmend zu relativ überdauernden, latenten Verhaltensbereitschaften verfestigen. Motive im Sport sind z. B.: Leistung als Selbstbestätigung, Selbstgestaltung, Selbsterfahrung, Selbstverwirklichung, soziale Kontakte, materielle Gewinne, Ansehen usw. (vgl. GRUPE 1991).

Motive allein haben noch keinen auslösenden Einfluß auf ein bestimmtes Bewegungsverhalten. Handlungsauslösend wirkt erst das Zusammentreffen von Motiven mit bestimmten situativen Gegebenheiten. An einem Beispiel soll dies verdeutlicht werden: Das Motiv Geltungsbedürfnis wird erst wirksam, wenn eine Situation, wie z. B. die Anwesenheit von Zuschauern bei einem wichtigen Spiel, gegeben ist (s. Abb. 3.3).

Motivationsprozesse können sowohl kognitiver als auch emotionaler Art sein.

Kognitive Anteile bestehen aus Überlegungen hinsichtlich bestimmter Erwartungen, z. B. Prämien, Auszeichnungen oder Bewertungen, Überlegungen über die Auswirkungen von Sieg oder Niederlage in einem Wettkampf.

Emotionale Anteile betreffen Hoffnungen, Befürchtungen, Freude, Enttäuschung (vgl. GABLER 1988, S. 54).

Motivationsprozesse haben im Antribsteil eine besondere Bedeutung, sie Laufen jedoch wie bereits oben erwähnt auch während und nach Abschluß einer Bewegungshandlung ab.

Die Begriffe *Motiv* und *Einstellung* sind nur schwer voneinander zu trennen. Im Zuge des Erwerbs von Motiven bilden sich auch dauer-

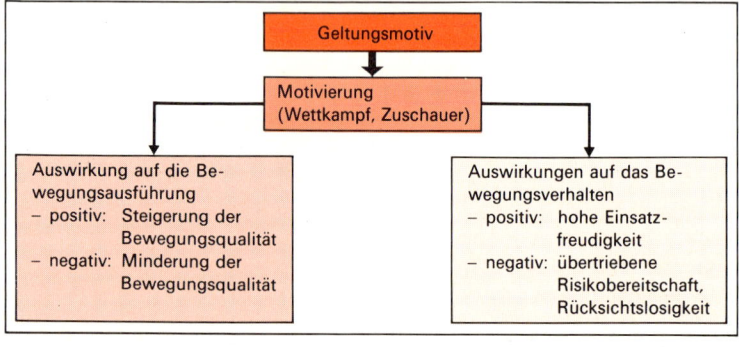

Abb. 3.3: Vereinfachte Darstellung der Motivationsprozesse am Beispiel des Geltungsmotivs.

hafte handlungsbestimmende Bereitschaften. Sie werden als Einstellung bezeichnet und können kurzfristig wirksam sein, aber auch als „Vorurteile", d. h. vorgefertigte und übernommene Beurteilungen bestimmter Gegebenheiten, aufgefaßt werden (z. B. positive und negative Einstellung zum Sport).

3.2.1.2 Emotionale Prozesse

In die Vielfalt des psychischen Geschehens einer Bewegungshandlung sind insbesondere im Antriebs-, Orientierungs- und Entscheidungsteil emotionale Prozesse eingebettet.
Der Begriff „Emotion" stellt einen umfassenden Ausdruck zur Kennzeichnung von Stimmungen, Gefühlen, Erregungen, Affekten, Gemütserlebnissen (vgl. WEBER 1975; GABLER 1988; EBERSPÄCHER 1987) dar. Diese Prozesse können eine bekräftigende, stimulierende, verstärkende oder auch ablehnende, hemmende Wirkung haben. Emotionale Prozesse

– haben im *Antriebsteil* in Verbindung mit Motivationsprozessen eine bewegungsauslösende und auslösungshemmende Bedeutung;
– wirken im *Orientierungs-* und *Entscheidungsteil* qualitätsbeeinflussend auf die Handlungsplanung ein;
– haben im *Ausführungsteil* zum einen eine verstärkende, z. B. die Qualität der Bewegung positiv beeinflussende, zum anderen eine hemmende, bis hin zum Abbruch der Bewegungshandlung führende Wirkung;
– werden im *Ergebnisteil* als positive und negative Erfahrungen rückgemeldet.

3.2.1.3 Kognitive Prozesse – Bewegungsantizipation

Bewußte Handlungen im Sport werden durch kognitive Prozesse in ihrem Verlauf gesteuert.
Dies sind Denkprozesse, die auf Informationen, gespeicherten Erfahrungen und Kenntnissen aufbauen. Sie sind notwendig zur Analyse, Beurteilung und zum Aufbau von Strategien, zur Bewältigung von Situationen im Sport.
Während eines Denkprozesses laufen folgende Teilschritte ab:

– Informationen über Handlungsbedingungen werden entsprechend ihrer Bedeutung differenziert wahrgenommen und eingesetzt,
– die erhaltenen Informationen werden bewertet und eingeordnet,

- Bewegungshandlungen werden selbständig und vorausschauend geplant,
- aus gespeicherten Handlungsplänen wird schnell und situationsangepaßt ausgewählt sowie
- der Verlauf und Abschluß des Handlungsverlaufs beurteilt.

Die gedankliche Vorwegnahme von Handlungsziel und Handlungsprogramm wird allgemein als *Antizipation* bezeichnet, im Sport als *Bewegungsantizipation.*
Die wichtigsten Voraussetzungen für die gedankliche Vorwegnahme des Handlungsprogramms sind *Bewegungsvorstellung* und *Sprache.*

1. Informationsaufnahme und -verarbeitung zur Bewegungsvorstellung (Erfahrungsantizipation)
2. Gedankliche Vorausnahme der Handlungsbedingungen (Situations-, Erfahrungs-, Zielantizipation)
3. Erstellung eines Handlungsprogramms – gedankliche Vorausnahme der Bewegungshandlung (Programmantizipation)

Abb. 3.4: Schema zur Programmierung einer Bewegungshandlung unter Berücksichtigung verschiedener Antizipationsprozesse.

Bewegungsvorstellung

Eine Bewegungsvorstellung besteht aus einem im Gedächtnis gespeicherten Bewegungsakt, bei dem neben visuellen auch kinästhetische, taktile, statico-dynamische und gegebenenfalls auch akustische Anteile enthalten sind. Die Entstehung der Bewegungsvorstellung ist abhängig vom Grad der erworbenen Bewegungserfahrung. Zu Beginn des Entstehungsprozesses beruht Bewegungsvorstellung auf bildhaften Eindrücken, die im Zuge der Bewegungsrealisierung (Üben) zunehmend durch kinästhetische Empfindungen ergänzt bzw. überlagert werden, so daß dann die vorgestellte Bewegung vor dem geistigen Auge nicht wie in einem Film abläuft, sondern vielmehr empfunden bzw. durchlebt wird.

Sprache

Bei der menschlichen Sprache handelt es sich um ein Wort-Signalsystem, das mit dem Bewegungssystem eng verbunden ist. Dieses System dient nicht nur der Verständigung untereinander, sondern auch der Steuerung und Regelung innerhalb einer Bewegungshandlung. Über die Sprache ist es möglich, Bewegungsvollzüge gedanklich vorwegzunehmen und ohne realen Vollzug zu bewerten. Diese Denkvorgänge mittels der Sprache sind innerhalb der Bewegungshandlung in erster Linie im Orientierungs- und Ergebnisteil angesiedelt.

In Abbildung 3.4 wird der Programmierungsvorgang einer Bewegungshandlung unter Berücksichtigung der notwendigen Antizipationsvorgänge schematisch dargestellt.

Beispiele zur Erläuterung des Antizipationsvorgangs

Verschiedene Antizipationsvorgänge sollen anhand von Beispielen verdeutlicht werden:

Wir beabsichtigen, einen Kasten mit Bierflaschen, der auf dem Boden steht, auf einen Tisch zu stellen. Bevor wir die Aktion einleiten (Ausführungsteil), wird ein Handlungsprogramm unter Berücksichtigung des Handlungsziels erstellt (Zielantizipation). Bei der Erstellung des Plans fließen bereits früher gemachte Erfahrungen (Erfahrungsantizipation) ein. Wir wissen z. B., daß mit Bier gefüllte Flaschen wesentlich schwerer sind als leere, daß eine schwere Kiste leichter anzuheben ist, wenn man nahe an sie herantritt, daß sie mit geringerem Kraftaufwand auf den Tisch zu heben ist, wenn sie möglichst weit unten gefaßt wird. Nachfolgende Aktionen werden also schon vorher eingeplant. Erkennen wir aber z. B., daß die Flaschen leer sind, die Kiste also entsprechend leicht ist, werden wir ein völlig anderes Programm entwerfen (Situationsantizipation). Wir können die Kiste mit einer Hand fassen und weiter entfernt von ihrem Schwerpunkt stehen.

Die Antizipationsvorgänge werden uns besonders deutlich, wenn unser Handlungsplan nicht mit den Realitäten übereinstimmt. Ist z. B. die Bierkiste leichter als wir dachten, weil ein Teil der Flaschen leer ist, so werden wir mit viel zu viel Kraft die Kiste anheben. Diese Fehlleistung empfinden wir als unangenehm. Ganz besonders deutlich wird dies, wenn wir beim Treppensteigen in der Dunkelheit eine nicht vorhandene Treppenstufe in unser Handlungsprogramm antizipieren. Wir heben den Fuß zu hoch an und treten ins Leere.

Wie aus den Beispielen ersichtlich, wird nicht nur isoliert der Bewegungsablauf vorweggenommen, sondern es werden äußere Gegebenheiten (Gewicht der Flaschen, Höhe des Tisches) mit einbezogen. Auf den Sport übertragen sind dies z. B. Geländebeschaffenheit, Geräte, Partner usw.

Möglichkeiten der Differenzierung
der Bewegungsantizipation

Die Bewegungsantizipation hängt ab vom Grad der Geschlossenheit bzw. Offenheit von Bewegungshandlungen, vom Schwierigkeitsgrad sowie von deren strukturellem Aufbau. Die Untergliederung der Bewegungshandlungen wird nachfolgend aufgeführt.

Antizipation bei einfachen Bewegungen

Hier handelt es sich überwiegend um die gedankliche Vorwegnahme von geschlossenen Bewegungshandlungen. In diesem Fall geht es um Bewegungen, die eine geringe Aktionsdichte aufweisen. Weder Partner noch Gegner müssen in die Handlungsplanung einbezogen werden, das Umfeld ist konstant. In solchen Fällen kann das sog. „innere Modell" des motorischen Handelns fast schablonenhaft ablaufen. Auftretende exogene Veränderungen können somit durch Handlungsplanänderungen mit Einschränkungen korrigiert werden (teilweise offene Bewegungshandlung).

Abb. 3.5: Die Antizipation der Wurfbewegung ist an der Blickrichtungsänderung und der Körperdrehung während des Fangens zu erkennen.

Antizipation bei Bewegungskombinationen

In diesem Fall wird nicht die zeitlich unmittelbar folgende Bewegung, sondern die unmittelbar anschließende antizipiert. So wird beim kombinierten Bewegungsablauf „Werfen–Fangen" bereits beim Fangen die nachfolgende Wurfbewegung antizipiert. Wie aus Abb. 3.5 zu erkennen ist, nehmen Arme, Beine und Rumpf bereits beim Fangen eine Stellung ein, die den fließenden Übergang zur nachfolgenden Wurfbewegung anbahnt. Bei Bewegungskombinationen im Gerätturnen bestimmt der nachfolgende Übungsteil die Programmantizipation des Vorausgehenden. So wird z. B. der Handstützüberschlag vorwärts mit anschließendem Salto vorwärts anders ausgeführt als der isoliert geturnte Handstützüberschlag in den ruhigen Stand. Der antizipierte Handlungsentwurf, bezogen auf das folgende Element, nimmt demnach erkennbaren Einfluß auf das vorausgehende.

Antizipation in komplexen Situationen

Die Antizipation gestaltet sich wesentlich schwieriger, wenn sich das in den Antizipationsprozeß einzubeziehende Umfeld ständig verändert. Ein antizipiertes Handlungsprogramm kann also nicht als „Konstante" realisiert werden. Bei vielen sportlichen Bewegungshandlungen ist deren Gelingen von Reaktionen bzw. situativen Gegebenheiten des Umfelds (z. B. Mitspieler, Gegner, Schneeverhältnisse u. ä.) abhängig. Unter diesen Bedingungen sind fortlaufende Antizipationsprozesse erforderlich, so daß es zu gleitenden Programmänderungen kommen muß (sog. „offene" Handlungen). So muß z. B. beim Anlauf zum Schmettern (Volleyball) neben Anlauf, Absprung und Schlagbewegung auch die Flugbahn des Balls geistig vorweggenommen werden.

Noch komplizierter wird der Vorgang, wenn zusätzlich die Bewegungen von Partnern und Gegnern einbezogen werden müssen. Als Beispiel sei hier der Doppelpaß im Fußball angeführt.

Das letzte Beispiel macht deutlich, daß die schwierigsten Formen der Antizipation in den Sportspielen und in den Zweikampfsportarten zu finden sind. Bei Auftreten einer bestimmten Spielsituation ist der Akteur gezwungen, blitzschnell eine Entscheidung zu treffen. Dies setzt eine detaillierte Vorausnahme des Handlungsergebnisses zusammen mit einem Handlungsprogramm voraus. Die Mitspieler versuchen ihrerseits, aus der gegebenen Situation Schlüsse zu ziehen. Sie antizipieren die möglichen Aktionen der Gegenspieler bzw. Mitspieler. Wenn der ballführende Spieler mit deutlich sichtbarer Ausholbewegung zum Torschuß ansetzt, so wird der Torwart ein entsprechendes eigenes Programm erstellen, mit dem Ziel, einen Torerfolg zu verhindern. Dies läßt sich sinngemäß auf Zweikampfsportarten wie Ringen, Boxen usw. übertragen.

Antizipation von Täuschungshandlungen

In den Sportspielen und in den Zweikampfsportarten wird man deshalb versuchen, dem Gegner seine Spiel- oder Kampfhandlung möglichst spät erkennen zu lassen. Eine entsprechende Gegenreaktion

Abb. 3.6: Ausnutzen der Bewegungsantizipation (Programmierung der gegnerischen Handlung) zu Täuschungshandlungen (Finten), um den Gegner zu umspielen.

erfolgt dadurch meist zu spät. In der Sportpraxis versucht man dies durch ansatzlose Würfe bzw. Schläge. Die Ausholbewegung wird unterdrückt.

Diese Fähigkeit des Menschen, Bewegungsresultate beim Gegner vorwegnehmen zu können, kann dazu benutzt werden, ihn zu täuschen. Durch Ausholbewegungen, die nicht zur beabsichtigten Hauptaktion gehören, wird er zu einer falschen Reaktion (Antizipation) veranlaßt. Der Basketballspieler setzt zu einem Wurf an, bricht diesen jedoch ab und beginnt zu dribbeln. Wenn der Gegner die wahre Absicht erkennt, ist seine Aktion bereits programmiert und eingeleitet. Die notwendige Umstellung erfordert zu viel Zeit. Vielfach werden von versierten Spielern und Kampfsportlern mögliche Täuschungshandlungen in ihre Bewegungsantizipation einkalkuliert.

„Feedforward-Mechanismen"-Antizipation von reflexartigen Bewegungsabläufen

Bei Sportlern auf einer hohen Könnensstufe werden mögliche Programmänderungen durch die Verfügbarkeit von Auswahlprogrammen ermöglicht. In diesem Zusammenhang ist darauf hinzuweisen, daß es sich bei den hier sehr vereinfacht dargestellten Vorgängen um äußerst komplexe neurophysiologische Prozesse handelt. Gerade bei Könnern im Sport kommt es zu antizipatorischen Leistungen, die auf Erfahrung und bereits automatisierten Bewegungen gründen. Solche antizipatorischen Leistungen bestehen darin, daß Bewegungsbereitschaft „vorgebahnt" wird. Dies geschieht durch antizipierende Vorinnervationen, das heißt durch vorprogrammierte Aktionen, die durch Übung und Training erworben und gespeichert und dann im richtigen Moment „abgerufen" werden (vgl. HENATSCH 1976, S. 228 f). Dadurch werden Bewegungen möglich, die im Bereich der Zeitspanne von Reflexen liegen. Ein Tennisspieler erkennt z. B. erst frühestens eine halbe Sekunde bevor er seinen Rückschlag programmieren kann, wohin der Ball fliegt. Damit er in kürzester Zeit zielgenau den Ball zurückschlagen kann, also eine präzise Steuerung der raschen, zielgenauen Bewegung möglich wird, müssen bereits vor Abruf der Bewegungsausführung des Rückschlags „Vorprogramme" ablaufen. Diese Vorprogramme dienen der „Anbahnung" zielgenauer Bewegungssteuerung. Sie werden erkennbar (Mikrokontraktionen, u. a. elektromyographisch nachzuweisen) in einer Aktivierung der Stützmotorik und bereiten hier die Startposition vor. Dies ist möglich durch eine vorausgehende Aktivierung von motorischen Einheiten, die auf die Ausführung der nachfolgenden Bewegung ausgerichtet bzw. abgestimmt ist. Eine solche Aktivierung erfolgt über die Pyramidenbahn auf schnellstem Wege, d. h. ohne Zwischenstationen, also unter Umgehung von subcortikalen und supraspinalen Zentren. Diese Vorträge werden in der englischsprachigen Fachliteratur als „Feedforward-Mechanismen" bezeichnet.

Solche sogenannten „Feedforward-Mechanismen" sind keineswegs nur bei sehr schnell ablaufenden, automatisierten Bewegungen anzutreffen. Sie sind generell als Teil des Antizipationsprozesses zu betrachten. Die Verschiedenartigkeit sportmotorischer Handlungen – von einfachen bis hin zu sehr komplexen Handlungen, in die mehrere Personen und Gegenstände/Geräte eingebunden sein können – zieht entsprechende, auf die jeweilige Handlung hin ausgerichtete Antizipationsprozesse nach sich.

3.2.2 Einflußgrößen im Ausführungsteil

Im vorausgegangenen Abschnitt haben wir uns mit psychischen Vorgängen beschäftigt, die eine Bewegungshandlung *anregen,* deren *Planung bestimmen,* sie *auslösen* können, ihre *Bewertung bewirken* und sie zu *einem Erlebnis werden lassen.*

Erkennbar werden diese Prozesse äußerst eingeschränkt über die sichtbar werdende Bewegung, bzw. über das äußerlich beobachtbare Bewegungsverhalten. Ein individueller Bewegungsstil kann eine besondere Ausprägung des Bewegungsverhaltens bewirken.

Die Ausführung einer Bewegung wird bestimmt durch

- sensomotorische Steuerungs- und Regelungsprozesse,
- Leistungsfähigkeit der Informationsübermittler (Analysatoren),
- koordinative Fähigkeiten,
- konditionelle Fähigkeiten,
- Beweglichkeit[1],
- Bewegungsstil.

3.2.2.1 Sensomotorische Regulationsvorgänge

Die Realisierung einer Bewegung ist außer von psychischen Vorgängen insbesondere vom Zusammenwirken von Nervensystem und Bewegungsapparat und von der Leistungsfähigkeit einzelner Organsysteme bestimmt.

---

1 Beweglichkeit ist sowohl den konditionellen als auch den koordinativen Fähigkeiten zuzuordnen.

Das Zusammenwirken von Nervensystem und Bewegungsapparat vollzieht sich auf der *sensomotorischen Regulationsebene*. Es ist einerseits abhängig von gewissen Anlagebedingungen, andererseits von Trainingswirkungen. Dieser sensomotorische Regulationsvorgang wird im wesentlichen mit *„Bewegungskoordination"* gleichgesetzt.

Die Bewegungskoordination entsteht über sog. *Steuerungs- und Regelungsprozesse*, wobei wir unter Steuerungsprozessen die Verarbeitung von Informationen und deren Übertragung auf den Bewegungsapparat, unter Regelungsprozessen – verallgemeinert formuliert – die Verbesserung der Bewegungsausführung auf der Grundlage rückgemeldeter Informationen verstehen.

Voraussetzungen für diese Vorgänge sind einmal die von neurophysiologischen Abläufen bestimmten koordinativen Fähigkeiten und die auf energetischen Prozessen beruhenden sog. konditionellen Fähigkeiten. Zwischen beiden Fähigkeitsgruppen besteht eine enge funktionale Verbindung und eine wechselseitige Beeinflussung. *Die sensomotorische Bewegungsregulation darf aber nie isoliert von höheren Regulationsebenen des Zentralnervensystems gesehen werden.*

Aus Gründen der besseren Übersicht werden die koordinativen und konditionellen Fähigkeiten einzeln behandelt, auf deren Zusammenhänge wird abschließend eingegangen. Die Qualität der koordinativen Fähigkeiten wird bestimmt von der Funktionstüchtigkeit sog. motorischer Systeme, wie z. B. dem Zentralnervensystem mit seinen Analysatoren.

Ihre besondere Bedeutung für die Steuerungs- und Regelungsvorgänge innerhalb einer Bewegungshandlung wird nachfolgend beschrieben.

3.2.2.2 Informationsübermittler (Analysatoren)

Bewegungssteuerung und -regelung ist – wie schon erwähnt – nur möglich, wenn das ZNS vor, während und auch nach dem Bewegungsvollzug Informationen erhält.

Als Informationsübermittler sind fünf Analysatoren zuständig, die nachfolgend aufgeführt werden:

Dem *kinästhetischen Analysator*, der mittels Rezeptoren in Muskeln und Sehnen Aufschluß über den Zustand des Bewegungsapparats gibt, kommt dabei eine Schlüsselfunktion zu. Er berichtet über Verkürzungen und Dehnungen der Muskeln – Anspannung und Entspannung – Geschwindigkeit und Kraft der Bewegung – wechselseitige Lage der Körperteile zueinander – die Gelenkstellung – die Genauigkeit der Bewegung in Zeit und Raum.

Der **taktile Analysator** erhält über Rezeptoren der Haut Informationen aus der Umwelt – über Form und Oberfläche berührter Gegenstände oder über auftretende Widerstände, die unseren Bewegungen entgegenwirken, wie z. B. Luft und Wasser.

Der **optische Analysator** übermittelt mit Hilfe des Auges visuelle Informationen über die eigene Bewegung (Selbstbeobachtung) sowie über Gegebenheiten in der bewegten und unbewegten Umwelt (Fremdbeobachtung). Der optische Analysator steht in engem Zusammenhang mit dem kinästhetischen Analysator.

Der **akustische Analysator** bezieht Informationen über das Ohr. Sie geben dem Ausführenden Aufschluß über bewegungsbegleitende Geräusche, z. B. beim oberen Zuspiel im Volleyball; Laufgeräusche, Schwimmgeräusche usw. Auch verbale Informationen, z. B. vom Sportlehrer oder bewegungsunterstützende (rhythmisierende) Informationen (z. B. Klatschen), werden über das Ohr aufgenommen.

Der **statico-dynamische Analysator** erhält Informationen über den Vestibularapparat. Diese Informationen spielen eine große Rolle bei der Erhaltung und Wiederherstellung des Gleichgewichts und zum Erfassen von Beschleunigungsvorgängen. Eine exakte Definition ist im Gegensatz zu den übrigen genannten Analysatoren nur bedingt möglich, weil die Informationen vieler Rezeptoren (Innenohr, Muskelspindeln, Auge) hier zusammenfließen.
Die Summe der über eine Bewegung über verschiedene Analysatoren einlaufenden Informationen vermittelt das sog. *„Körperbild"* (Selbstbild). Es beinhaltet die Vorstellung, die man von sich selbst hat. In dieses Körperbild können Gegenstände mit einbezogen sein, soweit sie in die Bewegungshandlung integriert sind (Bekleidung – Ski – Tennisschläger – Rennrodel – Auto). Sie können als zum eigenen Körper zugehörig empfunden werden.

Die Begrenztheit der Informationsaufnahme und -verarbeitung

Trotz der verschiedenartigen Analysatoren ist vielfach nur eine unzureichende Informationsaufnahmefähigkeit über das eigene Bewegungsgeschehen vorhanden. So hat der Mensch nur ein begrenztes

Gesichtsfeld. Informationen über das Ohr sind nur mit Einschränkungen verläßlich. Der kinästhetische Analysator gibt vielfach irreführende Informationen. Schwimmer nehmen z. B. häufig irrtümlich an, sie zögen beim Kraulschwimmen mit gestreckten Armen durch das Wasser (vgl. COUNSILMAN 1977). Beim Skifahren glaubt man, die Knie genug gebeugt zu haben, obwohl es nicht zutrifft. Der Mensch muß also im Sport noch zusätzlich Informationen von außen erhalten – Partner, Lehrer usw. – um bei komplexen, schnellablaufenden Bewegungen Rückmeldung zu erhalten. Dies hängt allerdings vom jeweiligen Könnensniveau ab. In die Bewegungssteuerung können unbedingte Reflexe störend eingreifen (s. dazu Nervensystem). Es handelt sich meist um sog. Schutzreflexe wie Lidschlag und Wischreflex, Orientierungsreflexe u. a.

Beispiel: Dem Schwimmanfänger muß die reflektorische Wischbewegung nach dem Untertauchen abgewöhnt werden. Der Sprinter darf sich vor dem Start z. B. durch laute Geräusche nicht ablenken lassen (Orientierungsreflex).

Verschiedene Analysatoren und deren Bedeutung

Die vor und während einer Bewegungshandlung einlaufenden Informationen werden im Zentralnervensystem hinsichtlich ihrer Bedeutung für das Zustandekommen der Bewegung ausgewählt und für die Erstellung bzw. Umstellung von Handlungsplänen verwertet. Obwohl dabei nicht alle Analysatoren gleich bedeutungsvoll sind – so dominieren z. B. beim Schwimmen die Informationen des taktilen und kinästhetischen Analysators, während die des optischen und akustischen eine untergeordnete Rolle spielen, führt schon der Ausfall eines Analysators zu erheblichen Störungen der Gesamtkoordination (Blinde, Gehörlose). Generell kann man sagen, daß spezielle sportliche Tätigkeiten vorrangig von bestimmten Analysatoren abhängig sind. Einige Beispiele sollen dies belegen: Die Leistungen des Schützen werden vorrangig bestimmt von der Leistungsfähigkeit des optischen Analysators. Beim Stehen im Handstand werden dagegen besondere Informationen vom Gleichgewichtssinn gefordert.

Zwischen den Analysatoren und deren Leistungsfähigkeit einerseits und den *koordinativen Fähigkeiten* andererseits gibt es eine enge Wechselbeziehung. Das Vorhandensein einzelner koordinativer Fähigkeiten ist jeweils an die Funktion bestimmter Analysatoren gebunden. Dies wird bei der Besprechung der koordinativen Fähigkeiten noch dargestellt.

3.2.2.3 Koordinative Fähigkeiten

Die koordinativen Fähigkeiten sind einerseits Voraussetzungen für die Bewegungssteuerung und -regelung, andererseits werden sie durch diese Vorgänge verbessert. Sie sind also z. T. anlagebedingt – bilden gewissermaßen eine Grundausstattung für den Vollzug von Bewegungshandlungen – z. T. entwickeln bzw. verbessern sie sich in der tätigen Auseinandersetzung des Menschen mit seiner Umwelt. Die Bewegungssteuerung sportlicher Tätigkeiten ist durch folgende Merkmale charakterisierbar, die ihren Ausdruck in bestimmten koordinativen Fähigkeiten finden:

Tab. 3.1: Zusammenhang von Merkmalen der Bewegungssteuerung und koordinativen Fähigkeiten im Überblick

Merkmale der Bewegungssteuerung	Koordinative Fähigkeiten
Zweckmäßige motorische Reaktion auf ein bestimmtes äußeres Signal	Reaktionsfähigkeit
Anpassen oder Umstellen auf plötzlich auftretende Situationsveränderungen	Umstellungsfähigkeit
Positionsveränderung des gesamten Körpers (von Körperteilen) zu der ihn umgebenden Umwelt	Orientierungsfähigkeit
Zweckmäßige Koordination von Teilkörperbewegungen oder von Einzelbewegungen	Koppelungsfähigkeit
Ausführung der Gesamt- und der Teilbewegungen mit hoher Präzision und Abstimmung	Differenzierungsfähigkeit
Erhaltung des Gleichgewichts des sich bewegenden Körpers nach großräumigen bzw. schnellen Lageveränderungen sowie Wiedergewinnung des Gleichgewichts	Gleichgewichtsfähigkeit
Abstimmung der Bewegung auf einen bestimmten Rhythmus, der akustisch (Schrittgeräusche, Musik) oder auch visuell vorgegeben ist	Rhythmisierungsfähigkeit

In diesem Zusammenhang ist darauf hinzuweisen, daß eine eindeutige Abgrenzung koordinativer Fähigkeiten gegeneinander sowie Systematisierungsversuche auf Grund unzureichender wissenschaftlicher Begründungen nicht eindeutig genug erfolgen können. Dies

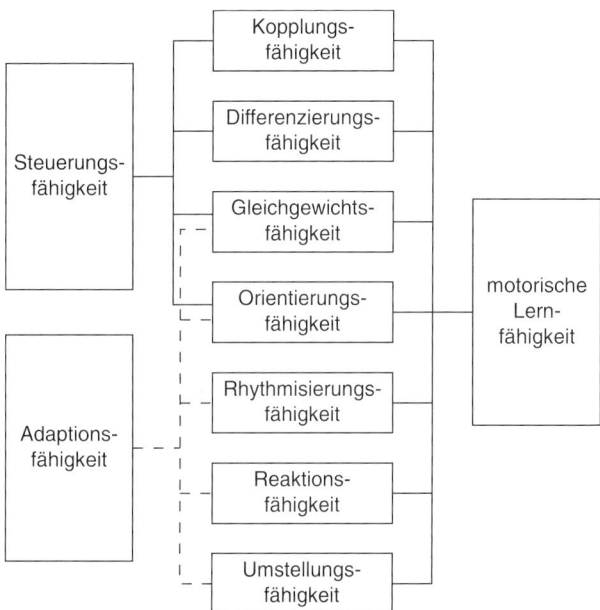

Abb. 3.7: Schematische Darstellung der sieben koordinativen Fähigkeiten (nach BLUME 1978; finden sich aber auch bei MEINEL/SCHNABEL 1987).

kommt dadurch zum Ausdruck, daß in der neueren sportwissenschaftlichen Literatur zwischen zwei und achtzehn koordinativen Fähigkeiten unterschieden wird. Zweifelsohne ist die wissenschaftliche Bearbeitung des Kapitels „Koordinative Fähigkeiten" in der letzten Zeit ins Stocken geraten aufgrund der Komplexität des Untersuchungsgegenstandes und der damit verbundenen Schwierigkeit der eindeutigen Meßbarkeit einzelner koordinativer Fähigkeiten. Die vorgestellten Systematiken koordinativer Fähigkeiten sollen exemplarisch Erklärungsversuche aufzeigen (s. Abb. 3.7; 3.8; 3.9). Damit wird weder ein Anspruch auf Vollständigkeit erhoben noch ist damit eine qualitative Bewertung verbunden.

Wir beschränken uns deshalb nachfolgend auf die Beschreibung solcher koordinativern Fähigkeiten, deren Existenz einerseits von den Merkmalen sportlicher Tätigkeiten ableitbar ist (s. Bewegungsmerkmale S. 143) und durch einzelne sportwissenschaftliche Untersuchungsergebnisse gestützt werden kann.

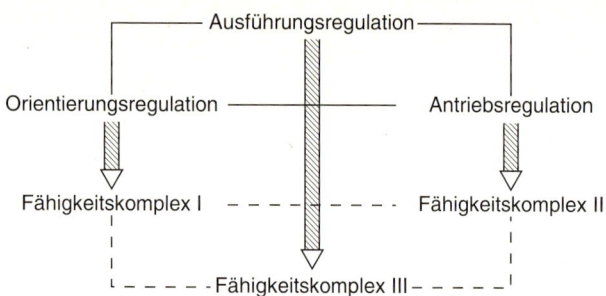

Fähigkeitskomplex I	Fähigkeitskomplex II	Fähigkeitskomplex III
● perzeptive Fähigkeiten (zum Beispiel Beobachtungsfähigkeit)	● Reflektorisch/organisatorische Fähigkeiten (zum Beispiel Erlebbarkeit von Funktionslust, Fähigkeit zur spielerischen Umgebungsexploration)	● Kraftfähigkeiten (zum Beispiel Maximalkraft)
● kognitive Fähigkeiten (zum Beispiel Entscheidungsfähigkeit)		● Ausdauerfähigkeiten (zum Beispiel Langzeitausdauer)
● Mnemische Fähigkeiten (zum Beispiel Reproduktionsfähigkeit)	● affektiv/emotionale (zum Beispiel Beherrschungsvermögen, Begeisterungsvermögen, Mobilisationsfähigkeit)	● Schnelligkeitsfähigkeiten (zum Beispiel Frequenzschnelligkeit)
● koordinative Fähigkeiten (zum Beispiel Koordinationsfähigkeit)	● volitiv/gnostische Fähigkeiten (zum Beispiel Konzentrationsvermögen, Entschlußkraft, Beharrlichkeit/Willensausdauer	● Flexibilität (zum Beispiel muskuläre Entspannungsfähigkeit)

Abb. 3.8: PÖHLMANN et al. (1979) unterscheidet zwischen drei Fähigkeitskomplexen, die mit dem Handlungssystem verwoben werden.

Unzureichende Kenntnisse über diesen schwierigen Komplex der koordinativen Fähigkeiten haben dazu geführt, daß sich Sammelbegriffe für koordinative Fähigkeiten wie motorische Gewandtheit und Koordinationsfähigkeit gehalten haben. Sie werden nach wie vor vielfach verwendet, obwohl eine eindeutige inhaltliche Bestimmung bislang nicht erfolgt ist.

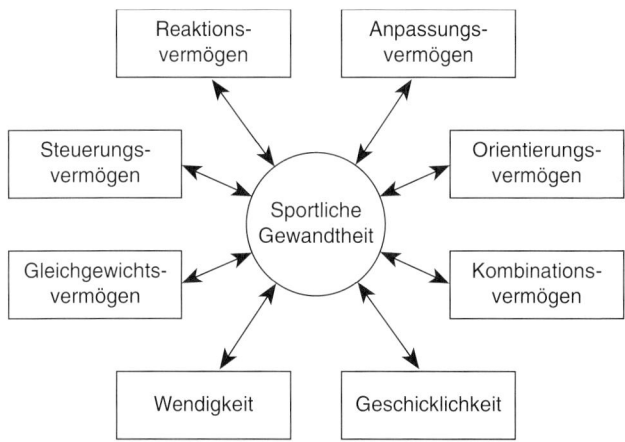

Abb. 3.9: HIRTZ (1985), der umfangreiche experimentelle Untersuchungen im Rahmen des Schulsports durchgeführt hat, kommt zu einer Systematik elementarer (fundamentaler) koordinativer Fähigkeiten sowie komplexer koordinativer Fähigkeiten.

Reaktionsfähigkeit

Reaktionsfähigkeit wird allgemein definiert als die Fähigkeit, eine motorische Aktion auf ein Signal oder mehrere Signale hin schnell und zweckmäßig einzuleiten.
Dabei wird unterschieden zwischen einfachen Wahlreaktionen und komplexen motorischen Reaktionen.

Einfache Reaktion

Bei vielen Sportarten ist die Voraussetzung für die optimale Ausführung einer motorischen Aktion das möglichst schnelle Reagieren auf ein bestimmtes Signal. Dies ist der Fall z. B. beim Start in Lauf- und Schwimmdisziplinen. Hierbei besteht die Aufgabe darin, auf ein einzelnes akustisches Signal durch Einleiten einer vorgegebenen Aktion zu reagieren. Darüber hinaus gibt es auch die Möglichkeit, auf andersartige Informationen, die ebenfalls nur als ein einzelnes Signal auftreten, zweckentsprechend zu reagieren, wie z. B. das Drücken der Stoppuhr auf ein Rauchsignal hin. Solche Reaktionen auf einzelne Signale mit vorher genau festgelegtem Bewegungsablauf bezeichnet man als einfache Reaktion.

Abb. 3.10: Schnelles Reagieren auf optische Signale beim Fechten.

Wahlreaktion

Das Ausweichen auf ein plötzlich auftauchendes Hindernis beim Skilaufen oder das Abwehren eines Strafstoßes erfordern ebenfalls
schnelles Reagieren. Im Gegensatz zur sog. einfachen Reaktion hat
ein derartiges Signal nicht nur eine bestimmte motorische Aktion zur
Folge, vielmehr sind mehrere Alternativlösungen möglich. Die Reaktionsfähigkeit besteht hier darin, das Signal so rasch wie möglich zu
erkennen, zu bewerten und sich aus mehreren Alternativlösungen
für eine zu entscheiden. Der Skifahrer z. B. hat bei Auftauchen eines
Hindernisses die Möglichkeit abzustoppen, rechts oder links vorbei-
zufahren oder darüber hinwegzuspringen. Der Fußballtorwart kann
sich nach links oder rechts werfen – oder er kann stehenbleiben. Diese Form wird als Wahlreaktion bezeichnet.

Komplexe motorische Reaktion

Besteht die Aufgabe darin, in einer komplexen Situation auf mehrere
auftauchende Signale zu reagieren, so spricht man von einer komple-

xen motorischen Reaktion. Derartige Signalkombinationen treten vor allen Dingen in den Sportspielen auf. Signale können sein: das Tor, die Position und das Verhalten von Partnern und Gegenspielern und der Ball. Die Reaktionsfähigkeit besteht hier darin, diese Signale zu erkennen, zu beurteilen und mit der Einleitung einer motorischen Aktion zu antworten. Es kommt dabei auf die Schnelligkeit des Ablaufs dieses kognitiven Prozesses an. Im Gegensatz dazu fehlt bei einfachen Reaktionen der kognitive Prozeß zur Entscheidungsfindung (s. dazu Nervensystem).

Bei allen diesen Aktionen ist die Reaktionszeit – also die Zeit, die vom Geben eines bestimmten Signals oder mehrerer Signale bis zum Beginn der motorischen Aktion verstreicht – das Maß für die sog. motorische Reaktionszeit.

Ein weiterer Gesichtspunkt zu einer Systematisierung der Reaktionsfähigkeit ergibt sich aus der *Art der Signalgebung*. Hinzu kommen die situativen Gegebenheiten, unter denen sie auftreten können. Wir unterscheiden zwischen optischen, akustischen, taktilen und kinästhetischen Signalen.

– *Optische Signale* treten besonders bei Sportspielen und Kampfsportarten auf. Hier muß auf Bewegungen von Spielgeräten (z. B. Bälle), Partnern und Gegnern reagiert werden.
– *Akustische Signale* finden wir in Sportarten, in denen z. B. auf Startsignale reagiert werden muß (Schuß, Pfiff usw.). Ebenso beim Geräteturnen und Wasserspringen, wo auf Zuruf des Trainers ein Bewegungsteil eingeleitet werden soll (Öffnen beim Salto vorwärts am Boden, beim Auerbachsalto im Wasserspringen).
– *Kinästhetische und taktile Signale* sind es, auf die der Judoka oder der Ringer seine Aufmerksamkeit richten muß. Zu- oder abnehmende Zug- oder Schubkräfte des Gegners informieren über die kinästhetische Wahrnehmung hinsichtlich der schnellen Einleitung einer eigenen Angriffsaktion.

Die Reaktionsfähigkeit ist weiter abhängig von der *Deutlichkeit der Signale* und der darauf beruhenden Wahrnehmbarkeit. Die Wahrnehmbarkeit hängt damit zusammen, wie deutlich sich Signale isolieren lassen.

– In Sportspielen, in denen es darauf ankommt, den eigenen Mitspieler schnell auszumachen, sind auffällige Trikotfarben mit besonderer Signalwirkung zu bevorzugen. Im Volleyballspiel dagegen ist es zweckmäßiger, möglichst signalunwirksame Farben zu wählen, um dem Gegner die eigenen Positionen in Angriff und Abwehr nicht zu deutlich zu machen. Deshalb werden hier gedämpfte Farben bevorzugt.

- *Akustische Signale* sind um so wirkungsvoller, je kürzer sie sind und je deutlicher sie sich vom Geräuschfeld abheben (Knall usw.).
- *Taktile* sowie kinästhetische Signale, wie sie z. B. bei Zug- und Schubhilfen im Gerätturnen gegeben werden, bleiben ineffektiv, wenn sie nicht eine bestimmte Intensität überschreiten.

Bisher wurden die einzelnen Signale isoliert betrachtet. Mehrere dieser Signale können sich aber auch zu einem einzigen, einem *Signalkomplex* verbinden, so daß aus mehreren Informationen eine einzige Information entsteht (s. dazu auch Bewegungsanalysen nach Sequenzen, S. 153). Dadurch kommt es zu einer Wahrnehmungsentlastung. Ein angreifender Basketballspieler wird z. B. nicht die fünf verteidigenden Einzelspieler als optisches Signal einzeln aufnehmen, sondern die bestimmte taktische Abwehrformation im ganzen registrieren z. B. Zonendeckung 2 : 1 : 2).

Im Zusammenhang mit der Reaktionsfähigkeit ist es notwendig, auf die Bedeutung der *Eigen- und Fremdreflexe* hinzuweisen. Auch hier reagiert der Organismus, wie wir bereits wissen, auf einzelne Signale – jedoch ohne Einschaltung des Bewußtseins.

Die angeborenen Reflexe führen in bestimmten Fällen zu einer Beeinträchtigung der Reaktionsfähigkeit. Zur Verbesserung der Reaktionsfähigkeit müssen sie oft unterdrückt werden, wie z. B. Lidschlagreflex beim Boxen und bei schnellen Drehungen im Gerätturnen und Wasserspringen.

Umstellungsfähigkeit

Die Fähigkeit, während des Handlungsverlaufs auf Grund wahrgenommener und antizipierter Situationsveränderungen das Handlungsprogramm den neuen Gegebenheiten anzupassen, wird als Umstellungsfähigkeit bezeichnet.
Sie ist in besonderem Maße abhängig von:
- der vorhandenen Einstellung zur auszuführenden Handlung,
- der genauen und schnellen Wahrnehmung der Situationsveränderung und
- der Bewegungserfahrung (alternative Handlungsprogramme liegen bereits vor).

Abb. 3.11: Optische Orientierung an Raumpunkten beim freien Überschlag vorwärts

Wir wissen aus den Erläuterungen über den Aufbau einer Bewegungshandlung, daß es im Ausführungsteil auf der Grundlage differenzierter Informationsaufnahme und -verarbeitung von Situationsveränderungen (Umwelt, innere Vorgänge, z. B. Ermüdung) zu einer gleitenden, aber auch zu einer vollständigen Umstellung des Handlungsplans kommen kann. Die Situationsveränderungen können dabei mehr oder weniger erwartet werden, wie es z. B. in den Kampfsportarten (Boxen, Judo, Ringen) und in den Sportspielen (Finten, Wurfformen) der Fall ist. Situationsveränderungen können aber auch plötzlich und völlig unerwartet auftreten (Automobilsport, Skilauf, Gerätturnen usw.).

Entsprechend der Situationsveränderungen kann die Umstellung des Handlungsplans in verschiedener Weise wirksam werden:

- Bei geringfügigen bzw. erwarteten Situationsveränderungen wird sich das Handlungsprogramm nur hinsichtlich Zeit-, Raum- und Kraftparametern verändern. Für einen Beobachter ist dies nur schwer erkennbar – wie z. B. die Schrittverkürzung eines Cross-Läufers bei Steigungen –, beim Ausführenden selbst wird die Umstellung die Bewußtseinsebene meist nicht erreichen.
- Bei gravierenden Situationsveränderungen kann es zum Abbruch oder zur Einleitung einer neuen Bewegungshandlung kommen, z. B. dem Abbruch des Slaloms nach Überfahren eines Tores oder der Umstellung einer Kürübung nach einem Fehler. (Kommt ein Turner bei Ausführung der freien Felge nicht in den Handstand, so kann er durch Umspringen in die Kammgriffriesenfelge den Fehler ausgleichen.)

Eine Umstellung des Handlungsprogramms ist im allgemeinen nur möglich, wenn Feedback, d. h. wenn rückgemeldete Informationen über den bisherigen Handlungsverlauf vorliegen. Bei Bewegungen, die schneller ablaufen als 0,2 Sekunden, ist im allgemeinen Feedback nicht gegeben, da die Nervenleitprozesse für das Feedback länger dauern als die Bewegung selbst. In besonderen Fällen ist jedoch die Umstellung eines Handlungsprogramms ohne vorausgehendes Feedback nicht auszuschließen (s. Motorisches Lernen, S. 163 ff.). Umstellungsfähigkeit steht in enger Beziehung zur Orientierungs- und Reaktionsfähigkeit. Sie setzt das Vorhandensein eines Handlungsprogramms voraus.

Orientierungsfähigkeit

> Die Orientierungsfähigkeit besteht darin, die Lage des eigenen Körpers in einem definierten Raum mit entsprechenden Orientierungspunkten zu bestimmen und zielgenau zu verändern.

Die Orientierung ist von verschiedenen Informationsarten abhängig, wobei der visuellen Information besondere Bedeutung zukommt. Orientierungspunkte im umgebenden Raum geben uns visuelle Hinweise für die eigene Position. Bei Ausfall des optischen Analysators wird erkennbar, daß es aber auch über die anderen möglich ist, sich zu orientieren. Man denke dabei an die Blinden, die sich vorrangig auf Informationen des taktilen und akustischen Analysators stützen.

Grundsätzlich geschieht also die Orientierung nicht einseitig nur über die optische Wahrnehmung. Denken wir z. B. an die Bedeutung des taktilen Analysators beim Klettern zur Orientierung über die Festigkeit und Tiefe der Stand- bzw. Grifffläche im Fels. Die Orientierung über die Position der Mitspieler in einer Mannschaft kann auch durch Zuruf erfolgen. Die Positionsbestimmung beim Skilauf im Nebel hängt überwiegend von Informationen ab, die Gehör und Gleichgewichtssinn liefern.

Das Zurechtfinden in einer bekannten Umgebung bei völliger Dunkelheit oder im dichten Nebel beruht auf der Orientierung an kognitiv gespeicherten *„Landkarten"* über den umgebenden Raum. Dieses gespeicherte Raumbild beinhaltet neben einer optischen auch akustische oder taktile Dimensionen. So kann man sich beim Skilaufen im Nebel am Geräusch eines nahen Skilifts und an unterschiedlichen Schneeverhältnissen auf der Abfahrtstrecke, also über akustische bzw. taktile Empfindungen, orientieren. Auch gespeicherte Eindrücke über Gerüche können bei der Orientierung hilfreich sein.

Zusammenfassend kann man feststellen, daß die Anforderungen, die an die Orientierungsfähigkeit in den einzelnen Sportarten gestellt werden, sehr unterschiedlich sind. Einmal orientiert man sich an unbewegten materialen Umweltbedingungen, z. B. beim Wasserspringen an der Entfernung zum Wasser oder im Skilauf an der Beschaffenheit des Geländes, zum anderen muß man seine Position zu bewegten Objekten, wie z. B. Partner, Gegner oder auch bewegten Gegenständen wie z. B. einem anfliegenden Tennisball oder einem zugespielten Volleyball, einstellen. Je komplexer die Anzahl unbewegter und bewegter Gegenstände ist, auf die die Orientierung sich beziehen muß, desto größer sind die Anforderungen, die an diese Fähigkeit gestellt werden.

In der Sportsprache hat sich dafür der Begriff *„Timing"* eingebürgert. Er beschreibt mit einem Wort den Zusammenhang der Veränderung der eigenen Position und der Gegenstände, auf die sich die Orientierung bezieht, unter Berücksichtigung räumlicher und zeitlicher Dimensionen. Als typisches Beispiel könnte man den Anlauf zum Schmetterschlag nach einem zugespielten Ball oder das Verhindern eines Sprungwurfes im Basketball anführen.

Koppelungsfähigkeit

Die Fähigkeit, Teilkörperbewegungen miteinander zeitlich, räumlich und dynamisch so zu koppeln, daß dadurch eine bestimmte Bewegung zustandekommt, wird als *„Koppelungsfähigkeit"* bezeichnet. Sie ist eine wesentliche Voraussetzung für alle Bewegungshandlungen und Fertigkeiten und erfordert einen besonderen Ausprägungsgrad bei schwierigen Koordinationsaufgaben in verschiedenen Sportarten.

Beim Betrachten von sportlichen Bewegungen kann man erkennen, daß während der Bewegung eine Fülle von Teilbewegungen (Arme, Beine, Kopf, Rumpf) gleichzeitig oder nacheinander ablaufen. Bei den meisten sportlichen Bewegungen ist der gesamte Bewegungsapparat, das gesamte motorische System erfaßt. Das hängt damit zusammen, daß sich in dem Gliedersystem Mensch jede Muskelaktivität auf benachbarte Gelenke auswirkt, bzw. auch bei scheinbar isolierten Bewegungen, wie z. B. beim Heben eines Armes im ruhigen Stand, der übrige Körper Stütz- und Halteaufgaben zu erfüllen hat. Um einen Bewegungsakt optimal ausführen zu können, ist es also notwendig, die verschiedenen Teilbewegungen zeitlich, räumlich und kraftmäßig aufeinander abzustimmen.

Der *zeitliche Faktor* wird sichtbar, wenn man einen komplexen Bewegungsablauf hinsichtlich sukzessiv (nacheinander) und simultan (gleichzeitig) ablaufender Teilbewegungen analysiert. Am Beispiel der Rolle rückwärts durch den flüchtigen Handstand sollen die Zusammenhänge dargestellt werden (Abb. 3.12).

Das Reihenbild zeigt, daß auch dem *räumlichen Faktor* eine entscheidende Rolle zukommt. So kann die nächste Teilbewegung erst beginnen, wenn der Körper eine bestimmte Raumposition eingenommen hat. Die Streckung der Hüfte z. B. soll erst dann erfolgen, wenn sich der Körperschwerpunkt über der Unterstützungsfläche (Aufsatzpunkt der Hände) befindet.

Der *Krafteinsatz* muß so ausgewogen sein, daß die räumliche und zeitliche Komponente eine optimale Ausprägung erfährt. So muß z. B. in unserem Reihenbild die Streckbewegung der Arme so dosiert werden, daß die senkrechte Position des Körpers im Handstand (räumlich) sehr schnell (zeitlich) erreicht wird.

Der Vorgang der Koppelung von Teilbewegungen läßt sich unter Heranziehung folgender biomechanischer Prinzipien begründen. Prinzip der:

Abb. 3.12: Koppelungsfähigkeit bei der Felgrolle am Boden. A Simultankoppelung. Beispiele für Arme senken, Beine beugen, B Sukzessivkoppelung, Aufsetzen der Hände am Boden, Hüftstreckung.

- zeitlichen Koordination der Einzelimpulse,
- maximalen Anfangskraft,
- Impulsübertragung,
- optimalen Beschleunigungswege,
- Gegenwirkung (siehe dazu Erläuterungen S. 38).

Formen der Bewegungskoppelung

Im Verlauf von Bewegungen lassen sich unter Berücksichtigung der genannten biomechanischen Prinzipien verschiedene Formen der Koppelung unterscheiden:

- Schwungübertragung,
- zeitliche Verschiebung der Teilbewegungen,
- Rumpf als Übertragungsglied für die Bewegungskoppelung,
- Mischformen der Bewegungskoppelung,
- Steuerfunktion des Kopfes.

Schwungübertragung

Bei der sog. *Schwungübertragung* kann der Impuls entweder von den Extremitäten auf den Rumpf oder vom Rumpf auf die Extremitäten übertragen werden. Bei genauerer Betrachtung und Differenzierung ergeben sich somit vier Möglichkeiten:

1. Impulsübertragung von den Beinen auf den Rumpf (z. B. Schwungbeineinsatz bei Weit- oder Hochsprung. Oberarmkippe am Barren) (Abb. 3.13).

Abb. 3.13: Impulsübertragung von den Beinen auf den Rumpf bei der „Oberarmkippe" am Barren.

2. Impulsübertragung von den Armen auf den Rumpf (z. B. Doppelarmschwung im Hochsprung beim Straddle, Salto vorwärts am Boden) (Abb. 3.14).
3. Impulsübertragung vom Rumpf auf die Arme (z. B. Diskuswurf) (Abb. 3.15).
4. Impulsübertragung vom Rumpf auf die Beine (z. B. Hüftumschwung vorlings-vorwärts, Schmetterlingsschwimmen).

Geht die Schwungübertragung (Impulsübertragung) z. B. von den Armen oder Beinen aus, so müssen diese in eine hohe Anfangsgeschwindigkeit versetzt werden. Bei Rumpfbewegungen ist die An-

Abb. 3.14: Impulsübertragung von den Armen und Beinen an den Rumpf beim Straddle.

Abb. 3.15: Impulsübertragung vom Rumpf auf den Wurfarm beim Diskuswurf.

Abb. 3.16: Zeitliche Verschiebung der Teilbewegungen beim Speerwurf.

fangsgeschwindigkeit weniger entscheidend, da der Rumpf über eine große Masse verfügt. Impulsübertragung kann aber grundsätzlich nur dann erfolgen, wenn die jeweiligen Teilbewegungen abgebremst werden.

Schwungübertragung bedeutet aber nicht nur Impulsübertragung. Es wird auch eine *Kraftwirkung* auf den Stütz (Unterstützungsfläche und unterstützende Gliedmaßen) ausgeübt (actio = reactio). Diese Kraftwirkung ermöglicht eine *optimale Vordehnung der z. B. am Absprung beteiligten Beinmuskulatur, eine erhöhte Anfangskraft und eine Verlängerung des Beschleunigungswegs.* Allerdings nur dann, wenn die einzelnen Bewegungsteile zeitlich, räumlich und hinsichtlich Krafteinsatz *(Koordination der Teilimpulse)* optimal aufeinander abgestimmt sind. Diese Art hat also in erster Linie eine Vorbereitungsfunktion für die stützenden Gliedmaßen.

Zeitliche Verschiebung von Teilbewegungen

Bewegungskoppelung ist weiter charakterisiert durch eine zeitliche Verschiebung der Teilbewegungen. Besonders deutlich wird diese zeitliche Abfolge beim Speerwurf.

(Nach *Koch*)

Abb. 3.17: Medizinballwurf auf ein bestimmtes Ziel. Die kinetische Energie bedingt die Hüft- und Beinstreckung (Kinetion). Die Abstimmung der Geschwindigkeit und Bewegungsrichtung des Balles zur Erreichung des Ziels erfolgt durch den Arm (Modulation).

Die Wurfbewegung beginnt hier mit dem Einsatz des Rumpfes (der Anlauf wird unberücksichtigt gelassen), setzt sich in den Schulter- gürtel fort und nimmt ihren weiteren Verlauf über Oberarm, Unter- arm, Hand und Finger. Bezeichnend ist dabei, daß die Impulse der Teilkörperbewegungen nacheinander erfolgen. So ist z. B. der Im- puls des Rumpfes abgeschlossen, während sich Schulterbereich und Arm in der Wurfvorbereitung befinden (Abb. 3.17).

Durch die zeitliche Verschiebung von Teilbewegungen ist es mög- lich, die nachfolgend eingesetzten Muskelgruppen jeweils entspre- chend vorzudehnen. Dabei dienen Muskeln mit größerem Quer- schnitt der Überwindung hoher Anfangswiderstände (größere Kraft- momente in den rumpfnahen Gelenken), während die schwächeren Muskeln des Armes und der Hand, aufbauend auf der Beschleuni- gung des Rumpfes, zusätzlich beschleunigend und steuernd wirk- sam werden. Dies wird auch als *Kinetion* und *Modulation* bezeichnet (Abb. 3.17).

Der Rumpf als Übertragungsglied für die Bewegungskoppelung

Aus der bisherigen Darstellung wird ersichtlich, daß dem Rumpf bei der Koppelung von Teilbewegungen eine entscheidende Rolle zu- kommt. Es wurde bisher festgestellt, daß der Rumpf

- Impulse von Armen und Beinen empfangen kann,
- daß er Impulse auf Arme und Beine überträgt,
- er aber auch Bindeglied bei Ganzkörperbewegungen ist, also dort z. B., wo Impulse von den Beinen über den Rumpf auf die Arme übertragen werden sollen (Gewichtheben, Basketballsprungwurf usw.).

Grob schematisiert lassen sich drei wesentliche Formen des Rumpf- einsatzes unterscheiden:

Horizontaler Rumpfeinsatz. Er liegt bei Stoß- und Schiebebewe- gungen vor (Abb. 3.18).

Vertikaler Rumpfeinsatz. Wir finden ihn vorwiegend bei Schlag- bewegungen (z. B. Schmetterschlag im Volleyball), (Abb. 3.19).

Rotatorischer Rumpfeinsatz. Er ist gegeben bei Körperdrehun- gen (z. B. Diskuswurf, Hammerwurf, Schleuderball), (Abb 3.15).

Mischformen der Bewegungskoppelung

Diese drei Formen des Rumpfeinsatzes werden vielfach weiter diffe- renziert, z. B. in sog. *Beuge-* und *Streckbewegungen* (Rudern, Kana- dierfahren), *Bogenspannung* (Fußballeinwurf) und *Verwringung.*

Abb. 3.18: Horizontaler Rumpfeinsatz beim Kugelstoß.

Abb. 3.19: Vertikaler Rumpfeinsatz beim frontalen Schmetterschlag im Volley-ball.

Dabei handelt es sich aber nur um Mischformen der obengenannten Rumpfeinsatzformen.

Mit *Verwringung* wird ein Rumpfeinsatz näher bezeichnet, der die Formen Beugen, Strecken und Bogenspannung beinhalten kann. Das charakteristische Merkmal dieser Kopplungsform ist die Verdrehung der Schulterachse zur Beckenachse. Dadurch ist es möglich, besonders die diagonal ziehenden Muskelschlingen wirkungsvoll vorzudehnen und einzusetzen. Diese Form findet man beim Rückhandschlag im Tennis, beim Diskuswurf, beim Kugelstoß, beim Diagonalschritt im Skilauf u. a. m.

Die Steuerfunktion des Kopfes

Die Bewegungskoppelung zwischen Kopf und Rumpf hat ausschließlich Steuerungsfunktion. Kopfbewegungen beeinflussen über den to-

Abb. 3.20: Steuerfunktion des Kopfes beim Salto vorwärts gehockt. Vorneigen führt zur Beugung, Heben des Kopfes zur Streckung der Wirbelsäule.

nischen Halsreflex die Muskulatur des Rumpfes. Vereinfacht darge-stellt bedeutet dies, daß das Beugen des Kopfes nach vorne oder hin-ten auch eine Kontraktion der entsprechenden Rumpfmuskulatur reflektorisch nach sich zieht. Diese Steuerungsvorgänge werden ge-fordert im Schwimmen (Einnehmen einer bestimmten Wasserlage), im Gerätturnen (Salto vorwärts, Salto rückwärts, s. Abb. 3.20), in der Leichtathletik (z. B. Flop, Weitsprung).
Weiter dienen Kopfbewegungen der optischen Orientierung, um z. B. Griffstellen zu erfassen bzw. anfliegende Geräte (Bälle usw.) wahrzunehmen.
Wir wissen nun, daß sich sportliche Bewegungen aus einer Vielzahl von Teilbewegungen zusammensetzen, daß es darauf ankommt, diese Teilbewegungen zu einem bestimmten Zeitpunkt innerhalb des Gesamtbewegungsverlaufs mit einer bestimmten Dynamik und räumlichen Ausdehnung aufeinander abzustimmen und daß Bewe-gungskoppelung in unterschiedlichen Formen zum Ausdruck kommt wie Schwungübertragung, zeitliche Verschiebung der Teilbewegun-gen, verschiedene Rumpfeinsätze, Steuerfunktion des Kopfes.
Eine optimale Koppelung von Teilbewegungen in den vorgestellten Formen gelingt dem Menschen nicht auf Anhieb. Sie muß in Lern-prozessen erst entwickelt und in Übungsprozessen gefestigt und ver-feinert werden.
Es bestehen enge Beziehungen zur Orientierungs-, Differenzierungs- und Reaktionsfähigkeit.

Differenzierungsfähigkeit

Differenzierte Auswahl bei der Informationsaufnahme und -bewertung sowie differenzierte Verarbeitung aufgenommener Informationen sind Voraussetzung für die Feinabstimmung der Steuerungsimpulse in der Bewegungskoordination. Diese Vorgänge bezeichnet man als Differenzierungsfähigkeit, die unterteilt werden kann in

- *differenzierte Informationsaufnahme und -bewertung* (auch als sensorische Differenzierungsfähigkeit bezeichnet) und
- *differenzierte Informationsverarbeitung* (efferente Steuerungsimpulse).

Differenzierte Informationsaufnahme und -bewertung

Dominierend bei der Informationsaufnahme ist hier der *kinästhetische Analysator*. Er berichtet, wie schon mehrfach erwähnt, z. B. über Winkelstellung in Gelenken (räumliche Komponente), über Spannungszustände in der beanspruchten Muskulatur (Kraftkomponenten), über die Geschwindigkeit von Körperteilbewegungen (Zeitkomponente, die kaum isoliert von der Kraftkomponente erklärbar ist).

Die Differenzierungsfähigkeit als *koordinative Fähigkeit* bezieht sich demnach auf die präzise Unterscheidungsfähigkeit in bezug auf Kraft-, Zeit- und Raumwahrnehmung im Bewegungsvollzug. Das heißt z. B. beim Skilaufen, den Schneewiderstand differenziert über kinästhetische und auch taktile Wahrnehmung zu erfühlen.

Differenzierte Informationsverarbeitung

Darauf abgestimmt kann die Dosierung der erforderlichen Steuerimpulse für eine optimale Bewegungsausführung erfolgen. Diese Impulse beziehen sich auf die aufzuwendende Kraft und die Dauer deren Einwirkung sowie auf den räumlichen Bewegungsumfang, der sich in der Winkelstellung, vor allen Dingen im Knie- und Hüftbereich, ausdrückt. Er beeinflußt unmittelbar den räumlichen Ablauf der Bewegung (Schwungradius).

Der Ausprägungsgrad dieser Fähigkeit ist abhängig vom Könnensstand bezogen auf bestimmte Bewegungsabläufe. Über die Verbesserung der kinästhetischen Wahrnehmung verbessert sich auch die Differenzierungsfähigkeit (vgl. „Motorisches Lernen"). Allerdings entwickelt sie sich in den einzelnen Sportarten entsprechend der besonderen Anforderungen unterschiedlich. So wird z. B. der Fußball-spieler besonders feinabgestimmte und kontrollierte Bewegungen mit Kopf und Fuß ausführen können, der Hand- und Basketballspie-ler mit den Händen, der Schwimmer mit dem Gesamtkörper (Lage des Körpers in Beziehung zu auftretenden Wasserwiderständen). Diese jeweils besondere Fähigkeit wird in der Umgangssprache als „Ballgefühl", „Wassergefühl", „Schneegefühl" bezeichnet.

Gleichgewichtsfähigkeit

Der Mensch unterliegt wie alle Körper den Gesetzen der Mecha-nik. Als mehrgliedriges lebendes System besitzt er allerdings ge-genüber unbelebten Körpern die Fähigkeit, Störungen der Gleich-gewichtslage aktiv entgegenzuwirken. Dadurch ist er in der Lage, Positionen im labilen Gleichgewicht durch entsprechende Steuer-impulse zu erhalten. Gleichgewichtsfähigkeit drückt deshalb, all-gemein formuliert, die Fähigkeit aus, bestimmte Gleichgewichts-zustände zu erhalten oder zu erlangen.

Bevor die Bereiche „Gleichgewicht bei menschlichen Tätigkeiten" und „Physiologische Abläufe zur Aufrechterhaltung des Gleichge-wichts" behandelt werden, bedarf es der Erklärung des Begriffs „Gleichgewicht unter physikalischen Gesichtspunkten".

Gleichgewicht unter physikalischen Gesichtspunkten

In der Mechanik wird zwischen stabilem, labilem und indifferentem Gleichgewicht unterschieden.
Von *stabilem Gleichgewicht* wird dann gesprochen, wenn bei gerin-ger Abweichung des Körpers aus der Gleichgewichtslage eine Rück-kehr in die Ausgangslage erfolgt. Dies ist immer dann gegeben, wenn der Aufhängungspunkt über dem Körperschwerpunkt liegt. Beispiel: Langhang am Reck.
Man spricht von *labilem Gleichgewicht*, wenn der Aufhängungs-bzw. Stützpunkt unterhalb des Körperschwerpunkts liegt, so daß bei geringer Abweichung aus der Gleichgewichtslage eine Rück-kehr in die Ausgangslage nicht mehr erfolgen kann. Beispiel: Hand-stand.
Indifferentes Gleichgewicht besagt, daß die Drehachse durch den Körperschwerpunkt geht, so daß das Gleichgewicht bei veränderter Lage des Körpers stabil bleibt. Beispiel: Rückenlage am Boden.

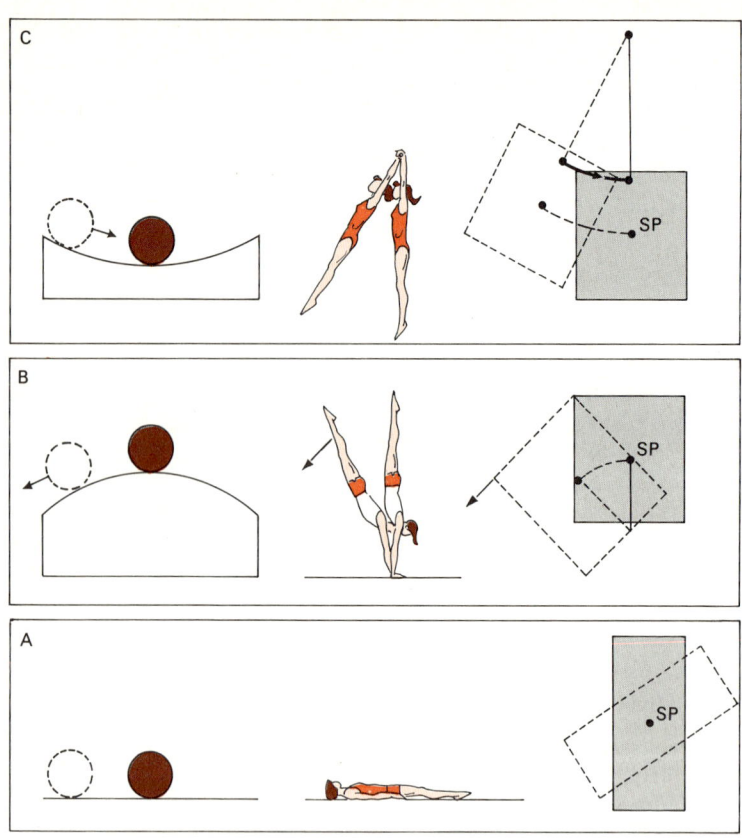

Abb. 3.21: Darstellung des A indifferenten Gleichgewichts, B labilen Gleichgewichts und C stabilen Gleichgewichts (SP Schwerpunkt).

Gleichgewicht bei menschlichen Tätigkeiten

Eine Betrachtung der Gleichgewichtsfähigkeit macht es erforderlich,
die unterschiedlichen Ausprägungen des „Gleichgewichtshaltens"
innerhalb menschlicher Tätigkeiten vorzustellen.

Von *statischem Gleichgewicht* spricht man, wenn sich der Körper im
ruhigen Stand befindet, wie es bei der Standwaage und beim Handstand im Turnen der Fall ist.

Dynamisches Gleichgewicht ist dann erforderlich, wenn der Körper
in der Bewegung im Gleichgewicht gehalten werden soll. Dabei ist

Abb. 3.22: Gleichgewicht von Objekten.

noch zwischen translatorischen (Bewegungen in eine Richtung, wie z. B. Laufen und Radfahren) und rotatorischen Bewegungsformen (Drehungen um Körperachsen z. B. Pirouetten, Salti) zu unterscheiden (s. mechanische Gegebenheiten S. 32).

Ein weiterer Bereich innerhalb des motorischen Gleichgewichts betrifft das *Gleichgewicht von Objekten* (z. B. Ball, Gymnastikreifen, Abb. 3.22). Das Balancieren eines Stabes auf der Hand oder eines Balles auf dem Fuß wäre als ortsgebundenes Gleichgewichtshalten zu bezeichnen; dagegen das Balancieren von Gegenständen in der Bewegung (Jonglieren eines Fußballs auf dem Kopf während des Gehens) als freibewegliches Gleichgewichthalten.

Die Fähigkeit, für den eigenen Körper oder für ein Objekt ein bestimmtes labiles Gleichgewicht zu erhalten, ist um so nötiger, je kleiner die Unterstützungsfläche ist und je mehr Störungen verarbeitet werden müssen (z. B. Fangen von Bällen auf einem Schwebebalken).

Physiologische Abläufe zur Aufrechterhaltung des Gleichgewichts
Voraussetzung für die Aufrechterhaltung des Gleichgewichts im Stand, im Sitzen, im Liegen (z. B. beim Schwimmen) sind Informationen des *taktilen, kinästhetischen, optischen* und *vestibularen Analysators*.

Dem Vestibularanalysator kommt bei der Aufrechterhaltung des Gleichgewichts in Ruhe und bei langsamen Bewegungen nur eine geringe Bedeutung zu, da auf Grund seiner hohen Reizschwelle geringe Abweichungen von einem vorhandenen Gleichgewichtszustand nicht registriert werden. Verantwortlich für die Erhaltung des Gleichgewichts in den genannten Fällen ist der kinästhetische Analysator, der mit der Lageveränderung des Körpers verbundene Spannungsänderungen der Muskulatur registriert. Diese Informationen werden an den Hirnstamm weitergeleitet und dort in Verbindung mit Informationen aus anderen Bereichen des ZNS (Kleinhirn, Basalganglien u. a.) zur Regulation des Gleichgewichts verwertet (s. dazu Motorische Zentren, S. 24).

Für das dynamische Gleichgewicht – es wird bei großräumigen Lageveränderungen des Körpers und bei Drehungen verlangt – besitzen dagegen Informationen aus dem Vestibularanalysator (inneres Ohr) eine dominierende Bedeutung. Grundlage sind die durch den Bogengangapparat registrierten Reize, die durch Winkelbeschleunigungen hervorgerufen werden. Das dynamische Gleichgewicht beruht also auf dem Beschleunigungsempfinden des menschlichen Organismus.

Alle Steuerungsvorgänge zur Erhaltung oder Wiederherstellung des Gleichgewichts laufen reflektorisch, ohne Kontrolle durch das Bewußtsein, ab.

Rhythmisierungsfähigkeit

Es gibt noch keine umfassende Theorie, die das Phänomen Rhythmus insgesamt erfaßt. Verschiedene Theorien liefern jedoch Mosaiksteinchen zu dessen Verständnis. Die Darstellung von *Rhythmus* und *Rhythmisierungsfähigkeit* soll in vier Abschnitten erfolgen:

– Theorieansätze zur Erklärung des Phänomens Rhythmus.
– Das äußere und innere Erscheinungsbild von Bewegungsrhythmus.

- Äußere und innere Einflußgrößen auf den Bewegungsrhythmus.
- Bedingungsfaktoren der Rhythmisierungsfähigkeit.

Verschiedene Theorieansätze
zur Erklärung des Phänomens Rhythmus

Rhythmus wird in verschiedenen Wissenschaftsbereichen unterschiedlich interpretiert. In einer groben Systematik lassen sich vier verschiedene Richtungen zur Erklärung des Phänomens erkennen:

- Naturwissenschaftliche Ansätze
- Anthropologische Ansätze
- Philosophische Ansätze
- Phänomenologische Ansätze

Innerhalb dieser verschiedenen Ansätze sind Überschneidungen vorhanden.

Naturwissenschaftliche Ansätze

Aus naturwissenschaftlicher Sicht wird in diesem Zusammenhang die Frage diskutiert, ob periodisch-rhythmische Vorgänge in jedem Menschen von Natur aus angelegt sind wie z. B. der Pulsschlag oder der Atemrhythmus (endogener Rhythmus), oder ob sich der Mensch an gegebene umweltbedingte periodische Abläufe z. B. Mondwechsel (exogener Rhythmus) anpaßt (vgl. RÖTHIG 1970, S. 13). Eine Wechselbeziehung zwischen exogenem und endogenem Rhythmus wird dabei nicht ausgeschlossen. So werden z. B. Leistungsschwankungen beim Menschen auf periodisch auftretende Veränderungen in der Natur zurückgeführt. Der *Biorhythmus* beschreibt periodische Veränderungen von Lebensvorgängen (Wachen, Schlafen, Menstruationszyklus) und Schwankungen unserer Leistungsfähigkeit innerhalb eines Tages, einer Woche, eines Jahres.

Auch mechanische Bewegungen (Technik) werden aus naturwissenschaftlicher Sicht als Rhythmik bezeichnet. Man versteht darunter periodische Prozesse nach den Modellvorstellungen einer Schwingungsfunktion (Schallwellen, Federn, Licht u. a. m.) sofern sie die Merkmale der *Gruppierung, Wiederholung, Akzentuierung* und *übersummativen Ganzheitlichkeit* aufweisen (vgl. PÖHLMANN 1986, S. 218). Die naturwissenschaftlichen Erkenntnisse machen deutlich, daß der menschlichen Bewegung eine Funktionsrhythmik zugrunde liegt. Mit Rhythmus werden in diesem Zusammenhang Vorgänge beschrieben, die sich zeitlich in gleicher oder ähnlicher Weise periodisch wiederholen und die entweder endogen oder exogen verursacht werden. Eine umfassende Erklärung des Phänomens „Rhythmus" kann damit aber nicht gegeben werden. Auf der Suche nach einer Konkretisierung des Begriffs erfolgt eine Unterscheidung hinsichtlich *„objektiver und objektivierter Rhythmus"*. Objektiver Rhythmus kann sich z. B. auf die Gliederung von Materialien (Folge von Ornamenten) u. a., aber auch auf die Verteilung von Zeitstrecken beziehen (Wachstumsperioden). Auf den Mensch bezogen bedeutet dies, daß etwas an oder in uns geschieht und nicht von uns veranlaßt wird (vgl. RÖTHIG 1970, S. 22). Im Gegensatz dazu geht beim objektivierten Rhythmus ein vom Menschen veranlaßter Rhythmus (subjektiver Rhythmus) voraus. So ist z. B. der von einem Architekten geplante Rhythmus eines Gebäudes nach der Fertigstellung fixiert. Auf den Sport bezogen kommt objektiver Rhythmus in der Skispur im Tiefschnee bzw. in der filmischen Fixierung einer Turnübung zum Ausdruck. Hierbei lassen sich Überschneidungen zur anthropologischen Betrachtung erkennen.

Anthropologischer Ansatz

Dieser Ansatz betont die Bedeutung rhythmisierter Bewegungsverläufe für das menschliche Bewegungshandeln. Wesentlich sind dabei die vorgegebenen oder selbsterzeugten akzentuierten Strukturen einer Bewegungshandlung.

Kennzeichnend für eine anthropologische Beschreibung des Rhythmus sind z. B.:

- Zeiterlebnisse,
- Aktivierung,
- Einschwingungserlebnisse,
- Erfahrungen der Bewegungsqualität (vgl. RÖTHIG et al. 1992, S. 12).

Für die Erfassung des rhythmischen Bewegungsverhaltens des Menschen ist die Erläuterung des subjektiv-rhythmischen Verhaltens notwendig. Unter der Bezeichnung *subjektiver Rhythmus* sind psychisch-geistige Vorgänge zu verstehen, die es dem Menschen ermöglichen, Rhythmus zu erzeugen oder zu erleben. Es handelt sich um eine Fähigkeit, die nur dem Menschen eigen ist. Subjektiver Rhythmus ist gekennzeichnet durch die Merkmale *Zeitwahrnehmung, Wiederholung, Gruppierung, Akzentuierung* und *Erleben*. Der Mensch ist in der Lage, die Zeitdauer von Bewegungsabläufen zu erfassen. Die zeitlich subjektive Empfindung ist jedoch an einen bestimmten Ordnungsrahmen gebunden, d. h. erst in der Wiederholung von zeitlichen Einheiten kann Rhythmus wirksam werden. *Die*

Wiederholung geordneter Zeitabschnitte gehört zum Wesen des Rhythmus. Dabei wird durch Gruppierung eine Reihe von Reizen (akustisch, taktil) so verändert, daß sich der individuelle Eindruck der objektiven Wirklichkeit verändert (vgl. RÖTHIG 1970; FETZ 1989). Auf die Praxis übertragen bedeutet dies, daß z. B. taktmäßig gleiche Klopfsignale individuell unterschiedlich miteinander verbunden werden. Man spricht in diesem Zusammenhang von einer subjektiven Umgestaltung. Dabei bleibt jedoch der zeitliche Abstand zwischen den Bewegungsaktionen objektiv gesehen gleich. Das Merkmal der *Akzentuierung* ist darauf zurückzuführen, daß gleiche Abläufe eine individuelle Akzentuierung erfahren. Einzelne Elemente werden geistig hervorgehoben. Als Beispiel sei hier der betonte Einsatz des Sprungbeins beim Anlauf zum Hoch- oder Weitsprung angeführt. Subjektrhythmus ist aber vor allem gekennzeichnet durch das *Erleben* – wobei unterschieden wird zwischen einem passiven „Sich-treiben-lassen, Einschwingen" und einem bewußten *Einfügen* in ein vorgegebenes Rhythmusgefüge. Dabei wird in beiden Fällen die Erlebnisfähigkeit des Menschen angesprochen. Rhythmusbetonte Bewegungen wie z. B. Gruppengymnastik, verstärkt durch Musik, zwingen geradezu zum Mitmachen. Oft verleiten uns Situationen im Sport dazu, uns in einen vorhandenen Rhythmus bewußt einzufügen. Dies ist der Fall beim Reiten oder beim Basketball, wenn der Verteidiger zum Zwecke der Ballabwehr den Anlaufrhythmus des Angreifers (Zweier-Kontakt zum Korbleger) bewußt aufzunehmen versucht.

Das Erleben von Rhythmus kann auch als Regulativ von Bewegung und Arbeit angesehen werden. Rhythmische Arbeitsweisen in der Gruppe werden als aktivierend, ermüdungshemmend und qualitätssteigernd empfunden. Der Sportler wird bei diesen, in einem gleichbleibenden Rhythmus ablaufenden Bewegungen in Zusammenarbeit mit anderen, davon befreit, sich ständig bewußt auf den nächsten Einsatz zu konzentrieren. Wir sprechen in diesem Zusammenhang von *Gruppenrhythmus.* Dem Gruppenrhythmus wird im Sport folgender Effekt zugeschrieben. Er

– hebt die Effektivität der Gruppenleistung (z. B. Steigerung des Krafteinsatzes),
– dient der individuellen Ökonomie bei Gruppentätigkeiten (vermittelt das Gefühl der Leichtigkeit beim Laufen),
– tritt als ästhetische Qualität in Erscheinung (z. B. Gruppengymnastik, Gruppentanz, Synchronkurzschwünge),
(siehe dazu FETZ 1989).

Philosophische Ansätze

Erwähnt werden müssen auch philosophische Ansätze zur Erklärung des Rhythmus. Für KLAGES führt der Weg zur Welterkenntnis über die erlebnismäßige Verinnerlichung des Daseins, nicht jedoch über sachliche, datenmäßige Erklärung und Zurechtlegung der Wirklichkeit. Das starre rationale Denken wird abgelehnt. Rhythmus wird in diesem Zusammenhang als kosmisches Phänomen angesehen. Er ist – unendlich und allgegenwärtig – die Struktur des ganzheitlichen Seins. Die gedanklichen Ansätze fanden bzw. finden immer noch ihren Niederschlag in der Rhythmusbewegung, als deren wesentliche Vertreter BODE und MEDAU angesehen werden können. Die Wertschätzung des Leibes wird von ihnen besonders hervorgehoben. Das Geistige des Menschen wird als Bedrohung empfunden. Diese Ansicht ist nicht unproblematisch, da davon ausgegangen wird, daß Rhythmus erst dann zum Tragen kommt, wenn das Bewußtsein ausgeschaltet wird (vgl. RÖTHIG 1970, S. 42; RIEDER/BALSCHBACH/PAYER 1991, S. 7 ff; HAMSEN (Red.) 1992).

Phänomenologische Ansätze

Sie beschreiben rhythmische Abläufe anhand charakteristischer Merkmale (RÖTHIG et al. 1992, S. 11). Als wesentliche Merkmale gelten:

– Gliederung/Gruppierung,
– zeitliche-räumliche Ordnung,
– subjektive Akzentuierung,
– regelmäßige Wiederkehr von ähnlichen Phasen (nicht generell gegeben).

Zur Charakterisierung von Bewegungsabläufen in Zusammenhang mit dem Bewegungsrhythmus dienen allgemein die Faktoren *Zeit, Kraft, Form* und *Raum*. Es sind die sog. äußeren Komponenten des Bewegungsrhythmus, die über optische, akustische aber auch über taktile Wahrnehmung erkennbar sind. Sie finden ihren Niederschlag

– in der Zeit (Verlangsamung und Beschleunigung von Bewegungen),
– in der Kraft (Akzentuierung über Anspannung und Entspannung der Muskulatur),
– in der Form (Beugung und Streckung, Drehungen und Zwischenformen),
– im Raum (Bewegungsausdehnung (eng, weit, tief, hoch), Bewegungsrichtung (vorwärts, rückwärts, links, rechts)).

Man würde dem Erscheinungsbild des Rhythmus in der Bewegung nur z. T. gerecht, wollte man ihn auf das über die akustische und optische Wahrnehmung Erfaßbare reduzieren. Die Erlebnisdimension des Bewegungsrhythmus wird bereits bei den anthropologischen Ansätzen behandelt, läßt sich aber auch bei den phänomenologischen Ansätzen angliedern. Dies ist insofern sinnvoll, als damit der Wechselbeziehung zwischen äußerem und innerem Erscheinungsbild von Rhythmus in der Bewegung Rechnung getragen werden kann.

Äußeres und inneres Erscheinungsbild von Bewegungsrhythmus
Die Merkmale zur Charakterisierung des äußeren Erscheinungsbilds des Bewegungsrhythmus – Zeit, Kraft, Form und Raum – wurden bereits genannt und beschrieben.
Die inneren Komponenten des Bewegungsrhythmus – der Erlebnisbereich – werden überwiegend über die kinästhetische Wahrnehmung erfaßt. Dabei lassen sich zwei Bereiche unterscheiden, die Wahrnehmung eigener und die fremder Bewegungen:

- Bei der eigenen Bewegung bekommen wir über den kinästhetischen Analysator den Wechsel von Spannung und Entspannung (Kraftverlauf) in der beanspruchten Muskulatur mitgeteilt.
- Auch beim Beobachten fremder Bewegungen erlebt man den dabei ablaufenden Spannungswechsel mit. Dies läßt sich darauf zurückführen, daß beim Beobachten die gleichen Muskelgruppen kontrahiert werden (Mikrokontraktionen), die der Beobachtete beim Bewegungsvollzug einsetzt. Wie bei der realen Bewegung registrieren hier ebenfalls die kinästhetischen Analysatoren die unterschwellige Muskelaktion. Diese Empfindungen werden um so deutlicher, je größer die Bewegungserfahrung des Zuschauers (Trainer, Sportlehrer etc.) ist und je mehr er am Gelingen der Bewegungshandlung interessiert ist. Diese Erscheinung wird als *„Carpenter Effekt"* bezeichnet. Er ist die Grundlage für den sog. Gruppenrhythmus bzw. für das Lernen durch Nachahmung.

Äußere und innere Einflußgrößen auf den Bewegungsrhythmus
Der Bewegungsrhythmus wird beeinflußt durch innere und äußere Einflußgrößen, die in einer Übersicht dargestellt werden.
Äußere Einflußgrößen

Umwelt:	Unebener Boden, Wechselschnee, Steigungen und Wind beeinflussen den Bewegungsrhythmus.
Geräte:	Zu harte und zu weiche Barrenholme, zu kurze, zu lange, zu harte, zu weiche Ski.

Musik/	Sie wirken stimulierend, wenn sie Bewegung unter-
Geräusche:	stützen (rhythm. Klatschen beim Anlauf zum Hoch-
	sprung/Weitsprung). Sie wirken störend, wenn
	Musik nicht mit der auszuführenden Bewegung har-
	moniert (z. B. Musik beim Bodenturnen stört Turnen
	am Schwebebalken).
Partner/	Unterschiedliche Schrittlängen wirken fördernd
Gegner:	oder hemmend (z. B. kann ein kleiner Langstrecken-
	läufer durch die großen Schritte eines Partners/Ge-
	gners aus dem Rhythmus gebracht werden)

Innere Einflußgrößen

Emotionen:	Stimmungen, die sich in Freude oder Bedrücktheit
	ausdrücken (z. B. Bewegungsverhalten beim Trau-
	erzug).
Kognitive	Bewegungsrhythmus kann auf der Grundlage ratio-
Prozesse:	naler Überlegungen verändert werden (z. B. bewuß-
	te Verlangsamung des Spielflusses in einem Mann-
	schaftsspiel, beim Langstreckenlauf/Schwimmen/
	Skilauf/Radfahren).
Muskel-	Die sportliche Form kann sich in einer besonders
physio-	guten oder in einer besonders schlechten körperli-
logische	chen Leistungsfähigkeit ausdrücken (z. B. Vergleich
Prozesse:	des Laufverhaltens in ausgeruhtem und erschöpf-
	tem Zustand).
Lernstadium:	Beim Anfänger sind harmonische Spannungs- und
	Entspannungsverläufe noch nicht möglich.
Krankheit/	Krankheitsbedingte Koordinationsstörungen, phy-
Verletzungen:	sisch/psychisch bedingt können auftreten.

Bedingungsfaktoren der „Rhythmisierungsfähigkeit"

Wenn man von Rhythmisierungsfähigkeit spricht, meint man damit die Fähigkeit, einen vorgegebenen Rhythmus, sei es in Form einer Melodie oder Bewegung, *wahrzunehmen* und zu *empfinden* und das eigene Sich-Bewegen dem vorgegebenen Rhythmus *anzupassen.* Dazu kommt die Fähigkeit, bewußt zu *initiieren* und auch zu *variieren.* So werden nicht nur der vorgegebene rhythmische Verlauf einer Bewegung einbezogen, sondern auch die äußeren Einflußgrößen, wie z. B. Geländeformen, Partner, Pferd usw.

Die aufgeführten Beispiele lassen erkennen, daß die Rhythmisierungsfähigkeit in besonderem Maße von anderen koordinativen Fähigkeiten mitbestimmt wird. So ermöglicht z. B. die Orientierungsfähigkeit über die optische Wahrnehmung die Einstellung des eigenen Bewegungsrhythmus auf Partner, Gegner und materielle Umwelt (z. B. Geländeformen). Darüber hinaus kann auch über akustische Wahrnehmung eine Anpassung des eigenen Bewegungsrhythmus, z. B. an den Rhythmus einer Melodie, erfolgen. Die Differenzierungsfähigkeit ermöglicht die Feinabstimmung innerhalb des eigenen Bewegungsrhythmus in bezug auf Zeit-, Kraft-, Raum- und Formkomponenten.

3.2.2.4 Konditionelle Fähigkeiten

Diese Fähigkeiten werden in der Fachliteratur zur Trainingslehre, Sportphysiologie und Sportbiologie ausführlich behandelt, so daß hier ein Überblick genügt, zumal es sich um keinen zentralen Themenbereich in der Bewegungslehre handelt.

Motorische Kraft, Schnelligkeit und *Ausdauer* sind Fähigkeiten, die die physische Leistungsfähigkeit eines Menschen mitbestimmen. Diese sog. konditionellen Fähigkeiten werden sowohl durch angeborene Gegebenheiten als auch durch die motorische Entwicklung geprägt. Sie sind neben koordinativen Fähigkeiten einerseits Grundlage für das Erlernen von Bewegungsfertigkeiten, andererseits werden sie im Zuge des motorischen Lernens weiterverbessert. Es besteht also eine Wechselbeziehung.

In der Fachliteratur sind für konditionelle Fähigkeiten auch andere Bezeichnungen gebräuchlich, wie motorische Grundeigenschaften, sportmotorische Eigenschaften, physische Fähigkeiten, psychomotorische Fähigkeiten.

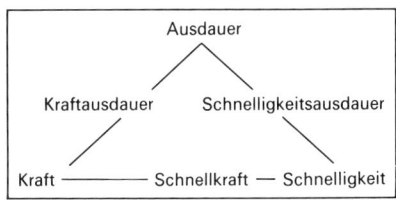

Abb. 3.23: Wechselbeziehung zwischen den konditionellen Fähigkeiten (nach WEINECK 1985, S. 65).

Motorische Kraftfähigkeit

Ein Körper – als physikalischer Begriff – ist bestrebt, in Ruhe oder in einer vorgegebenen Bewegung zu verharren. Man bezeichnet diese Eigenschaft als „Trägheit". Alles, was den Trägheitszustand ändert, ist im physikalischen Sinne eine Kraft.
Zwischen Beschleunigung, Kraft und Masse gibt es eine bestimmte Beziehung (Kraft = Masse × Beschleunigung).
Eine Kraftwirkung in eine bestimmte Richtung zieht immer eine entgegengesetzt gerichtete Reaktion nach sich (actio = reactio).
Motorische Kraftfähigkeit ist nicht mit dem physikalischen Kraftbegriff ($F = m \times b$) zu erklären. Hierbei handelt es sich vielmehr um die Fähigkeit, Spannung in der Skelettmuskulatur gegen äußere Widerstände zu erzeugen. Die Kraftleistung des Skelettmuskels kann durch Innervation der Muskelfasern erreicht werden.

Man kann drei Arten von Kraft unterscheiden, die bei sportlichen Handlungen gefordert sind, aber meist als Mischformen auftreten. Es sind diese:

Maximalkraft – Kraftausdauer – Schnellkraft

Maximalkraft kann unterteilt werden in statische und dynamische Maximalkraft.
Unter **statischer** Maximalkraft versteht man die höchste Kraft, die das Nerv-Muskelsystem gegen einen unüberwindlichen Widerstand auszuüben vermag,
unter **dynamischer** Maximalkraft die Kraft, die das Nerv-Muskelsystem innerhalb eines Bewegungsablaufs realisieren kann (vgl. WEINECK 1990, S. 188).
Maximalkraft ist abhängig von folgenden Faktoren:

– dem Muskelquerschnitt,
– der intramuskulären Koordination (Zusammenspiel der motorischen Einheiten innerhalb eines Muskels),
– der intermuskulären Koordination (Zusammenspiel mehrerer Muskeln).

Die Maximalkraft läßt sich vergrößern, wenn die aufgeführten Faktoren durch Training verbessert werden.
Schnellkraft wird definiert als die Fähigkeit des Nerv-Muskelsystems, Widerstände mit höchstmöglicher Kontraktionsgeschwindigkeit zu überwinden (vgl. HARRE 1976, S. 124; FREY 1977, S. 343).

Dabei ist zu beachten, daß Schnellkraft nicht in allen Körperbereichen gleich gut ausgeprägt ist und daß zwischen Schnellkraft und Maximalkraft ein enger Zusammenhang besteht.

Im einzelnen hängt die Schnellkraftfähigkeit von folgenden Faktoren ab (BÜHRLE u. SCHMIDTBLEICHER 1981, S. 268; GROSSER 1991, S. 132 ff; EHLENZ/GROSSER/ZIMMERMANN 1991, S. 42 f):

- vom Muskelquerschnitt,
- von der Kontraktionsgeschwindigkeit der aktivierten Muskelfaser,
- von der Zahl der zu Beginn der Arbeit aktivierten motorischen Einheiten (intramuskuläre Koordination).

Schnellkraft kann entsprechend des Einsatzes bei bestimmten sportlichen Bewegungen noch differenziert werden in Explosivkraft und Startkraft.

Unter *Kraftausdauer* versteht man die Fähigkeit der Muskulatur, der Ermüdung bei länger andauernden Kraftleistungen zu widerstehen (Ermüdungswiderstandsfähigkeit). Sie hängt ab von der Intensität (Reizstärke) und der Dauer (Reizumfang) der Belastung (vgl. HARRE 1976, S. 127; EHLENZ/GROSSER/ZIMMERMANN 1991, S. 114 ff).

Es wird unterschieden zwischen:

- allgemeiner (Einsatz von mehr als $1/_6$ der Skelettmuskulatur),
- lokaler (Einsatz von weniger als $1/_6$ der Skelettmuskulatur),
- dynamischer und
- statischer Kraftausdauer (siehe dazu auch Ausdauerfähigkeit S. 116).

Sportliche Bewegungen lassen sich auch hinsichtlich der *Art der Muskelarbeit* und der *Art der Muskelanspannung* unterscheiden (vgl. WEINECK 1990, S. 169).

Formen der Muskelarbeit sind:

- überwindende (durch Muskelverkürzung Körper in Bewegung versetzen),
- nachgebende (Längenzunahme der Muskulatur, z. B. beim Abfangen von Sprüngen),
- verharrende (Kontraktion der Muskulatur ohne Verkürzung bei Fixierung bestimmter Körperteile),
- kombinierte (überwindend, nachgebend, verharrend).

Damit im Zusammenhang stehen die Arten der Muskelanspannung:

- isotonische (Verkürzung der kontraktilen Elemente des Muskels ohne Veränderung der mechanischen Spannung),

- isometrische (Länge des Muskels bleibt konstant, die mechanische Spannung steigt an),
- auxotonische (Kombination von isotonischer und isometrischer Beanspruchung. Abnahme der Muskellänge – Zunahme der Spannung) (vgl. DE MARÉES 1981, S. 65; D. MARTIN 1991, S. 102). Die auxotonische Muskelanspannung ist die bei Bewegungen im Sport meist vorzufindende Form.

Kraft in ihrer unterschiedlichen Ausprägungsform ist in allen Sportarten ein leistungsbestimmender Faktor, d. h., daß Bewegungshandlungen bzw. Bewegungsfertigkeiten ohne ein bestimmtes Maß an Kraftfähigkeit nicht ausführbar sind. Zwischen Zunahme und Abnahme der Kraft und anderen konditionellen Fähigkeiten wie Ausdauer und Schnelligkeit und koordinativen Fähigkeiten bestehen Wechselwirkungen:

- Kraft ist ein entscheidender Faktor für die Ausprägung der Schnelligkeit,
- Langzeitausdauer wird durch vergrößerten Muskelquerschnitt herabgesetzt,
- Beweglichkeit kann durch übermäßigen Kraftzuwachs eingeschränkt werden,
- bestimmte koordinative Fähigkeiten können durch Zunahme der Kraft verbessert – z. B. Reaktionsfähigkeit, andere verschlechtert werden – z. B. Differenzierungsfähigkeit (vgl. WEINECK 1990, S. 160 ff).

Weitere Einflußgrößen auf die Kraftentfaltung sind Motivation, Geschlecht und Alter.

Motivation

Die Größe der maximalen statischen Kraft und damit auch der dynamischen Kraft, die von ihr abhängig ist, wird entscheidend durch die Stärke der Motivation beeinflußt. Es ist bekannt, daß z. B. das Geltungsbedürfnis, durch die Anwesenheit von Zuschauern angeregt, Sportler zu besonderen Kraftleistungen anspornen kann. Auch Angst vor Mißerfolgen, vor der Konkurrenz u. a. können das Ausmaß der Kraftentfaltung mitbestimmen.

Geschlecht/Alter

Bei Frauen beträgt die Kraft, bezogen auf das Mittel aller Muskelgruppen, nur 70% der des Mannes. Im Kindesalter gibt es zwischen Jungen und Mädchen nur geringfügige Unterschiede. Der Mann erreicht das Maximum seiner Kraft etwa mit dem 20. Lebensjahr, die Frau dagegen schon im Alter zwischen 14 und 18 Jahren. Dabei bleiben Trainingseinflüsse unberücksichtigt. Dieses Maximum bleibt jeweils ca. ein Jahrzehnt erhalten, danach sinkt es kontinuierlich, falls es nicht durch Training konserviert wird. Nach dem 50. Lebensjahr nimmt es in der Regel trotz Trainings ab. Der nichttrainierte Mann hat mit 65 nur noch etwa eine Kraft, die rund 70% der des 20- bis 30jährigen entspricht (vgl. HOLLMANN u. HETTINGER 1980, S. 204 ff).

Motorische Schnelligkeitsfähigkeit

Die Schnelligkeitsfähigkeit ist die Fähigkeit, Bewegungen in möglichst kurzer Zeit auszuführen. Sie hängt eng zusammen mit der physikalischen Größe Geschwindigkeit. Je größer die Geschwindigkeit, desto größer ist nach der umgangssprachlichen Ausdrucksweise die Schnelligkeit. *Physikalisch* betrachtet ist Geschwindigkeit das Verhältnis von Weg pro Zeit und das Resultat einer auf einen beweglichen Körper einwirkenden Kraft.
In diesem Zusammenhang kommen auch kognitiven Prozessen (Informationsaufnahme und -verarbeitung) und psychischen Einflußgrößen (wie Motivation, Willenskraft, Anstrengungsbereitschaft) Bedeutung zu (vgl. GROSSER 1991, S. 20 ff).
Physiologisch gesehen versteht man unter Schnelligkeit die Fähigkeit, auf Grund der Beweglichkeit der Prozesse des Nerv-Muskelsystems und des Kraftentwicklungsvermögens der Muskulatur Bewegungen in einem minimalen Zeitabschnitt unter Berücksichtigung der gegebenen Bedingungen durchzuführen (vgl. FREY 1977, S. 349). Ein wesentlicher leistungsbestimmender Faktor ist dabei die dynamische Kraftfähigkeit.

Man unterscheidet allgemein zwischen *azyklischer* und *zyklischer Schnelligkeit*. Unter zyklischer Schnelligkeit versteht man die schnelle, rhythmische Folge von motorischen Aktionen, wie es z. B. beim Lauf der Fall ist.
Azyklische Schnelligkeit bezieht sich auf die Fähigkeit, Einzelbewegungen (Wurf, Stoß) möglichst schnell auszuführen. Sie steht in engem Zusammenhang mit der Schnellkraft (vgl. Motorische Kraftfähigkeit, S. 110).
Nachfolgend soll verstärkt auf die zyklische Schnelligkeitsfähigkeit eingegangen werden.

Abhängigkeitsfaktoren einer schnellen Muskelkontraktion sind – kurz skizziert:

- die Schnelligkeit, mit der die motorischen Nervenzellen aus dem Hemmungs- in den Erregungszustand übergehen können,
- der ATP-Gehalt der Muskulatur,
- die Geschwindigkeit der ATP-Spaltung,
- das Tempo der Resynthese (vgl. HOLLMANN u. HETTINGER 1980, S. 292 ff).

Als motorische Fähigkeit des Menschen können vier Faktoren sowohl einzeln als auch zusammen als „Schnelligkeit" angesprochen werden:

- die Reaktionszeit,
- die Geschwindigkeit der Einzelbewegung,
- die Bewegungsfrequenz,
- die Fortbewegungsgeschwindigkeit (vgl. HOLLMANN u. HETTINGER 1980, S. 273).

Die genannten Faktoren sind untereinander relativ unabhängig. Ein Sportler kann reaktionsschnell, aber langsam in der Bewegungsausführung, oder umgekehrt schnell in der Bewegungsausführung und langsam in der Reaktion sein. Die verschiedenen Sportarten, z. T. auch einzelne sportliche Techniken, erfordern eine jeweils spezielle Schnelligkeitsfähigkeit. Bei azyklischen Bewegungen (z. B. Boxen, Würfe, Sprünge) ist die Geschwindigkeit einzelner Körperteile in Verbindung mit der dynamischen Muskelkraft entscheidend. Bei zyklischen Bewegungen ist die Geschwindigkeit von Körperteilen in ständig sich wiederholenden Abläufen wesentlich. Hier bestimmt also die Bewegungsfrequenz, z. B. im Schwimmen, Rudern oder bei Läufen, in Verbindung mit der entsprechenden Kraftausdauer die Fortbewegungsgeschwindigkeit.

Die Geschwindigkeit von Einzelbewegungen kann bei ein und derselben Person unterschiedlich ausgeprägt sein. Ein Sportler mit schnellen Armbewegungen muß nicht über gleichermaßen schnelle Beinbewegungen verfügen. Man spricht in diesem Zusammenhang von einer *extremitätenspezifischen Schnelligkeitsfähigkeit.*

Bei sportlichen Tätigkeiten, wie Sprint, Start beim Schwimmen, Reaktionen auf Schläge (Boxen) und Finten (Spiele) usw., bei denen es darauf ankommt, den Gesamtkörper oder Körperteile möglichst schnell in Aktion zu versetzen, ist die *Reaktionsschnelligkeit,* die als Reaktionszeit gemessen werden kann, entscheidend. Unter Reakti-

onszeit wird diejenige Zeit verstanden, die vom Geben eines Signals bis zum Beginn der willkürlichen Reaktion verstreicht.
Die Länge der Reaktionszeit ist dabei abhängig von

– *der Art des Signals.* Bei akustischen Signalen ist die Reaktionszeit kürzer als bei optischen. Vorsignale verkürzen die Reaktionszeit weiter (Beispiel: „Auf die Plätze . . .").
– *der Intensität des Signals.* Bei lautem Knall (Schuß) ist sie kürzer als bei Pfiff, Handklatschen usw.
– *der Temperatur des Körpergewebes.* Die Geschwindigkeit von nervalen Impulsen und die Empfindlichkeit der Rezeptoren wird mit Erhöhung der Temperatur des Körpergewebes zunehmend größer.
– *psychische und physische Einflüsse.* Verkürzung tritt ein durch Lust oder Freude, Verlängerung dagegen bei Müdigkeit, Lustlosigkeit oder Krankheit.
– *chemischen Reizmitteln* (Alkohol, Nikotin, Medikamente, Drogen).

Bei vielen Sportarten sind alle fünf Faktoren der Schnelligkeitsfähigkeit leistungsbestimmend. Im Kurzstreckenlauf oder beim Schwimmen wird nach dem schnellen Reagieren auf ein Signal eine schnelle Bewegungsausführung (*Aktionsschnelligkeit*) gefordert. Die Fortbewegungsgeschwindigkeit des Gesamtkörpers ist von den genannten Faktoren, Geschwindigkeit der Einzelbewegung und der bei zyklischen Bewegungen daraus resultierenden Bewegungsfrequenz und der dynamischen Kraft abhängig.
Im Zusammenhang mit der Schnelligkeitsfähigkeit eines Menschen bei zyklischen Bewegungsabläufen mit hoher Fortbewegungsgeschwindigkeit wird vielfach der Begriff *„Grundschnelligkeit"* gebraucht. Grundschnelligkeit setzt sich aus *Bewegungsfrequenz* und *Bewegungsamplitude* zusammen. Sportarten, die besondere Ansprüche an die Grundschnelligkeit stellen, sind: Sprintwettbewerbe in der Leichtathletik, Schwimmen, Eisschnellauf.
Voraussetzungen für eine hohe Grundschnelligkeit sind:

– die dynamische Kraft der beanspruchten Muskulatur (Maximalkraft),
– die Koordination, d. h. gezielt aufeinander abgestimmter und ökonomischer Einsatz der Muskelkontraktionen,
– die Kontraktgeschwindigkeit; sie ist abhängig von der Muskelstruktur, also vom Anteil der schnellen und langsamen Muskelfasern. Sie ist überwiegend angeboren, daher kaum trainierbar. Verbesserungen sind vorwiegend koordinativ bedingt.

- die Viskosität des Muskels (Reibungskräfte im Muskel- und Gewebebereich),
- anthropometrische Merkmale (die mit der Körpergröße zusammenhängenden unterschiedlichen Hebelverhältnisse) (vgl. HOLLMANN u. HETTINGER 1980, S. 278).

Die Schnelligkeitsfähigkeit wird bei den verschiedenen sportlichen Tätigkeiten in verschiedensten Ausprägungsformen und Kombinationen mit anderen konditionellen Fähigkeiten gefordert. Sie ist zu einem großen Teil angeboren, kann aber über eine Steigerung der Koordination und Kraftfähigkeit verbessert werden.

Motorische Ausdauerfähigkeit

Ausdauerfähig sein bedeutet, der Ermüdung möglichst lange widerstehen zu können. Ausdauer wird deshalb auch mit Ermüdungswiderstandsfähigkeit umschrieben. Ausdauerfähigkeit kommt zudem in der raschen Wiederherstellungsfähigkeit im Anschluß an die Belastung zum Ausdruck.
Unter Ausdauer wird daher allgemein die *psycho-physische Ermüdungswiderstandsfähigkeit* des Sportlers verstanden (vgl. ZINTL 1988, S. 25 ff).

Arten der Muskelausdauer und Energiebereitstellung

Man unterscheidet zwischen allgemeiner und lokaler Muskelausdauer. *Lokale* Muskelausdauer liegt dann vor, wenn weniger als $1/6$ der Gesamtmuskulatur an der Aktion beteiligt ist, *allgemeine* Muskelausdauer bei mehr als $1/6$. Daneben gibt es eine Unterteilung in dynamische und statische Beanspruchungsformen (vgl. HOLLMANN u. HETTINGER 1980, S. 303).

Um das Wesentliche der unterschiedlichen Ausdauerformen verstehen zu können, ist es notwendig, die Vorgänge, die zur Ermüdung führen, im Überblick darzustellen.

Lokale Muskelermüdung ist die Folge jeder Muskelarbeit, die über einer bestimmten Belastungsgrenze liegt. Der Muskel bezieht die zur Kontraktion benötigte Energie aus den energiereichen Phosphaten Adenosintriphosphat (ATP) und Kreatinphosphat (KP). Diese werden in der *Kontraktionsphase* abgebaut und in der *Erschlaffungsphase* resynthetisiert. Energie für die Resynthese kommt aus der Glucose- bzw. Fettverbrennung. Dabei fallen saure Stoffwechselprodukte (Milchsäure) an, für deren Beseitigung Sauerstoff erforderlich ist.

Besteht ein Gleichgewicht zwischen Sauerstoffbedarf und Sauerstoffangebot, so kann der Muskel im sog. "steady state" arbeiten. Übersteigt der Sauerstoffbedarf das Sauerstoffangebot bzw. ist die Pause zur Regeneration der energiereichen Phosphate zu kurz, dann kommt es zu einer Anreicherung der Milchsäure (Lactat) im Muskel und im Blut. Da die oxidativen Prozesse für den Abbau der Milchsäure beschränkt sind, kommt es bei jeder größeren Muskelarbeit oder bei zu kurzer oder fehlender Erholungspause zu einer Anhäufung von Milchsäure. Dadurch wird das biochemische Gleichgewicht gestört, die Muskelfunktion im Sinne einer Ermüdung beeinträchtigt. Der Grad der Ermüdung ist abhängig von der Menge an Milchsäure, die wieder oxidiert werden muß.

Ein Teil der Milchsäure kann durch sog. Alkalireserven, die Karbonat- und Phosphatpuffer, neutralisiert werden. Bei guttrainierten Sportlern sind diese erhöht, so daß eine ermüdende Störung des Stoffwechselgleichgewichts hinausgeschoben werden kann. Die dabei erreichte maximale Sauerstoffschuld wird als *anaerobe Kapazität* bezeichnet – auch als Stehvermögen bekannt. Sie ist vor allem im maximalen und submaximalen Leistungsbereich gefordert, also dort, wo der Organismus gezwungen ist, eine Sauerstoffschuld einzugehen.

Die *aerobe Kapazität* wird bestimmt durch die maximale Sauerstoffmenge, die ein Körper in der Lage ist, pro Zeiteinheit aufzunehmen. Je größer sie ist, desto größer ist die Leistungsfähigkeit. Als leistungsbestimmende Faktoren sind in diesem Zusammenhang zu nennen: Herzschlagvolumen, Herzgröße, Atemvolumen, totaler Hämoglobingehalt des Blutes, Menge und Durchmesser der eröffneten Kapillaren.

Physiologische Grundlage jeglicher Ausdauerleistung ist die *Energiebereitstellung* des Organismus entweder *durch anaerobe oder aerobe Stoffwechselvorgänge.*

Anaerobe und aerobe Ausdauer

Wird von den Vorgängen der Energiebereitstellung ausgegangen, so wird zwischen anaerober und aerober Ausdauer unterschieden. *Aerobe Ausdauerfähigkeit* liegt dann vor, wenn ausreichend Sauerstoff zur Oxidation der Energieträger (Glykogen, Fette u. a.) zur Verfügung steht.

Anaerobe Ausdauerfähigkeit ist dadurch gekennzeichnet, daß auf Grund hoher Belastungsintensität die Sauerstoffzufuhr zur Oxidation des Glykogens nicht ausreicht, weshalb die Energie anaerob bereitgestellt wird. Die genannten unterschiedlichen Betrachtungsweisen der Ausdauerfähigkeit lassen sich untereinander verbinden und sollen nun im Überblick dargestellt werden.

Formen lokaler Muskelausdauer

Lokale aerobe dynamische Muskelausdauer liegt dann vor, wenn unter aeroben Bedingungen eine kleine Muskelgruppe dynamisch kontrahiert wird, z. B. Bewegung eines Armes beim Skilanglauf (Stockarbeit).

Lokale aerobe statische Muskelausdauer ist dann gegeben, wenn die statische Beanspruchungsform einer kleinen Muskelgruppe (weniger als ein Sechstel) unter 15% der statischen Maximalkraft liegt. In diesem Bereich kann noch eine ausreichende Durchblutung stattfinden. Eine Beanspruchungsform, die im Sport relativ selten anzutreffen ist.

Lokale anaerobe dynamische Muskelausdauer ist gegeben, wenn Bewegungen einer kleinen Muskelgruppe gegen einen Widerstand geführt werden, der 50–70% der maximalen statischen Kraft beträgt. Die Belastung darf nur sehr kurz sein, da sonst lokale anaerobe statische Muskelausdauer als Haltearbeit gefordert ist.

Bei der lokalen Muskelausdauer wird die Grenze der Ausdauerfähigkeit nicht vom Herzen, sondern von den Durchblutungsverhältnissen im arbeitenden Muskel gesetzt (Kapillarisierung).

Formen allgemeiner Ausdauer

Die *allgemeine Ausdauer* – darunter wird eine Ausdauerleistung unter dynamischem oder statischem Einsatz einer Muskelmasse verstanden, die größer als $1/6$ der gesamten Skelettmuskulatur ist – wird ebenso wie die lokale Ausdauer in aerobe und anaerobe Ausdauer unterteilt.

Allgemeine dynamische Ausdauer läßt sich unter Berücksichtigung der Belastungszeit unterteilen in:

Allgemeine aerobe Kurzzeitausdauer. Sie beinhaltet eine Beanspruchung von 3–10 Minuten. Dabei sind auch anaerobe Stoffwechselprozesse mitbeteiligt (z. B. 3 000-m-Lauf).

Allgemeine aerobe Mittelzeitausdauer: Dahinter verbirgt sich eine Beanspruchungsdauer von 10–30 Minuten (z. B. 10 000-m-Lauf).

Allgemeine aerobe Langzeitausdauer: Hierbei handelt es sich um eine kontinuierliche Beanspruchung von mehr als 30 Minuten (z. B. Marathonlauf).

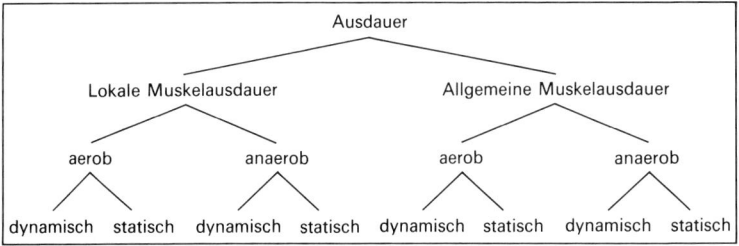

Abb. 3.24: Schema der verschiedenen Formen motorischer Ausdauerfähigkeit (vgl. HOLLMANN/HETTINGER 1980, S. 304).

Wie schon erwähnt, kann auch bei der allgemeinen Ausdauer nach der Art der Belastung zwischen statischer und dynamischer Ausdauer unterschieden werden.

Allgemeine statische aerobe Ausdauer liegt vor, wenn gleichzeitig große Muskelgruppen mit einer Intensität von weniger als 15% der maximalen statischen Kraft beansprucht werden.

Allgemeine statische anaerobe Ausdauer ist dann gegeben, wenn große Muskelgruppen durch anaerobe Stoffwechselvorgänge in ihrem Leistungsvermögen begrenzt werden. Die Arbeitsform ist statisch. Wir finden sie beim Gerätturnen, beim Ringen und beim Bergsteigen.

Die *allgemeine anaerobe dynamische Ausdauer* ist auch unter den Begriffen „Schnelligkeitsausdauer" oder „Stehvermögen" bekannt. Sie liegt dann vor, wenn große Muskelgruppen über eine Zeit von 20–120 s belastet werden können. Dieser Bereich läßt sich noch einmal unterteilen in:

Allgemeine dynamische anaerobe Kurzzeitausdauer
Belastungszeit bis 20 s, 100- bis 200-m-Lauf.
Allgemeine dynamische anaerobe Mittelzeitausdauer
Belastungszeit bis 60 s, 400-m-Lauf.
Allgemeine dynamische anaerobe Langzeitausdauer
Belastungszeit bis 120 s, 800-m-Lauf.

Leistungsbegrenzende Faktoren der allgemeinen dynamischen aeroben Ausdauer sind im Gegensatz zur lokalen Muskelausdauer die Leistungsfähigkeit des Herz-, Kreislauf-, Atmungs- und Stoffwechselsystems sowie die Qualität der bewegungsspezifischen Koordination und die Motivation.

Diese verschiedenen Kategorien der Ausdauerfähigkeit treten nur selten isoliert auf. Als Beispiel soll hier der 400-m-Läufer genannt werden, der ein Staffelstab trägt (allgemeine anaerobe Ausdauer und lokale, aerobe statische Ausdauer).

Zu erwähnen ist, daß Ausdauer unter trainingsmethodischen Gesichtspunkten in *Grundlagenausdauer* und spezielle Ausdauer untergliedert wird. Mit der Grundlagenausdauer (allgemeine Ausdauer) soll die Fähigkeit erworben werden, Belastungen mittlerer Intensität über einen möglichst langen Zeitraum zu leisten, unabhängig von einer bestimmten Sportart. Kennzeichnend für die *spezielle Ausdauer* ist die Ermüdungswiderstandsfähigkeit in einer bestimmten Sportart. Voraussetzung für die Entwicklung spezieller Ausdauerformen ist die Grundlagenausdauer.

Beweglichkeit

Die Beweglichkeit nimmt eine Sonderstellung ein. Sie kann sowohl den koordinativen als auch den konditionellen Fähigkeiten zugeordnet werden.

Unter „Beweglichkeit" – auch vielfach als „Biegsamkeit", „Flexibilität" oder „Gelenkigkeit" bezeichnet – versteht man die Fähigkeit des Sportlers, die Bewegungsmöglichkeit in den Gelenken nach allen Seiten hin optimal ausnutzen zu können (Schwingungsweite der Gelenke). Die „Gelenkigkeit" bezieht sich eingeschränkt auf die Struktur der Gelenke und ist daher nicht als Synonym, sondern als Unterbegriff zur „Beweglichkeit" zu betrachten. Als weiterer Unterbegriff kommt die „Dehnfähigkeit", bezogen aus Muskeln, Sehnen, Bänder und Kapseln, hinzu.

Zwischen der abnormen Beweglichkeit der „Schlangenmenschen", der speziellen Beweglichkeit bei bestimmten Sportarten und der eingeschränkten Beweglichkeit alter oder kranker Menschen gibt es viele Abstufungen. Wie kommt es zu derartigen Unterschieden? Im Kindesalter verfügt im allgemeinen jeder Mensch über eine ausgeprägte Beweglichkeit. Dies hängt damit zusammen, daß in diesem Alter der Band-, Sehnen- und Gelenkapparat noch nicht verfestigt und die Muskulatur dehnbar ist. Ohne besondere Schulung verkümmert diese Beweglichkeit sehr rasch, zumal das Leben in unserer zivilisierten und technisierten Welt keine besonderen Anforderungen an sie stellt. Bei den meisten Sportarten kommt man allerdings mit der für das normale Leben ausreichenden sog. „allgemeinen Beweglichkeit" nicht aus. Eine „besondere Beweglichkeit" ist vielfach Voraus-

Abb. 3.25: Abnorme Beweglichkeit der Wirbelsäule

setzung für das Gelingen und die Qualität bestimmter sportmotorischer Fertigkeiten. Denken wir dabei an die spezielle Beweglichkeit der Turner und Turnerinnen, der Schwimmer, der Eiskunstläufer insbesondere der Eiskunstläuferinnen und der Hürdenläufer. Beweglichkeit wird bei diesen Sportarten bzw. -disziplinen bis zu den anatomisch möglichen Extremen ausgedehnt. Hier sein als Beispiele der Spagat und der Bogengang aufgeführt.

Ein relativ hohes Maß an Beweglichkeit ist im allgemeinen dann zu erreichen, wenn ein entsprechendes Training bereits im Kindesalter einsetzt. Aber auch später kann die Beweglichkeit, also der Grad des Aktionsradius der Gelenke, verbessert werden, wenn auch mit weit größerem Aufwand.

Der Grad der Beweglichkeit, der erreicht werden kann, ist abhängig

- von den durch Schulung nicht beeinflußbaren anatomisch vorgegebenen Bewegungsmöglichkeiten der Gelenke. Bei den einzelnen Menschen sind sie unterschiedlich ausgebildet.
- von der Dehnbarkeit der Bänder, Sehnen und der Muskulatur. Auch hier gibt es anlagebedingte Unterschiede. Verbesserung durch Training ist möglich.

121

- von der möglichen Kraftentfaltung der an der Gelenkbewegung beteiligten Muskulatur. Um eine bestimmte Gelenkstellung zu erreichen, müssen passive innere Kräfte (Reibungskräfte und Elastizitätskräfte innerhalb des Muskel- und Gelenkapparats) überwunden werden. Dazu wird eine bestimmte Kraft benötigt.
- vom Entwicklungsstand des Menschen beim Aufnehmen des Trainings. Ein alter Mensch wird selbst bei intensivster Schulung nicht mehr die Beweglichkeit erreichen, die sich ein junger ohne viel Mühe aneignen kann.
- vom Geschlecht. Frauen sind allgemein beweglicher als Männer.
- von der Temperatur der Muskulatur. Bei sportlichen Tätigkeiten, die vom Grad der Beweglichkeit abhängig sind, ist daher ein gründliches Aufwärmen unerläßlich.

Im folgenden soll die Bedeutung der Beweglichkeit für die Qualität und Quantität von Bewegungshandlungen und -fertigkeiten im Überblick dargestellt werden:

- Beweglichkeit trägt in Verbindung mit anderen koordinativen und konditionellen Fähigkeiten zu einer *effektiven Aneignung und Vervollkommnung* sportmotorischer Fertigkeiten bei. An einem Beispiel soll dies verdeutlicht werden.
  Ein Handstützüberschlag ist nur ausführbar bzw. von hoher Qualität, wenn neben Stützkraft (Kraftfähigkeit) die Fähigkeit vorhanden ist, die Kraftimpulse fein dosiert aufeinander abzustimmen (Koppelungsfähigkeit, Differenzierungsfähigkeit). Ohne entsprechende Beweglichkeit in Schultergürtel und Lendenwirbelsäule kommen die anderen Fähigkeiten kaum zur Wirkung.
- Beweglichkeit *fördert die Bewegungsgenauigkeit*. Beim Vorhandensein entsprechender Beweglichkeit sind nur geringe Kräfte nötig, um einen Körper oder Körperteile in eine bestimmte Lage zu bringen bzw. in einer bestimmten Lage zu halten. Es werden dadurch Kräfte frei für die Feinabstimmung des Krafteinsatzes zur Erreichung eines bestimmten Ziels bzw. für den genauen Ablauf einer Bewegung (Basketballzielwurf, Hürdenlauf, Bogengang usw.).

- Beweglichkeit *ermöglicht einen optimalen Krafteinsatz.* Bei den meisten Sportarten ist es notwendig, den Körper oder mittels des Körpers bzw. der Körperteile Geräte (Kugel, Speer usw.) optimal zu beschleunigen. Dies gelingt nur dann, wenn Kräfte möglichst lange und geradlinig einwirken können. Dieser optimale Krafteinsatz ist im besonderen abhängig von der Beweglichkeit der Extremitäten. So kann z. B. der Rückenschwimmer den Gesamtkörper nur dann optimal lang beschleunigen, wenn ihm eine spezielle Beweglichkeit des Schultergürtels ein frühes Wasserfassen mit den Händen ermöglicht. Der Speerwerfer kann nur dann geradlinig und lange auf den Speer einwirken, wenn er über eine besonders ausgebildete Beweglichkeit des Wirbelsäulen-, Schulter- und Armbereichs verfügt.
- Beweglichkeit *erhöht die Bewegungsschnelligkeit.* Wir wissen, daß maximale Bewegungsgeschwindigkeiten nur bei geringen äußeren Widerständen möglich sind, es sei denn, die innere aktive Kraft (Muskelkraft) wäre entsprechend groß. Aber nicht nur äußere Kräfte (Gewicht der Geräte bzw. Körperteile) bestimmen die Bewegungsgeschwindigkeit, sondern auch innere passive Kräfte. Sie treten dann in besonderem Maße auf, wenn die Gegenspieler der kontrahierenden Muskelgruppen einschl. des Sehnen- und Bandapparates nicht dehnfähig genug sind. Beweglichkeit ist demnach ein leistungshemmendes Maß für Bewegungsschnelligkeit.
- Beweglichkeit *schränkt die Verletzungsgefahr von Sehnen, Bändern und Gelenken ein.* Bei äußeren Gewalteinwirkungen hat das bewegliche Gelenk sozusagen eine Sicherheitsdehnungsreserve. Es bleibt Zeit für Schutzbewegungen (Fremdreflexe). Demgegenüber wirkt die Gewalteinwirkung bei unbeweglichen Gelenken direkt auf Muskulatur, Sehnen- und Bandapparat.

Insgesamt trägt die Beweglichkeit zur Ökonomisierung von Bewegungen bei. Sie ist einmal abhängig vom Zusammenspiel der verschiedenen Muskelgruppen, zum anderen von gewissen anatomischen Gegebenheiten und bestimmten konditionellen Fähigkeiten. Damit wird ihre nicht einseitige Zuordnung zu koordinativen oder konditionellen Fähigkeiten sichtbar.

3.2.3. Die Bedeutung koordinativer Fähigkeiten – exemplarische Darstellung anhand der Sportart Tennis

Tennis ist eine Sportart, in der alle koordinativen Fähigkeiten mit unterschiedlicher Gewichtung zum Tragen kommen. Dieses Rückschlagspiel zeichnet sich durch eine große Variationsbreite der Schläge aus (Lob, Slice usw.) und ist zudem durch äußere Einwirkungen (Wind, Regen, Sonne usw.) leicht störbar. In knapper Form sollen die Anforderungen an koordinative Fähigkeiten vorgestellt werden (vgl. DHUNE u. HOBUSCH).

Orientierungsfähigkeit

Um sich orientieren zu können, müssen viele Signale unterschiedlicher Bedeutung wahrgenommen werden. Im Tennis sind dies:
- die eigene Stellung und Bewegung (Laufrichtung, Geschwindigkeit) im Spielfeld,
- die Bewegung des bzw. der Gegner (Doppel),
- die Stellung und Bewegung des Doppelpartners,
- die Flugeigenschaften des Balles (Richtung, Länge, Rotation).

Dabei wird als Wahrnehmungsleistung gefordert, daß

- das Signal entdeckt wird (z. B. den Ball sehen),
- das Signal erkannt wird (z. B. der Ball ist scharf oder unterschnitten usw.)
- man verschiedene Signale unterscheiden kann (z. B. Position der beiden Gegner im Doppel),
- Signale wiedererkannt werden.

Auf Grund der auf dieser Wahrnehmung basierenden Orientierung muß z. B. in Sekundenbruchteilen die Planung der eigenen Verteidigungs- oder Angriffsaktion erfolgen.

Reaktionsfähigkeit

Wegen der hohen Fluggeschwindigkeit und des relativ großen Spielfeldes ist eine besonders ausgeprägte Reaktionsfähigkeit gefordert. Es muß dabei reagiert werden auf

- die Bewegung des Gegners,
- die Bewegung des Balles,
- die Bewegung des Doppelpartners,

auf die Einwirkung äußerer Faktoren (z. B. Wind). Dabei kommt der Schnelligkeit, mit der eine motorische Aktion eingeleitet wird, eine entscheidende Bedeutung zu. Erschwerend fällt dabei ins Gewicht, daß immer auf mehrere Signale (komplexe Reaktion) mit unterschiedlichen Aktionen geantwortet werden kann (Wahlreaktion), z. B. Stop, Lob, Passierschlag, Longline, Cross usw.

Differenzierungsfähigkeit

Sie wird im Tennis in vielfacher Weise gefordert. Deshalb zählt sie auch in dieser Sportart zu den wichtigen koordinativenFähigkeiten.

- Der Schläger muß so geführt werden, daß er den Ball genau in der Mitte der Bespannung trifft,
- der Schläger muß zum Ball entsprechend der gewünschten Fluglinie und der Geschwindigkeit des Balles eingestellt werden,
- die Bewegungsrichtung des Schlägers beeinflußt das Flugverhalten des Balles nach vorne oben bzw. nach vorne unten (z. B. überrissene Vorhand),
- der Krafteinsatz bestimmt die Geschwindigkeit des Ballfluges und damit das Spieltempo.

Darüber hinaus muß der Spieler in der Lage sein, die Muskulatur nach einer Schlagbewegung entspannen zu können. (Fehlende Entspannungsfähigkeit führt zu einer unökonomischen Spielweise und einer schnellen Ermüdung.)

Umstellungsfähigkeit

Finten des Gegners, Fehler beim Vorausnehmen (Antizipation) der gegnerischen Aktion und schlechte Ausführung eigener Schläge machen eine Umstellung des Handlungsprogramms im Tennis ebenso erforderlich wie Situationsveränderungen im äußeren und inneren Milieu (z. B. nasser Boden, versprungener Ball, Wind, Sonne) sowie unvorhergesehene Reaktionen des Doppelpartners.
Besonders deutlich wird die Bedeutung der Umstellungsfähigkeit bei Netzbällen oder bei Bällen, die der Wind plötzlich in eine andere Richtung treibt und bei Finten.

Rhythmisierungsfähigkeit

Im Tennis geht es weniger darum, einen vorgegebenen Rhythmus wahrzunehmen, um sich anzupassen, sondern mehr um die Fähigkeit,

- den eigenen Schlagrhythmus gegenüber dem des Gegners zu behaupten,
- einen bewußten Rhythmus- oder Tempowechsel vorzunehmen,
- rhythmische Abfolgen (Lauf – Schlag – Lauf) optimal aufeinander abzustimmen,
- zwischen Spannung und Entspannung ökonomisch zu wechseln (s. Differenzierungsfähigkeit).

Koppelungsfähigkeit

Der Spieler muß in der Lage sein, die Koordination von Teilkörperbewegungen von Beinen, Rumpf, Armen, Hand und Schläger optimal räumlich, zeitlich und dynamisch aufeinander abzustimmen. Folgende Teilbewegungen lassen sich bei einer Schlagbewegung grob unterscheiden.

- Bewegungen der Füße (Fußstellung),
- Bewegungen der Beine (Beugung bzw. Streckung vor dem Schlag),
- Bewegungen des Rumpfes (vertikal, horizontal, verwrungen),
- Bewegungen des Schlagarmes (Bewegungskette: Oberarm – Unterarm – Hand – Schläger),
- Bewegungen des Schwungarmes (Gegenwirkungsgesetz).

Alle diese Bewegungen sind Teile der Gesamtbewegung. Sie beginnen zu unterschiedlichen Zeitpunkten und finden ihren gemeinsamen Bezug beim Auftreffen des Balles auf dem Schläger.

Gleichgewichtsfähigkeit

Sie spielt im Tennis eine untergeordnete Rolle. Eine besondere Schulung ist nicht nötig, da der erforderliche Ausbildungsgrad über die Schulung der anderen Fähigkeiten erreicht wird.

Lernerfolgskontrolle

1. Was verstehen Sie unter einer Bewegungshandlung?
2. Auf welche Weise erfolgt die Regulation im Ausführungsteil bei schnell und langsam ablaufenden Bewegungen?
3. Definieren Sie den Begriff „Bewegungsfertigkeit"!
4. Welche Zusammenhänge bestehen zwischen Fähigkeiten, Fertigkeiten, Bewegungshandlungen?
5. Was sind Motivationsprozesse und emotionale Prozesse und welchen Einfluß haben sie innerhalb verschiedener Bereiche einer Bewegungshandlung?

6. Welche Bedeutung haben Bewegungsvorstellung und Sprache für die Erstellung von Handlungsplänen?

7. Erstellung, Auswahl und Veränderung von Handlungsplänen basieren auf kognitiven Prozessen. Was beinhalten diese Prozesse jeweils im wesentlichen?

8. Die Bewegungskoordination entsteht über sog. Steuerungs- und Regelungsprozesse. Was verstehen Sie darunter?

9. Auf welche Weise beeinflussen unbedingte Reflexe sportmotorische Steuerungsprozesse?

10. Erläutern Sie die Bedeutung der verschiedenen Analysatoren für das Zustandekommen von Sportbewegungen.

11. Wie läßt sich der antizipatorische Vorgang bei Finten erklären?

12. Was verstehen Sie im Rahmen der Bewegungsantizipation unter „Feedforward-Mechanismen"?

13. Was verstehen Sie unter „Körperbild"?

14. Erläutern Sie die Bedeutung des Begriffs „Gewandtheit".

15. Die Bewegungssteuerung und -regelung sportlicher Tätigkeiten ist durch bestimmte Merkmale charakterisierbar. Beschreiben Sie stichpunktartig solche Bewegungsmerkmale und benennen Sie die mit ihnen in Zusammenhang stehenden koordinativen Fähigkeiten!

16. Was verstehen Sie unter dem Begriff „Reaktionsfähigkeit"?
    a) Erläutern Sie den Begriff „Reaktionszeit"!
    b) Welche Arten von Signalgebung lassen sich unterscheiden?
    c) Wovon hängt die Wahrnehmbarkeit von Signalen ab?
    d) Was verstehen Sie unter einem Signalkomplex (Beispiele)?

17. Definieren Sie den Begriff „Umstellungsfähigkeit"!
    a) Auf welche Weise kann eine Umstellung des Handlungsplans erfolgen? Erläutern Sie Ihre Aussagen mit Beispielen aus der Sportpraxis!
    b) Zu welchen anderen Fähigkeitsbereichen bestehen enge Verbindungen?

18. Definieren Sie den Begriff „Orientierungsfähigkeit". Von welchen Informationsarten ist die Orientierungsfähigkeit abhängig? Geben Sie dazu Beispiele aus der Sportpraxis!

19. Erläutern Sie den Begriff „Timing"!

20. Definieren Sie den Begriff „Koppelungsfähigkeit".
    a) Welche Faktoren bestimmen den Ausprägungsgrad der Koppelungsfähigkeit?
    b) Mit welchen biomechanischen Prinzipien läßt sich der Vorgang der Bewegungskoppelung begründen?

Abb. 3.26: Abnorme Beweglichkeit im Schultergürtel.

    c) Auf welche Weise und bei welchen Sportarten wirkt sich die Steuerfunktion des Kopfes positiv bzw. negativ aus?

21. Was verstehen Sie unter „Differenzierungsfähigkeit"?
    a) In welche Bereiche läßt sich diese Fähigkeit grob unterteilen?
    b) Welcher Analysator ist für einen besonders hohen Ausprägungsgrad dieser Fähigkeit verantwortlich?
    c) Geben Sie Beispiele aus der Sportpraxis, bei denen die Differenzierungsfähigkeit besonders gefordert ist!
    d) Mit welchen Bezeichnungen wird Differenzierungsfähigkeit in der Alltagssprache umschrieben?

22. Definieren Sie den Begriff „Gleichgewichtsfähigkeit"!
    a) Erläutern Sie den Begriff Gleichgewicht unter physikalischen Gesichtspunkten!
    b) Benennen Sie die verschiedenen Ausprägungen des Gleichgewichtsverhaltens innerhalb der menschlichen Tätigkeit! Erläutern Sie Ihre Aussagen mit Beispielen aus der Sportpraxis!
    c) Von welchen Faktoren ist das Aufrechterhalten des Gleichgewichts abhängig?

23. Was verstehen Sie unter dem Begriff „Rhythmisierungsfähigkeit"?

a) Was verstehen Sie unter dem Begriff „Carpenter-Effekt"?
b) Durch welche Einflußgrößen wird „Bewegungsrhythmus" in seiner Ausprägung bestimmt und wie kann er bewußt verändert werden?
c) Über welche Informatoren ist der Bewegungsrhythmus wahrnehmbar?
d) In welchen Komponenten findet er seinen äußerlich erkennbaren Niederschlag?

24. Was versteht man unter konditionellen Fähigkeiten? Welche andere Bezeichnung findet man dafür in der Fachliteratur?

25. Erläutern Sie den Begriff „Motorische Kraftfähigkeit" allgemein.

26. Bei sportlichen Handlungen werden unterschiedliche Arten von Kraft allein oder in Mischformen gefordert.
a) Wie heißen sie?
b) Von welchen leistungsphysiologischen Faktoren hängen sie ab?

27. Benennen Sie die verschiedenen Arten der Muskelarbeit!

28. Welche Wechselwirkungen bestehen zwischen Zunahme und Abnahme der Kraft und anderen konditionellen sowie koordinativen Fähigkeiten?

29. Welche Einflußgrößen auf die Kraftentfaltung kennen Sie?

30. Definieren Sie den Begriff „Schnelligkeitsfähigkeit" unter physikalischem und physiologischem Aspekt!

31. Unter welchen Arten von Schnelligkeit kann man unterscheiden?

32. Benennen Sie die Faktoren, von denen eine schnelle Muskelkontraktion abhängig ist!
a) Benennen Sie die Faktoren, die einzeln oder in Verbindung als Schnelligkeit angesprochen werden.
b) Stellen Sie Überlegungen an hinsichtlich der Anforderungen einzelner Sportarten an bestimmte Schnelligkeitsfähigkeiten!

33. Was versteht man allgemein unter „Motorischer Ausdauerfähigkeit"?
a) Vergegenwärtigen Sie sich den Vorgang der Muskelermüdung unter Berücksichtigung aerober und anaerober Belastungsformen!
b) Zwischen welchen Formen der Muskelausdauer kann unterschieden werden?
c) Was versteht man unter „Grundlagenausdauer", was unter „spezieller Ausdauer"?

34. Definieren Sie den Begriff „Beweglichkeit" und grenzen Sie ihn gegenüber Begriffen ähnlicher Bedeutung ab!

   a) Was versteht man unter „allgemeiner Beweglichkeit", was unter „spezieller Beweglichkeit"?

   b) Wovon ist der Grad der Beweglichkeit, der erreicht werden kann, abhängig?

   c) Welche Bedeutung hat die Beweglichkeit für die Qualität und die Quantität von Bewegungen im Sport?

4   Die Bewegungskoordination

4.1   Begriffsbestimmung

Unter *Koordination* versteht man allgemein das Abstimmen und Zuordnen verschiedener Teilprozesse zu einem ganzheitlichen Prozeß.

Koordinationsbegriff – bezogen auf einzelne Bereiche der Sportwissenschaft

Sportpädagogik/ Bewegungslehre	Zusammenfügen von Teilbewegungen bzw. Bewegungsphasen zu einer Bewegungshandlung bzw. Bewegungsfertigkeit
Sportphysiologie	Zuordnen der Muskelarbeit zu entsprechenden Teilprozessen im Nervensystem (neuromuskuläre Koordination)
Biomechanik	Abstimmen von Kraftimpulsen zur Erreichung des Bewegungsziels (Koordination von Teilimpulsen)

Daraus läßt sich eine umfassendere Begriffsbestimmung für die Bewegungskoordination ableiten:
Zusammengefaßt versteht man unter Bewegungskoordination die Abstimmung aller oben genannten Teilprozesse, im Zusammenwirken von Mensch und Umwelt zur Erreichung eines Ziels. Bewegungskoordination ist ein Teilbereich einer Bewegungshandlung.

Darauf wird nachfolgend näher eingegangen.

4.2   Der Zusammenhang von Bewegungshandlung und Bewegungskoordination

Wie bereits im Kapitel 3 S. 57 ff. beschrieben, besteht zwischen Bewegungshandlung und Bewegungskoordination eine enge Verzahnung. Eine Bewegungshandlung setzt sich nach dem hier beschriebenen Modell aus Antriebs-, Orientierungs-, Entscheidungs-, Ausführungs-

und Ergebnisteil zusammen. Bewegungskoordination bezieht sich dabei schwerpunktmäßig auf den Ausführungsteil. Um den Prozeß der Bewegungskoordination innerhalb einer Bewegungshandlung zu erläutern, genügt es aber nicht, die dazu notwendigen nervalen Steuerungs- und Regelungsprozesse schematisch anhand eines kybernetischen Regelkreismodells unter physiologischen Aspekten darzustellen. Emotionale und kognitive Prozesse bestimmen nicht nur den Antriebs- und Orientierungsteil, sie bleiben auch im Ausführungsteil wirksam. Diese Prozesse sind sowohl von Bedingungen als auch von Wirkungen der Beziehungen zwischen Personen und Umwelt abhängig. Somit muß eine Betrachtung der Bewegungskoordination auch unter psychologischem Aspekt erfolgen. Die Effizienz und Ökonomie unseres Handelns im Sport hängt davon ab, inwieweit es gelingt, physische und psychische Beanspruchung in Einklang zu bringen zur Entfaltung optimaler Handlungsmöglichkeit. Aus formalen Gründen soll der Prozeß der Bewegungskoordination der besseren Übersichtlichkeit wegen, unter physiologischem und psychologischem Aspekt getrennt und nacheinander behandelt werden.

4.3 Der Prozeß der Bewegungskoordination (physiologischer Aspekt)

Steuerungs- und Regelungsprozesse können modellartig anhand eines kybernetischen **Regelkreismodells** dargestellt werden. Dabei wird das hochkompliziert organisierte Individuum als ein sensomotorisches System aufgefaßt, in dem Wahrnehmungen, Bewußtseinsvorgänge und Körperbewegungen als kreisförmige Kommunikationsprozesse zwischen den einzelnen Systemeinheiten beschrieben werden – mit anderen Worten: Der menschliche Organismus wird als ein System gedacht, das die aus der Umwelt stammenden Reize oder Informationen durch selbständige Steuerungs- und Regelungsprozesse verarbeitet und dadurch Körperbewegungen hervorbringt. Die Kreisvorstellung der Informationsübertra-gung geht auf die physiologisch nachgewiesenen Funktionseinheiten von *Muskelinervationen* (*Efferenzen*) und Rückmeldungen über das *Bewegungsgeschehen* (*Afferenzen*) zurück. Verschiedenartige Modelle über diese Kreisregulation sind entwickelt worden [1]. Gemachte Erfahrungen

---

1 Weizsäcker 1973; Anjochin 1967; Bernstein 1975; von Holst u. Mittelstaedt 1950; Hacker 1973 (u. a.).

und Beobachtungen bei der Informationsaufnahme und -verarbeitung versuchte man mit Hilfe kyber-netischer Regelkreismodelle in einen sinnvollen Zusammenhang zu bringen als Erklärungsgrundlage für Bewegungskoordination.

In der Folge bot sich an, diese Erkenntnisse auch auf die Entwicklung der Bewegungskoordination im Sport und damit auch auf das motorische Lernen zu übertragen [2].

Nachfolgend soll ein Modell beispielgebend für die Darstellung der Bewegungskoordination unter physiologischem Aspekt vorgestellt werden. Voraussetzung für das Verständnis dieses Modells sind einige Grundkenntnisse über nervale Prozesse, auf die noch einmal stichpunktartig eingegangen wird.

Nervale Prozesse als Voraussetzung

Der Prozeß der Bewegungskoordination ist gekennzeichnet durch Reflex- und Willkürmotorik. Diese sind nur bedingt voneinander zu trennen, da beide Bereiche immer gleichzeitig aktiviert werden müssen. Zur Verdeutlichung dieser Vorgänge sei der Standwurf im Basketball angeführt. Die Zielbewegung unterliegt hier der Steuerung der Willkürmotorik, während die dafür notwendige Körperhaltung über die Reflexmotorik gesichert wird.

Da es sich bei der Bewegungskoordination um außerordentlich komplizierte Steuerungs- und Regelungsprozesse handelt, wurden bei

	Reflexmotorik	Willkürmotorik
Zentren	Rückenmark (spinale Motorik); Hirnstamm (supraspinale Motorik).	Motorische Rindenfelder in der Großhirnrinde.
Aufgaben und zugeordnete Bewegungsarten/ Handlungen	Unbewußte Halte- und Stützarbeit der Skelettmuskulatur unter Einfluß sensorischer Systeme; Haut und Sehnenreflexe; Lage-, Stellungs- und Gleichgewichtsreaktionen.	Bewußtes Initiieren von Bewegungen; Willkürlich durchgeführte Bewegungen: Instinkt-Trieb- und Willenshandlungen.

Abb. 4.1: Motorische Zentren und deren Aufgaben im Überblick.

2 Ungerer 1977; Meinel/Schnabel 1987; O. Fleiss 1969; Kunath u. Pöhlmann 1983; Pöhlmann 1986; Singer 1985 u. a. m.

der Auswahl eines diese Prozesse wiedergebenden Modells folgende Gesichtspunkte berücksichtigt:
- Didaktische Überlegungen müssen die sukzessive Darbietung der Stofffülle, Verständlichkeit und Anschaulichkeit berücksichtigen.
- Die Möglichkeit, Verbindungen zum motorischen Lernen herzustellen, muß gegeben sein.

4.3.1 Ausgewähltes Regelkreismodell

Wir stellen nun das Funktionieren der Steuerungs- bzw. Regelungsprozesse anhand verschiedener hierarchisch angeordneter Regelkreise in vereinfachter Form dar. Im Zusammenhang mit Willkür- und Reflexmotorik können verschiedene Ebenen zwischen bewußter und unbewußter Steuerung voneinander unterschieden werden, die hier nun in drei getrennten Regelkreisebenen dargestellt werden sollen.

Bei unserer Betrachtung der einzelnen Regelkreise gehen wir davon aus, daß eine Bewegung neu erlernt wird. Nur so ist es möglich, die Bedeutung der verschiedenen Ebenen der Bewegungskoordination getrennt darzustellen. Darüber hinaus kann damit gleichzeitig die Entwicklung der Bewegungskoordination vom „Nichtkönnen" zum „Können" anschaulich gemacht werden. Mit dieser Beschreibung werden die Vorgänge beim motorischen Lernprozeß bereits angedeutet, die später in einem eigenen Kapitel genauer behandelt werden.

Anhand eines praktischen Beispiels, hier Aufschwingen in den Handstand am Boden, werden die drei Regelkreisebenen veranschaulicht. Auf die in der Kybernetik übliche Terminologie wird weitgehend verzichtet.

Erste Regelkreisebene (bewußte Steuerung)

Von höheren Zentren (motorisches Zentrum im ZNS) ausgehend, werden bewußte Steuerungsimpulse über efferente Nervenbahnen an die ausführenden Organe (Vollzugsorgane) gesandt, ohne gezielte Einschaltung untergeordneter Bereiche wie Kleinhirn, Basalganglien usw.).

Während der Bewegung laufen Informationen über den Bewegungsvollzug vom Erfolgsorgan an bestimmte Zentren des ZNS (s. S. 22). Diese Informationen erreichen bzw. überschreiten die Bewußtseinsschwelle zunächst kaum. Hinzu kommen Informationen des Vestibularanalysators sowie Informationen über den optischen und akustischen Analysator. Letztere nehmen während und nach der Bewe-

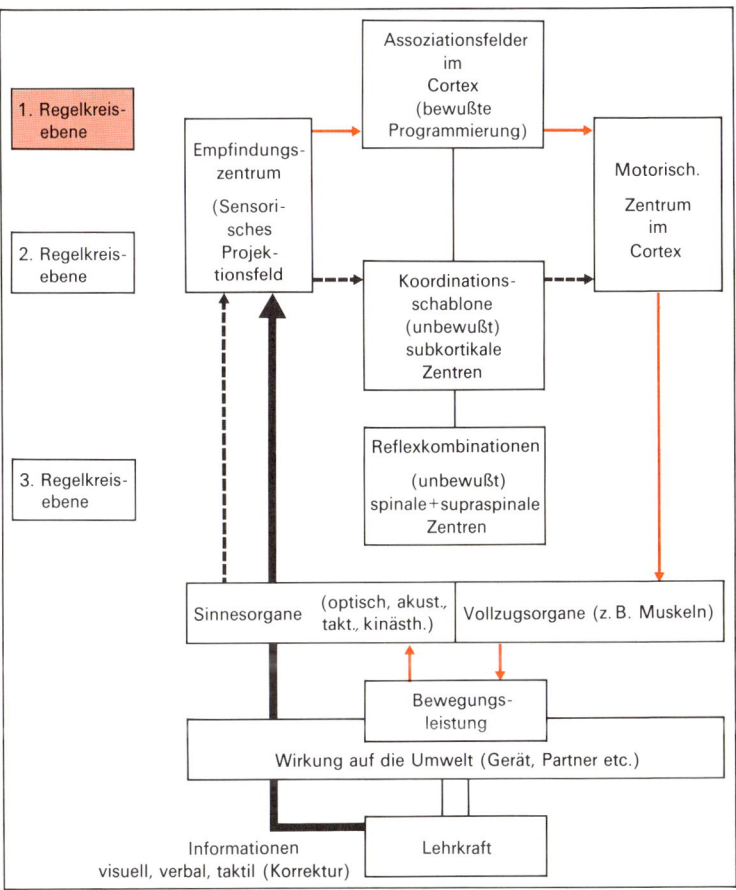

Abb. 4.2: Bewegungskoordination, dargestellt anhand eines Regelkreismodells unter besonderer Berücksichtigung neurophysiologischer Gegebenheiten. Bewußte Steuerung über die erste Regelkreisebene.

gung Informationen aus der Umwelt (z. B. Sportlehrer) auf und leiten sie weiter (Afferenzsynthese). Innere Rückmeldung, d. h. Informationen über den kinästhetischen Analysator, die als Reafferenzen bezeichnet werden, haben in diesem Stadium der Bewegungskoordination noch sehr geringe Bedeutung, sei es zur Verbesserung des Handlungsprogramms nach Beendigung der Bewegungshandlung oder zur Umstellung der Bewegungen während des Ablaufs (Regelungsprozeß s. S. 170).

Wie zeigt sich dieser Vorgang am praktischen Beispiel? Das Handlungsprogramm zum Aufschwingen in den Handstand am Boden liegt vor. Der Ausführende hat zumindest eine grobe Vorstellung vom Bewegungsablauf. Die Bewegung wird eingeleitet mit dem schulterbreiten Aufsetzen der Hände am Boden und fortgeführt durch Schwungbeineinsatz, Abdruck vom Standbein und dem Schließen der Beine. Während der Bewegungsausführung erhält der Ausführende kaum Informationen von den Vollzugsorganen. Die Informationen beschränken sich meist nur auf die Unterscheidung zwischen „gelungen" oder „nicht gelungen". Bewußt aufnehmbare und verwertbare Informationen erhält er überwiegend erst nach der Bewegungsausführung über die Umwelt (Lehrer, Partner). Sie gewährleisten eine Verfeinerung des Handlungsprogramms für eine mögliche Wiederholung des Bewegungsvollzugs.

Zweite Regelkreisebene
(Steuerung über subkortikale Zentren)

Nach oftmaliger Wiederholung des Bewegungsablaufs wird dieser zunehmend sicherer ausgeführt. Es bilden sich sog. *Bewegungsschablonen* bzw. *Koordinationsschablonen* aus.

Koordinationsschablonen sind identisch mit Bewegungsprogrammen, die unter Einschaltung des Kleinhirns und der Basalganglien gebildet werden.

Das heißt, daß die Bewegung in bezug auf den Ablauf verfügbar ist, also ohne bewußte Steuerung „nachgezeichnet" werden kann. Die unbewußte Steuerung übernehmen zu einem gewissen Teil sog. subkortikale bzw. supraspinale Zentren.

Dies hat zur Folge, daß die bewußte Steuerung entlastet und nun auf bestimmte Teilbewegungen bzw. auf bestimmte Beobachtungspunkte gelenkt wird. Die Steuerung übernehmen nun zwei Regelkreisebenen, nämlich die 1. und 2. gemeinsam. Im Zuge der weiteren Verbesserung der Bewegungskoordination gewinnt die Information über den kinästhetischen Analysator immer mehr an Bedeutung. Dadurch werden Korrekturen des Handlungsprogramms während des Bewegungsablaufs möglich. Nach wie vor spielen die Informationen, die von der Umwelt ausgehen, für die Entwicklung der Bewegungskoordination eine wichtige Rolle, treten jedoch mit steigender Qualität der Bewegungskoordination mehr und mehr in den Hintergrund (Abb. 4.3).

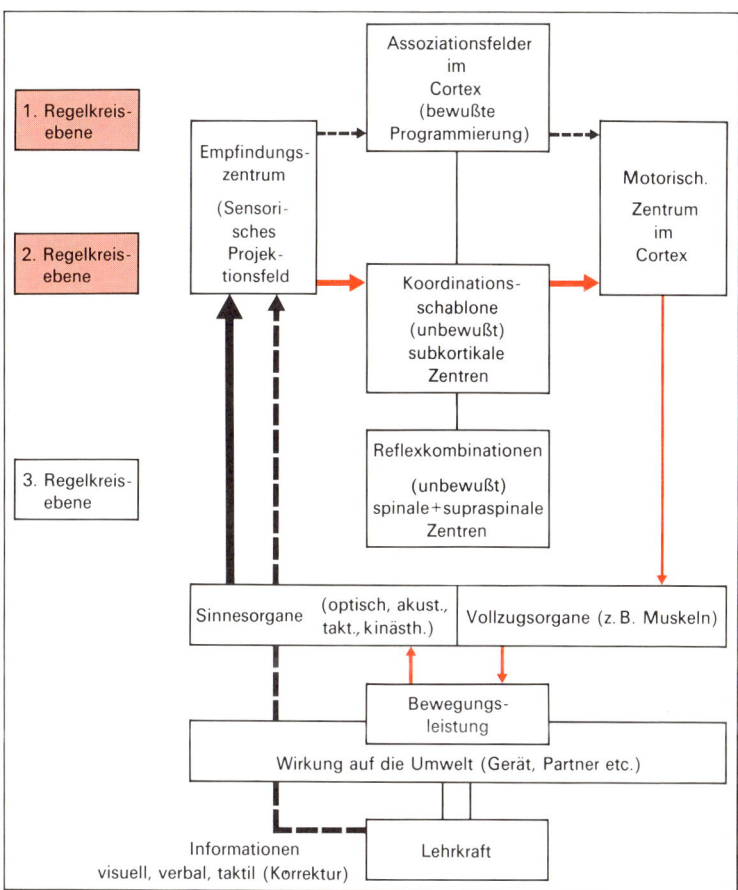

Abb. 4.3: Steuerung über subkortikale Zentren/erste und zweite Regelkreis-ebene.

Das Aufschwingen in den Handstand ist nun relativ stabil verfügbar. Die wesentlichen kennzeichnenden Verlaufsmerkmale sind vorhanden. Somit liegt eine Koordinationsschablone vor. Das Stehenbleiben im Handstand gelingt nun nicht nur zufällig. Die während der Ausführung erfolgenden kinästhetischen Wahrnehmungen (z. B. zuviel oder zuwenig Schwung) werden zu Korrekturmaßnahmen im Sinne einer Umstellung des Handlungsprogramms verwertet. So kann der Übende z. B. bei zuwenig Schwung die Arme beugen oder die Beine anhocken oder zuviel Schwung durch Laufschritte auf den Händen ausgleichen. Darüber hinaus kann die Aufmerksamkeit bewußt auf Ausführungsdetails gerichtet werden, wie z. B. Strecken der Fußspitzen. Er ist jetzt auch in der Lage, die nun weitgehend entlastete bewußte Steuerung für die Umsetzung von Informationen zu verwenden, die während des Bewegungsablaufs von außen erfolgen. So kann der Hinweis des Lehrers „Strecke die Schultern" unmittelbar umgesetzt werden. Ein solcher Regelungsvorgang funktioniert jedoch nur bei relativ langsam ablaufenden Bewegungen wie bei unserem Bewegungsbeispiel. Bei schnell ablaufenden Bewegungen, z. B. Saltodrehungen, ist dies nicht möglich, da hier die Bewegung schneller abläuft als die Nervenleitprozesse der Information zur Großhirnrinde.

Dritte Regelkreisebene
(Steuerung über spinale und supraspinale Zentren)

Durch weiteres Üben und gleichzeitiges Verbessern der Bewegungskoordination wird ein Könnensstand erreicht, der geprägt ist durch Konstanz im räumlichen, zeitlichen und dynamischen Verlauf.
Das Bewegungsprogramm liegt jetzt optimal ausgeprägt und abrufbar vor. Die Konstanz in der Bewegungskoordination, auch unter Einfluß von Störgrößen, ist dadurch möglich, daß in Verbindung mit den beiden bereits genannten Regelkreisen nun eine 3. Regelkreisebene eine besondere Bedeutung gewinnt. Ihre Aufgabe liegt in der unbewußten Steuerung und Regelung, die überwiegend durch spinale (Rückenmark) und supraspinale Zentren (Hirnstamm, Motorkortex, Basalganglien, Kleinhirn) erfolgt.
Sie sind in erster Linie verantwortlich für die Ausführung von Haltung (Steuerung des Muskeltonus über Spindelafferenzen), Bewegung und Gleichgewicht.
Bezugnehmend auf unser praktisches Beispiel gelingen das Aufschwingen in den Handstand und das Stehenbleiben im Handstand sicher, auch bei Störeinflüssen, wie z. B. weicher Turnmatte, schmaler Unterstützungsfläche.
Die verschiedenen Regelkreisebenen sind jetzt optimal aufeinander abgestimmt. Es liegt ein differenziertes Programm vor, das von subkortikalen Zentren aus gesteuert wird. Alle einlaufenden Informationen (optische, kinästhetische, statico-dynamische und taktile) werden registriert und überwiegend im Kleinhirn zu eventuellen Programmänderungen verwertet. Die Feindosierung von Haltungs- und Muskeltonus erfolgt über reflektorische Mechanismen. Dafür ist vor

allem die 3. Regelkreisebene verantwortlich. Die erste Regelkreisebene wird nicht mehr beansprucht, kann jedoch sofort wieder zugeschaltet werden, z. B. zur bewußten Korrektur des Handlungsprogramms im Bewegungsablauf.

4.3.2 Sollwert-Istwert-Vergleich

Die Verbesserung der Bewegungskoordination setzt voraus, daß ständig Vergleiche zwischen angestrebtem Bewegungsziel (Sollwert) und erreichtem Bewegungsziel (Istwert) stattfinden.

Im folgenden sollen nun die Begriffe Soll- und Istwert konkretisiert und der Vergleichsvorgang erläutert werden:
Von einem höheren Zentrum im ZNS ausgehend, erfolgen Steuerimpulse (Kommandos) über tiefer gelegene Zentren (ZN 2/ZN 1) an die Vollzugsorgane (s. Abb. 4.5). In einem hier nicht näher definierten Bereich des ZNS werden diese Steuerimpulse in Form einer Kopie, die als Efferenzkopie bezeichnet wird, für kurze Zeit gespeichert (Kurzzeitspeicher). Während und nach der Bewegungsausführung erfolgt nun von den Vollzugsorganen (Muskeln, Muskelgruppen) ein Feedback (Rückmeldung bzw. Reafferenz) an das Zentrum Z 1, in dem es zu einem Vergleich der rückgemeldeten Information mit der Efferenzkopie kommt. Dabei wird unterschieden zwischen *intrinsischem* und *extrinsischem Feedback*. Intrinsisches Feedback bezieht sich auf rückgemeldete Eigeninformation über verschiedene Sinnesrezeptoren (kinästhetische, vestibuläre sowie taktile, visuelle und akustische). Unter extrinsischem Feedback versteht man rückgemeldete Fremdinformationen, d. h. Informationen von „außen", die z. B. vom Lehrer herrühren. Liegt eine Differenz vor, wird diese als Information an höhere Zentren weitergeleitet.

Der Sollwert besteht also im wesentlichen aus der Efferenzkopie, die die Grundlage für den Vergleich mit dem Istwert, d. h. mit der Rückmeldung über die real vollzogene Bewegung, darstellt.

Zu Beginn eines Lernprozesses ist ein so beschriebener Sollwert-Istwert-Vergleich nicht möglich, da nur unzureichende Informationen, sowohl über den Sollwert, als auch über den Istwert, vor allem über die kinästhetische Rückmeldung vorliegen. Der Vergleich beschränkt sich somit zunächst auf die Feststellung „gelungen" bzw. „nicht ge-

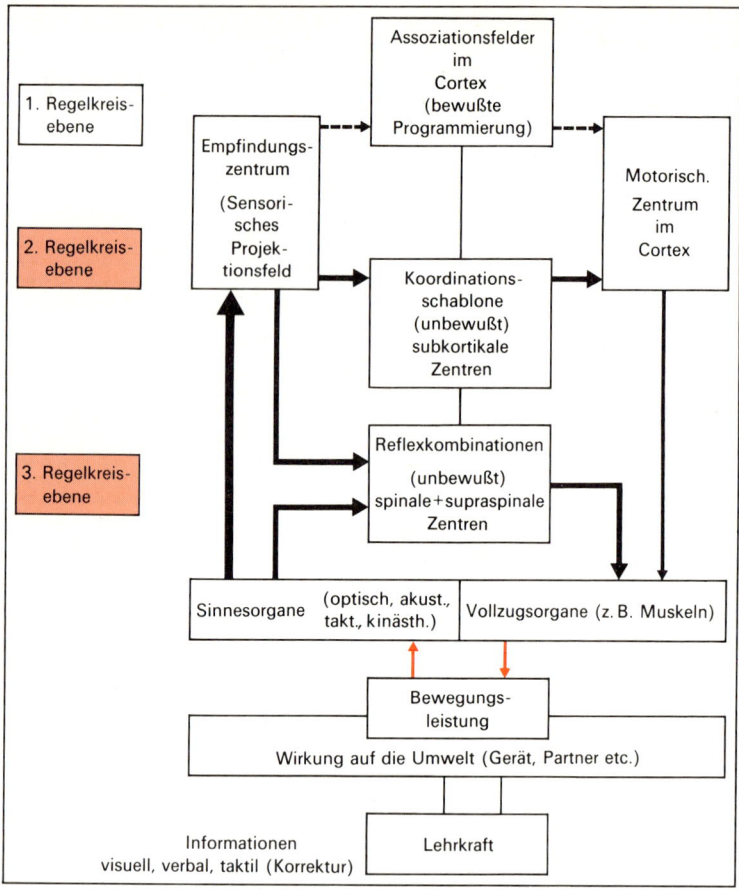

Abb. 4.4: Steuerung über spinale und supraspinale Zentren/zweite und dritte Regelkreisebene.

lungen". In Folge davon wird im allg. der Sollwert-Istwert-Vergleich dem Übenden nach Beendigung der Bewegungsausführung von einer außenstehenden Person, meist der Lehrkraft, abgenommen, die das Bewegungsziel (Sollwert) mit der beobachteten Bewegung (Istwert) vergleicht. Im Zuge weiteren Übens und Verbesserns des Bewegungsablaufs kommt es zu einer Verschiebung der Informationsaufnahme und -verarbeitung zugunsten des kinästhetischen

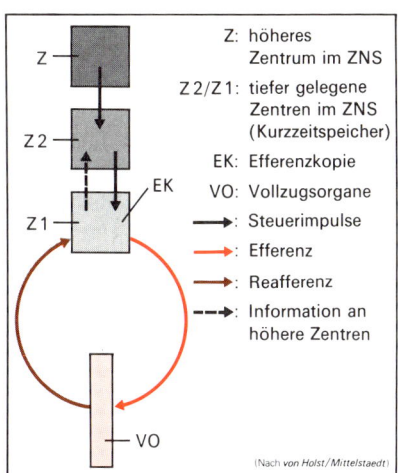

Z: höheres Zentrum im ZNS

Z2/Z1: tiefer gelegene Zentren im ZNS (Kurzzeitspeicher)

EK: Efferenzkopie

VO: Vollzugsorgane

⟶: Steuerimpulse

⟶: Efferenz

⟶: Reafferenz

⤏: Information an höhere Zentren

(Nach *von Holst/Mittelstaedt*)

Abb. 4.5: Das Reafferenzprinzip als Grundlage für den Sollwert-Istwert-Vergleich

Analysators. Dadurch wird der Übende in die Lage versetzt, auf Grund differenzierter Rückmeldungen (Reafferenzen) während und nach Abschluß des Bewegungsablaufs Sollwert-Istwert-Vergleiche anzustellen und ggf. mit einer Veränderung des Handlungsprogramms darauf zu reagieren.

Veränderungen des Handlungsprogramms können auch bei sog. „programmgesteuerten" Bewegungen, die einem sog. „Feedforward-Mechanismus" unterliegen, erfolgen (vgl. Bewegungsantizipation). Dabei liegen ausschließlich Korrekturmechanismen vor, die sich auf intrinsisches Feedback stützen. Dies gilt für Bewegungen, die so schnell ablaufen, daß ein Feedback, das die Bewußtseinsschwelle überschreitet, nicht möglich ist. Das trifft auf Bewegungen zu, deren Ablaufdauer unterhalb von 0,2 Sekunden liegt (grober Richtwert).

4.4 Der Prozeß der Bewegungskoordination unter Berücksichtigung psychischer Einflußgrößen

In Ergänzung und Erweiterung dessen, was im Kapitel Bewegungshandlung als Erklärungsgrundlage dargelegt wurde, soll hier die enge Verzahnung von physiologischen und psychologischen Prozessen bzw. einflußnehmenden Faktoren aufgezeigt werden. Dazu sind einige wesentliche Sachverhalte aus der Psychologie einzubringen. Sportliche Koordinationsleistungen sind von Stimmungen und Gefühlsregungen abhängig. Sie beeinflussen die Ausführungsgüte (Qualität) und die Größe der meßbaren Leistung (Quantität) einer Bewegungshandlung sowohl positiv als auch negativ. So können z. B. auf Erfolgserlebnissen beruhende Hochgefühle leistungssteigernd – Unsicherheit, Versagensangst auf Grund von Überforderungen leistungsmindernd wirken. Den Zusammenhang verschiedener Ebenen in der menschlichen Handlungsregulation zeigt die folgende Abbildung. Es ist davon auszugehen, daß „das automatische, das emotionale und das kognitive Regulationssystem – gleichzeitig mehr oder weniger beteiligt sind" (NITSCH, 1986, S. 230).

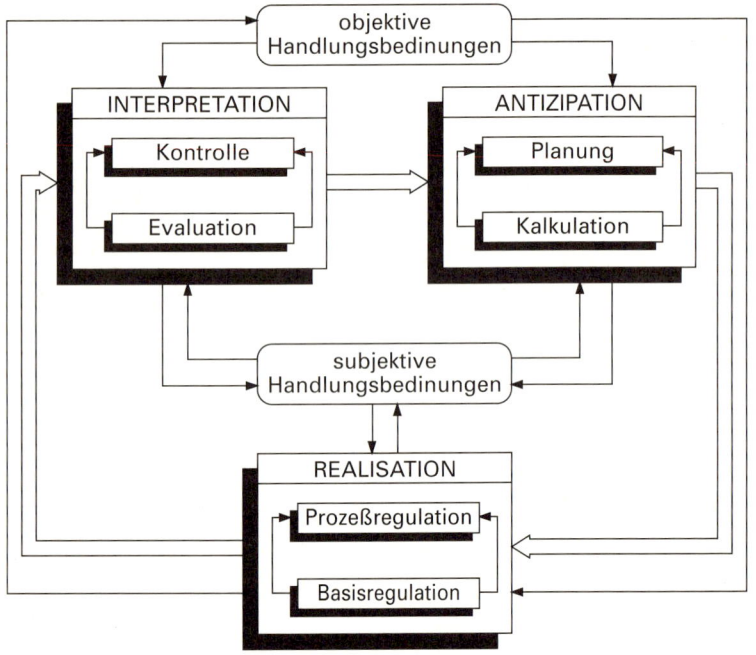

Abb. 4.6: Triadische Handlungsstruktur nach NITSCH, in: GABLER/SINGER/NITSCH 1986

4.5 Bewegungsanalyse

4.5.1 Bewegungsanalyse nach Merkmalen der Bewegungskoordination

Beim Vergleich einer bestimmten sportlichen Bewegung, die verschiedene Sportler mit unterschiedlichem Könnensstand durchführen, wird der ungeübte Beobachter zwar Unterschiede erkennen, sie aber nicht differenziert ansprechen können. Er wird die „gelungenen" Ausführungen vielleicht als harmonisch oder koordiniert, die „weniger gelungenen" als unharmonisch oder unkoordiniert bezeichnen. An diesem Beispiel wird deutlich, daß es ohne ein bestimmtes Beobachtungsinstrumentarium nicht möglich ist, die Qualität einer Bewegung, d. h. das äußere Erscheinungsbild, vollständig zu beschreiben. Dazu bedarf es der Festlegung und Beschreibung von Bewegungsmerkmalen, die den räumlichen, zeitlichen und dynamischen Ablauf einer Bewegung ansprechbar oder beschreibbar machen. Es wird unterschieden zwischen quantitativen und qualitativen Merkmalen. Dabei werden die quantitativen Bewegungsmerkmale in *kinematische* und *dynamische* Bewegungsstrukturen unterteilt.

Die sog. kinematischen Merkmale dienen der Beschreibung von Orts- und Lageveränderungen des Körpers oder seiner Teile in Raum und Zeit mit Hilfe von Weg, Winkel, Geschwindigkeit, Winkelgeschwindigkeit, Beschleunigung und Winkelbeschleunigung. Demzufolge sind Merkmale der kinematischen Bewegungsstruktur Längenmerkmale, Zeitmerkmale, Körpergelenkwinkelmerkmale, Lage- und Geschwindigkeitsmerkmale sowie Beschleunigungsmerkmale (vgl. Ballreich 1981, S. 515).

Merkmale der dynamischen Bewegungsstruktur sind Kräfte, sog. Kraftmomente, Kraftstöße. Sie sind im Gegensatz zu den kinematischen Merkmalen nicht direkt beobachtbar, können jedoch in bezug auf die kinematischen Wirkungen, wie z. B. Orts- und Lageveränderungen, geschätzt werden. Beispielsweise kann man bei Sprüngen über die erreichte Flughöhe den vertikalen Beschleunigungskraftstoß abschätzen.

Qualitative Bewegungsmerkmale werden in Anlehnung an Meinel/Schnabel unterteilt in:

– Phasenstruktur,
– Bewegungsrhythmus,

143

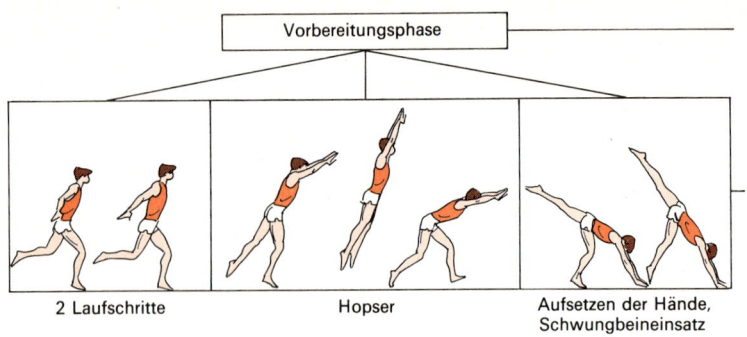

Abb. 4.7: Phasenstruktur des Handstützüberschlags vorwärts am Boden.

- Bewegungskoppelung,
- Bewegungsumfang,
- Bewegungsfluß,
- Bewegungstempo,
- Bewegungsstärke,
- Bewegungspräzision,
- Bewegungskonstanz.

Diese Merkmale finden in der Sportpraxis allgemein Anwendung. Ihre Kennzeichnung erfolgt mit Hilfe der kinematischen Merkmale, was im folgenden präzisiert wird.

4.5.1.1 Die Phasenstruktur

Betrachten wir sportliche Bewegungen hinsichtlich ihres Aufbaus, so stellen wir fest, daß sie sich in einzelne Abschnitte untergliedern lassen. So geht einer Wurfbewegung im allgemeinen eine Ausholbewegung voraus. Es folgt die eigentliche Wurfbewegung mit dem anschließenden Abfangen des Schwunges. An diesem Beispiel läßt sich ganz deutlich eine Dreigliederung erkennen, nämlich Ausholbewegung (inkl. Anlauf), eigentliche Wurfbewegung, Abfangen des Schwunges (inkl. Auslauf). Die Ausholbewegung (inkl. Anlauf) wird allgemein als Vorbereitungsphase oder einleitende Phase, die Wurfbewegung als Hauptphase und das Abfangen des Schwunges als Endphase bezeichnet.
Betrachten wir dagegen das Laufen, so wird man hier im Vergleich zum obigen Beispiel eine Zweiteilung feststellen. Sie besteht aus der

144

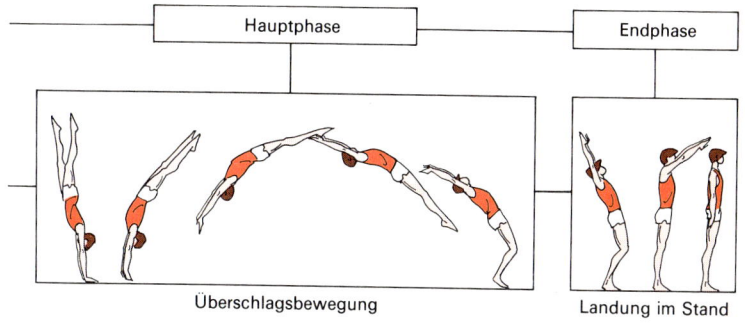

| Hauptphase | Endphase |

Überschlagsbewegung   Landung im Stand

Flugphase und der Landung mit nachfolgendem Abdruck. Landung und Abdruck lassen sich nicht mehr in getrennte Abschnitte oder Phasen untergliedern. Wenden wir uns zunächst den dreiphasigen Bewegungen zu. Bei den meisten sportlichen Bewegungen liegt ein charakteristischer Aufbau vor, den wir als Bewegungsstruktur bezeichnen. Die einzelnen Bewegungsabschnitte werden Phasen genannt, die miteinander verknüpft sind. In vielen Fällen wird bei sportlichen Bewegungen eine Dreigliederung erkennbar. Wir unterscheiden:

– Die **Vorbereitungsphase** in der für die Hauptphase optimale Voraussetzungen geschaffen werden (Anlauf- und Ausholbewegungen).
– Die **Hauptphase** in der die Aufgabe unmittelbar vollzogen wird (z. B. der Abwurf des Speers, der Stoß der Kugel usw.).
– Die **Endphase** in der der Körper in ein stabiles Gleichgewicht zurückkehrt (Landung beim Weitsprung, Abfangen des Schwunges beim Speerwurf).

Die Reihenfolge dieser drei Phasen ist nicht umkehrbar, da sie in einer bestimmten funktionalen Beziehung zueinander stehen.
Die einzelnen Phasen sollen nun einer näheren Betrachtung unterzogen werden. Wie bereits angedeutet, wird in der Hauptphase das Bewegungsziel unmittelbar realisiert. Das Ziel kann darin bestehen, z. B. ein Sportgerät möglichst weit zu werfen, einen Sprung möglichst weit oder hoch auszuführen. Dabei können folgende charakteristische **Merkmale der Hauptphase** unterschieden werden:

- Der ganze Körper kann beschleunigt werden. Dies ist z. B. bei Sprüngen der Fall.
- Endglieder (Fuß, Hand, Kopf) können über Gliederketten beschleunigt werden. Dem Rumpf kommt dabei eine Übertragungsfunktion zu (s. dazu Koppelungsfähigkeit).
- Bei vielen sportlichen Bewegungen sind beide Formen miteinander verbunden. Als Beispiel kann hier der Sprungwurf im Handball oder im Basketball angeführt werden.

Optimale Voraussetzungen für die Hauptphase werden, wie schon erwähnt, in der **Vorbereitungsphase** geschaffen. Diese Phase ist z. B. gekennzeichnet durch Bewegungen, die der Bewegungsrichtung der Hauptphase entgegengerichtet sind (z. B. Ausholbewegung beim Wurf). Ihre funktionale Bedeutung läßt sich biomechanisch und muskelphysiologisch erklären.

Biomechanische Gesichtspunkte:

- Das Prinzip der maximalen Anfangskraft.
- Bei Angleit- und Anlaufbewegungen (Kugelstoß, Speerwurf) fällt auf, daß sie die gleiche Bewegungsrichtung wie die Hauptphase haben. Die Bedeutung dieser, der eigentlichen Ausholbewegung vorausgehenden Bewegungen, läßt sich über das Impulserhaltungsgesetz erklären. Durch das Anlaufen beim Speerwurf z. B. erfahren Körper und Wurfgerät bereits eine Grundbeschleunigung, die auf die Hauptphase übertragen werden kann.

Muskelphysiologische Aspekte:

- Bei bremsender, nachgebender Muskelarbeit läßt sich durch Verwertung von Dehnreflex, Vorinnervation und der elastischen Komponente des Muskels eine höhere Muskelspannung erreichen als bei positiver Beschleunigung aus einer ruhigen Position. Im zweiten Fall werden die Muskeln ohne Vordehnung kontrahiert (vgl. dazu WEINECK 1985, S. 150).

Nach Beendigung der Hauptphase folgt die **Endphase**. Ihre Hauptaufgabe besteht darin, den Körper, der sich in der Hauptphase zumeist in einem labilen Gleichgewicht befindet, in eine stabile Körperlage zurückzuführen. Das Abbremsen des Körpers kann dabei auf zwei Arten erfolgen:

- aktiv (Wenn durch Wettkampfvorschriften bedingt der Körper an einem bestimmten Punkt zum Halten gebracht werden muß, z. B. Speerwurf, Kugelstoß usw.)
- passiv (wenn der Körper z. B. ausrollen oder ausschwingen kann).

Zwischen Vorbereitungs-, Haupt- und Endphase bestehen Zweck- und Ergebnisbeziehungen. So bestimmt die Hauptphase die Ausholphase und die Endphase. Es können aber auch Relationen bestehen zwischen Endphase und Vorbereitungsphase. Auf die Praxis übertragen bedeutet dies, daß z. B. die Vorbereitungsphase im Pferdsprung (z. B. die Geschwindigkeit des Anlaufs) so gestaltet sein muß, daß der Turner entsprechend der Wettkampfvorschriften sicher zum Stand kommt.

Bei unseren bisherigen Betrachtungen wurde von einem einmaligen Bewegungsvollzug, bestehend aus Vorbereitungs-, Haupt- und Endphase, ausgegangen. Sie werden als **azyklische** Bewegungen bezeichnet. Es gibt aber auch Bewegungen, bei denen der Bewegungszweck nicht über eine einzige, sondern über mehrere gleichartige Bewegungen mit gleicher Grundstruktur in der Hauptphase erreicht werden kann. Wir finden dies bei den sog. **zyklischen** Bewegungen z. B. im Laufen, Schwimmen, Rudern usw. Charakteristisch für zyklische Bewegungen ist, daß die Endphase, die an die vorausgehende Hauptphase anschließt, Vorbereitungsphase für die darauffolgende Hauptphase ist.

So kommt es zwischen Endphase und Vorbereitungsphase zu einer Phasenverschmelzung. Daraus entsteht eine sog. Zwischenphase.

Dies erklärt, daß bei zyklischen Bewegungen durch den fließenden Übergang von Endphase zu Vorbereitungsphase nur eine zweiphasige Bewegungsstruktur erkennbar ist.

Neben diesen beiden genannten Grundstrukturen können verschiedene Strukturvarianten ergänzend dargestellt werden:

Mehrfache Ausholbewegung

Sie kann verschiedene Gründe haben:

- Biomechanische Begründung zur Verlängerung des Beschleunigungswegs oder Veränderung des Arbeitswinkels.
  Bei bestimmten Bewegungen ist eine Ausholbewegung zur Ausholbewegung erforderlich (z. B. Anschwungbewegung zum Abschwingen von der Reckstange beim Felgumschwung vorlingsrückwärts am Reck).

– Kinästhetische Begründung

Das „Vorfühlen" im Sinne einer kinästhetischen Bahnung finden wir z.B. bei den mehrfachen Ausholbewegungen im Diskuswerfen.

Die Unterdrückung der Ausholbewegung

Wir wissen, daß die einzelnen Phasen in enger Beziehung zueinander stehen und daß für eine optimale Bewegungsausführung die Vorbereitungsphase eine entscheidende Bedeutung hat. Es gibt aber dennoch Bewegungen, bei denen die Vorbereitungsphase, hier speziell die Ausholbewegung, aus taktischen Gründen unterdrückt wird. Beispiel: Würfe ohne Ansatz in den Sportspielen, Startsprungvariante im Schwimmen (Grab-Start).
Diese Art der Strukturveränderung bringt Vorteile und Nachteile.

– Vorteile insofern, als es dadurch möglich ist, z. B. den Gegner zu täuschen (ansatzlose Würfe im Spiel) oder die Startzeiten im Schwimmen zu verkürzen.
– Nachteilig ist die geringere Weite der Startsprünge im Schwimmen bzw. die geringere Zielgenauigkeit und Wurfweite z. B. im Handball.

Die Bewegungskombination

Werden mehrere azyklische Bewegungen miteinander verbunden, wird also die Endphase der vorausgehenden Bewegung zur Vorbereitungsphase für die unmittelbar nachfolgende Bewegung, so spricht man von Bewegungskombination. Wir finden diese Strukturvarianten z. B. in der Verbindung von Fangen und Werfen und bei allen Übungsverbindungen im Gerätturnen (z. B. Handstützüberschlag und Salto vorwärts).

Täuschungshandlungen

Eine besondere Art der Bewegungsstruktur ist bei Täuschungshandlungen gegeben. Hierbei wird die Bewegung mit der Vorbereitungsphase zu einer bestimmten Hauptphase eingeleitet. Diese Vorberei-

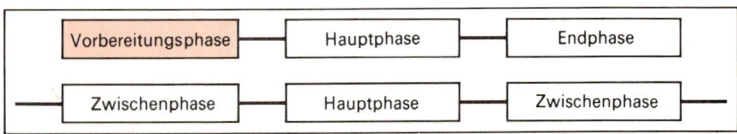

Abb. 4.8: Phasenstruktur A azyklische Bewegungen, B zyklische Bewegungen.

Abb. 4.9: Bewegungskombination von Radwende und Twistsalto.

tungsphase wird abgebrochen, und eine andere Hauptphase mit unterdrückter Vorbereitungsphase wird angefügt. Als Beispiel sei hier die Ausholbewegung zum Schmetterschlag im Volleyball genannt, auf die nicht der Schlag (Hauptphase), sondern z. B. der Lob (andere Hauptphase) folgt.

4.5.1.2 Der Bewegungsrhythmus

Zwischen den im Rahmen der Bewegungshandlung schon besprochenen koordinativen Fähigkeiten und den daraus resultierenden Bewegungsmerkmalen besteht ein kausaler Zusammenhang. Es genügt daher, Bezüge zwischen den schon besprochenen koordinativen Fähigkeiten und den Bewegungsmerkmalen herzustellen.
Die Ausprägung des Bewegungsrhythmus als Bewegungsmerkmal ist abhängig von der Rhythmisierungsfähigkeit und der Differenzierungsfähigkeit.

Bewegungsrhythmus findet seinen äußerlich erkennbaren Niederschlag in der Zeit, in der Kraft, in der Form und im Raum. Er kann über kinästhetische Empfinden bei Ausführenden und Betrachtenden subjektiv empfunden werden (CARPENTER-Effekt, S. 107). Objektivieren läßt sich der Bewegungsrhythmus durch Messungen der Muskeldynamik.

Morphologisch betrachtet ist der Bewegungsrhythmus durch den Wechsel von Spannungs- und Entspannungsphasen gekennzeichnet. Diese Abfolge kann je nach Bewegungskönnen unterschiedlich in Erscheinung treten, wobei auch die zeitliche Komponente des Bewegungsrhythmus Veränderungen unterliegen kann. Sie wird als Takt bezeichnet. Mängel im Wechsel von Spannung und Entspannung drücken sich in verminderter Leistung aus. Schnelle Ermüdung hat ebenfalls ihre Ursache in mangelhaftem Bewegungsrhythmus (vgl. Ermüdung, S. 220). Unrhythmisch ist eine Bewegung nur dann, wenn ein Wechsel von Spannung und Entspannung nicht mehr erkennbar ist (z. B. bei der Abfahrt eines Skianfängers mit fixierten Gelenken oder beim langsamen Lauf in den Handstand beim Turnen).

4.5.1.3 Bewegungskoppelung

Das Gelingen des Standwurfs im Basketball z. B. setzt eine optimale Ausprägung des Merkmals Bewegungskoppelung voraus. Hier müssen in der richtigen räumlichen und zeitlichen Aufeinanderfolge Streckbewegungen einzelner Gelenke und damit Impulsübertragungen aufeinander aufbauen. Die Beinstreckung und die Streckung des Wurfarmes erfolgen zunächst gleichzeitig (simultan). Der Armstreckung folgt die Handgelenkstreckung (Sukzessiv-Koppelung).

Die Bewegungskoppelung drückt also das zweckmäßige Zusammenspiel der Teilbewegungen in einem Bewegungsverlauf aus. Dies läßt sich erklären über die Schwungübertragung (Impulsübertragung) und die zeitliche Verschiebung der Teilbewegungen.

Wie am Beispiel Bewegungsrhythmus bereits erwähnt, besteht auch bei der Bewegungskoppelung eine enge Beziehung zur entsprechenden koordinativen Fähigkeit, hier der Koppelungsfähigkeit (s. dazu S. 88).

4.5.1.4 Der Bewegungsfluß

Bewegungsfluß zeichnet sich dadurch aus, daß grob gesehen die Übergänge zwischen den Phasen, in die sich eine Bewegung strukturieren läßt, fließend und rund sind.

Bei minderer Ausprägung dieses Merkmals werden die Bewegungen in räumlicher Hinsicht eckig, in zeitlicher abgehackt und in dynamischer Hinsicht verspannt ausgeführt.

4.5.1.5 Die Bewegungspräzision/Bewegungskonstanz

Bei vielen sportlichen Bewegungen ist der Zweck darin zu sehen, ein bestimmtes Ziel zu treffen. Als Beispiele seien hier Fechten, Boxen, Werfen, Schießen usw. genannt. Die Genauigkeit des Auftreffens im Ziel ist abhängig davon, daß dem Arm (Schlag) bzw. dem Wurfgerät ein ganz bestimmter feinabgestimmter Bewegungsimpuls erteilt wird.

> Das Kennzeichen der Bewegungspräzision ist somit die Ziel- bzw. Treffgenauigkeit.

Dieses Merkmal ist relativ leicht zu objektivieren, da sich die Abweichungen vom Ziel erkennen und auch messen lassen. Bewegungspräzision ist abhängig von der Koppelungsfähigkeit (s. a. Kinetion/Modulation), der Orientierungsfähigkeit und der Differenzierungsfähigkeit.

> Unter dem Merkmal „Bewegungskonstanz" verstehen wir den Grad der Übereinstimmung wiederholt ausgeführter Bewegungsabläufe (zyklisch/azyklisch).

Bewegungskonstanz läßt sich in vielfältiger Weise objektivieren. Zum Beispiel kann die Schrittweite gemessen, die Schwimmzüge, die ein Schwimmer für eine bestimmte Strecke braucht, können gezählt werden. Die Messung der Bewegungskonstanz kann allgemein über Weg-Zeit-Kennlinien etc. erfolgen.

Abb. 4.10: Bewegungspräzision beim Pistolenschießen.

Neben koordinativen Fähigkeiten sind auch konditionelle Fähigkeiten für die Ausprägung dieser Merkmale mitentscheidend. Die Schrittlänge eines Läufers kann z. B. nur konstant sein, wenn er über die nötige Ausdauerfähigkeit verfügt.

4.5.1.6 Der Bewegungsumfang

Mit dem Bewegungsumfang bezeichnet man die räumliche Ausdehnung einer Bewegung.
Anhand einiger Beispiele soll der unterschiedliche Bewegungsumfang bei einzelnen Sportarten dargestellt werden. Es gibt z. B. unterschiedliche Zugmuster beim Schmetterlingsschwimmen, große und kleine Ausholbewegungen beim Schwimmstart usw.

4.5.1.7 Das Bewegungstempo/Die Bewegungsstärke

Das Bewegungstempo ist das Maß für die Geschwindigkeit einer Bewegung. Die Bewegungsstärke drückt den Krafteinsatz im Bewegungsvollzug aus.

Zusammenfassend kann festgestellt werden, daß alle Bewegungsmerkmale einer detaillierten Kennzeichnung des Bewegungsablaufs dienen. Jedes Merkmal kennzeichnet in bestimmter Weise den Bewegungsvollzug. Einzelne Merkmale beeinflussen sich wechselseitig, mangelnde Bewegungspräzision zieht zwangsläufig unvollkommene Bewegungskonstanz nach sich.

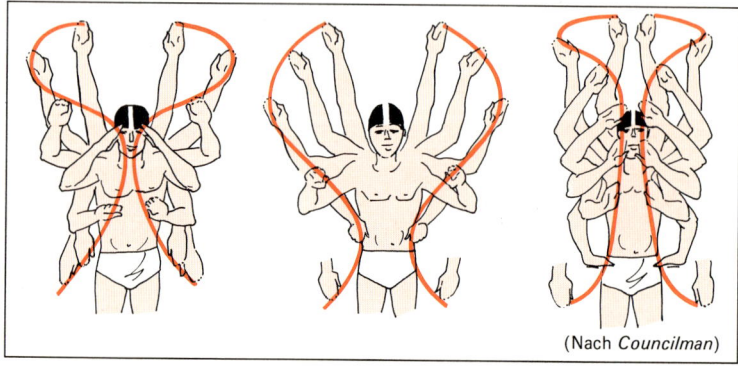

(Nach *Councilman*)

Abb. 4.11: Unterschiedlicher Bewegungsumfang des Armzugs beim Schmetterlingsschwimmen.

Die quantitativen Bewegungsmerkmale weisen außerdem unterschiedliche Komplexität auf. Wir unterscheiden sog. elementare Bewegungsmerkmale, wie Bewegungsumfang von komplexen Bewegungsmerkmalen, Bewegungsrhythmus und Bewegungskopplung. Komplexe Merkmale schließen mehrere elementare Merkmale ein.

4.5.2 Bewegungsanalysen nach Sequenzen

Eine sensomotorische Sequenz ist in Anlehnung an UNGERER (1977) ein Abschnitt einer sensomotorischen Fertigkeit, der durch einen bestimmten Raumweg und eine bestimmte Ablaufzeit eines bestimmten Körperpunktes markiert ist. Dadurch können zwei Punkte ermittelt werden, die die Grenzen der sensomotorischen Sequenz darstellen. An diesen Punkten erfolgt eine Änderung der Bewegungsrichtung.

Beispiel Wurfbewegung:
Die Bewegung des Wurfarms stellt eine sensomotorische Sequenz dar. Sie beginnt dort, wo die Ausholbewegung beendet ist und endet dann, wenn das Wurfgerät die Hand verläßt, die dann die von der Wurfbewegung bestimmte Bewegungsrichtung ändert.
Eine sportliche Bewegung setzt sich aus einer Vielzahl von Sequenzen zusammen. Diese Sequenzen haben alle für den Bewegungsablauf eine mehr oder weniger große Bedeutung. Die Sequenzen, die

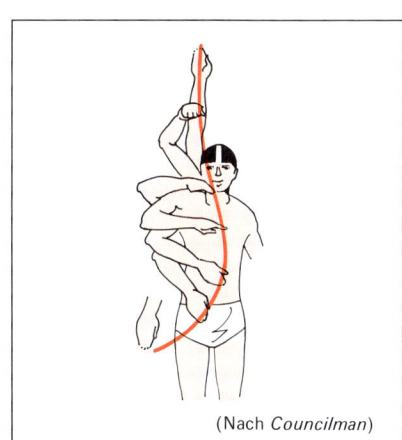

Abb. 4.12: Eine Bewegungssequenz innerhalb des Armzugs beim Kraulschwimmen.

(Nach *Councilman*)

für die Zielerreichung, damit auch für das motorische Lernen bestimmend sind, werden als Schlüsselsequenzen bezeichnet. So kann man z. B. den Armzug im Kraulschwimmen in zwei Schlüsselsequenzen unterteilen:

1. Sequenz: Vom Wasserfassen über die Zugphase bis zur Beendigung der Druckphase.
2. Sequenz: Ende der Druckphase bis zum erneuten Wasserfassen.

Durch das Verknüpfen mehrerer Sequenzen entsteht, wie hier bereits angedeutet, ein Sequenzkomplex (z. B. Armzugmuster beim Kraulschwimmen: Unterwasser- und Überwasserzug) mit einer typischen, räumlichen und zeitlichen Verlaufsform, der allgemein als Superzeichen benannt werden kann. Den Vorgang der Sequenzverknüpfung zu komplexen Bewegungsabschnitten bis hin zur Gesamtbewegung nennt man Superierung. Zusammenfassend lassen sich die Begriffe wie folgt charakterisieren:

Sequenz: Teilbewegung
Schlüsselsequenz: bedeutsame, lernrelevante Teilbewegung (z. B. s-förmiges Zugmuster beim Kraulschwimmen)
Superierung: Verknüpfung von Schlüsselsequenzen und Sequenzen zu Sequenzkomplexen (z. B. Unterwasser- und Überwasserbewegung des Armes= Superzeichen – untere Zeichenebene). Die Superierung wird fortgesetzt bis zur höchsten Zeichenebene, d. h. der Verknüpfung aller Schlüsselsequenzen und Sequenzen (= Gesamtbewegung).

4.5.3 Bewegungsanalyse nach Funktionalität

Jede Sportbewegung läßt sich in eine Vielzahl von Teilbewegungen zerlegen, die für das Erreichen des Bewegungsziels eine bestimmte Funktion tragen können.

Wie bereits an anderer Stelle beschrieben, werden Bewegungsabläufe im Sport allgemein in Phasen unterteilt. Wir stellen eine Einteilung in Vorbereitungsphase, Hauptphase und Endphase (azyklische Bewegung) sowie in Hauptphase und Zwischenphase (zyklische Bewegung) vor.
Die Hauptphase wird auch als Hauptfunktionsphase bezeichnet (vgl. dazu GÖHNER 1979). Ihre Funktion ist dadurch charakterisiert, daß in

ihr die eigentliche Bewegungsaufgabe bewältigt wird. Daher ist sie nicht austauschbar. Die Vorbereitungsphase kann nach GÖHNER auch in sog. Hilfsfunktionsphasen unterteilt werden, die je nach ihrer zeitlichen Anbindung an die Hauptfunktionsphase von unterschiedlicher Gewichtung sind (s. Abb. 4.13). Die Endphase wird auch als Übergangsphase bezeichnet. In dieser Phase wird der Körper aus einer labilen in eine stabile Gleichgewichtslage gebracht. Sie kann aber auch mit der Vorbereitungsphase einer nachfolgenden Bewegung verschmelzen (Phasenverschmelzung bei Bewegungskombination; s. a. zyklische Bewegungen).

Die Einteilung des Bewegungsablaufs in Phasen läßt es, besonders bei komplizierten Bewegungen, kaum zu, funktionale Zusammenhänge von gleichzeitig und nacheinander ablaufenden Teilbewegungen transparent zu machen.

Die Untergliederung einer Bewegung in Aktionen und deren funktionale Bedeutung zeigt dies besser auf. Unter Aktion versteht man alle für das Erreichen des Bewegungsziels wesentlichen und unwesentlichen Teilbewegungen. Zur Darstellung der funktionalen Zusammenhänge werden nur die funktionstragenden Aktionen herausgestellt. Die Aktionen (Teilbewegungen) sind in einem Bewegungsablauf miteinander verbunden. Eine unmittelbare Verknüpfung wird als Sukzessivkoppelung (zeitliches Nacheinander), der gleichzeitige Ablauf als Simultankoppelung bezeichnet.

Die Aktionen können entsprechend ihrer spezifischen Funktionen in bestimmte Kategorien eingeteilt werden.

So wird unterschieden in:

Vorbereitende Aktionen

Ihre Funktion bezieht sich auf eine nachfolgende Aktion. Dabei geht es um das Erreichen von bestimmten Ortsstellen, bestimmten Raumlagen oder Körperpositionen.

Beispiel: Die Rücknahme des Speeres in die Wurfauslage ist die vorbereitende Aktion für die nachfolgende Aktion Wurfbewegung.

Unterstützende Aktionen

Sie beziehen sich auf gleichzeitig ablaufende Aktionen.

Beispiel: Wurfbewegung im Speerwurf (Armzug) und gleichzeitige Stemmbewegung des Stemmbeins.

Überleitende Aktionen

In diesem Fall wird auf eine bereits abgelaufene Aktion Bezug genommen (in Anlehnung an GÖHNER).

(quant./qual. Merkmale)[1]								

Bewegungsanalyse	morphologisch	Phasen	Vorbereitungsphase (Hilfsfunktionsphasen)						
		Phasenbeschreibung	Absenken des KSP und Rückrollen bis zum Aufgreifen der Hände						
		Aktionen/ Positionen	Kopf vorbeugen			Kopf vorgebeugt			
			Hüfte beugen			Hüftwinkel fixieren			
			Arme zurückführen		Hände aufsetzen	Griff lösen	Arme, Handgelenke beugen	Hände aufsetzen
	funktional	biomechanisch	Absenken des KSP Ausnutzen der Lageenergie			Teilrotation			
					Stemmen der Arme	Veränderung des Trägheitsmoments durch Hüftbeugung			
		physiologisch	Kontraktion der Beinmuskulatur		Vordehnung der Rückenmuskulatur, u. a.				
			⟶ Steuerfunktion des						

Abb. 4.13: Darstellung verschiedener Verfahren der Bewegungsanalyse anhand einer Verlaufsanalyse der Felgrolle am Boden.

[1] Die Merkmale werden unter Punkt 4.5.1 beschrieben.

Beispiel: Beim Salto vorwärts am Boden ist die Rotation des Körpers im Flug eine Aktion. Das „Öffnen" vor der Landung ist, darauf bezogen, eine nachfolgende Aktion. Zeitpunkt und Dynamik des Öffnens werden bestimmt durch die Rotationsgeschwindigkeit und Flughöhe in der Aktion „Rotation".

Die Funktionen der einzelnen Aktionen können nach verschiedenen Gesichtspunkten, d. h. von verschiedenen wissenschaftlichen Positionen aus, beschrieben werden. Man kann unterscheiden zwischen **biomechanischen, physiologischen** und **anatomischen** Funktionen. Biomechanische Funktionen sind z. B. die Verringerung des Trägheitsmoments bei Rollbewegungen oder die Koppelung der Teilbewegungen bei Zielwürfen. Als physiologische Funktionen werden Muskelkontraktion und Muskelvordehnung angesehen. Anatomische Funktionen betreffen z. B. Gelenkstellungen oder die Wirkungen von Muskelkontraktionen.

Hauptphase (Hauptfunktionsphase)		Endphase (Übergangsfunktionsphase)		
Felgbewegung		Absenken der Beine bis zum Aufsetzen der Füße, Aufrichten zum Stand		
Kopf zurück-beugen	Kopf zurück-gebeugt	Kopf vorbeugen	Kopf heben	
Hüfte strecken		Hüfte beugen		Hüfte strecken
Arme strecken		Arme gestreckt	Griff lösen	Arme zurück-führen
Übergang von Rotation zu Translation				
Koordination der Teilimpulse		Veränderung der Schwerpunktlage, dadurch Absenken der Beine möglich		Stabilisierung der KSP-Lage im Stand
Feindosierte koordinierte Muskelkontraktionen (Rumpf, Arme)				Muskelentspannung
Kopfes ———▶				

Um den funktionalen Zusammenhang in einem Bewegungsablauf unter den oben genannten Gesichtspunkten einsichtig zu machen, wird ein Bewegungsablauf analysiert.
In der Praxis werden die genannten Verfahren der Bewegungsanalyse meist in Verbindung miteinander verwendet. In Abbildung 4.13 werden die verschiedenen Verfahren zur Bewegungsanalyse im Überblick dargestellt.

4.6 Meßmethoden zur Objektivierung der Bewegungskoordination

Die Bewegungen des Menschen als Ortsveränderungen in Raum und Zeit und die dazu benötigte Kraft sowie weitere Fähigkeiten können durch eine Vielzahl von Meßverfahren objektiviert werden. Gemessen oder beurteilt werden können

1. Bewegungsquantität,
2. Bewegungsqualität.

Die **Bewegungsquantität** umfaßt objektiv meßbare (C-G-S-System) und zählbare Merkmale. Sie lassen sich unterteilen in:

a) Kinematische Merkmale. Dies sind Orts- und Lageveränderungen des gesamten Bewegungssystems und seiner Teile. Dazu gehören:
   - Längenmerkmale (Schrittlänge, Sprungweite usw.),
   - Zeitmerkmale (Zeiten bestimmter Bewegungsabläufe bzw. Abschnitte daraus),
   - Wegmerkmale (Lagebeziehungen zwischen den Längsachsen, Gelenkwirbel),
   - Geschwindigkeits- und Beschleunigungsmerkmale.

b) Dynamische Merkmale. Sie beschreiben die Ursachen für Orts- und Lageveränderungen (Impulse, Impulsübertragungen, Drehimpulse, u. a.).

Die **Bewegungsqualität** bezieht sich auf die äußerliche, morphologische Seite von Bewegungen. Sie wird durch die optische, akustische und kinästhetische Wahrnehmung erfaßt (Eindruckanalysen).

4.6.1 Ausgewählte Methoden zur Messung der Bewegungsquantität

Methoden zur Messung kinematischer Merkmale

Einfachste Meßmethoden sind die Zeitnahme mit Hilfe der Stoppuhr, das Messen durch Bandmaß, das Zählen von Bewegungsfrequenzen (C-G-S-System. Erläuterung der Buchstaben: C=Zentimeter, G=Gramm, S=Sekunde).

Meßmethoden, die an komplizierte apparative Voraussetzungen gebunden sind, sollen im folgenden vorgestellt werden:

- Eine einfache Methode ist die **Fotografie**, also die Erstellung eines Einzelbildes. Damit kann allerdings nur ein bestimmter Bewegungsausschnitt erfaßt werden. Er kann Aufschluß geben z. B. über Körperhaltung, Winkelstellung von Gelenken und Sprunghöhen.

- Will man dagegen den Raumweg, den bestimmte Körperteile während einer Bewegung zurücklegen, erfassen, so kann man sich der **Lichtspuraufnahmen** bedienen. Die Aufnahmetechnik ist relativ einfach. Die zu beobachtenden Körperteile werden mit

Abb. 4.14: Lichtspuraufnahme bei einer Schwebekippe am Reck. Die Lämpchen wurden am Knöchel, an der Hüfte und am Oberarm angebracht.

farbigen Lämpchen versehen, die von einer einfachen Taschenlampenbatterie gespeist werden. Ein einfacher Fotoapparat mit geöffnetem Objektiv zeichnet in einem leicht abgedunkelten Übungsraum die Raumwege auf (Abb. 4.14).

– Beabsichtigt man allerdings, neben dem Raumweg auch die Zeit festzuhalten, in der bestimmte Körperteile den Raum durchmessen, so ist es notwendig, die Lämpchen zusätzlich mit einem **Impulsgeber** zu versehen. Die auf dem Negativ erscheinenden Abstände der Lichtpunkte sind das Maß für die benötigte Zeit. Je langsamer eine Bewegung abläuft, desto mehr Lichtpunkte zeichnen sich ab, je schneller, desto weniger.

– Bei den beiden zuletzt genannten Aufnahmetechniken ist der Körper allerdings nicht sichtbar. Wird dies gewünscht, so muß man sich der **Chronozyklografie** bedienen. Diese Aufnahmetechnik läßt sich vereinfacht so beschreiben:
Vor dem Objektiv der Kamera ist eine rotierende Schlitzscheibe angebracht. Die Scheibe dreht sich in einer bestimmten Geschwindigkeit. Bei starrer Kameraeinstellung auf den Bewegungsablauf und offenem Kameraverschluß wird nun jeweils bei Freigabe des Blickfeldes das Objekt abgebildet. Bei langsamen Be-

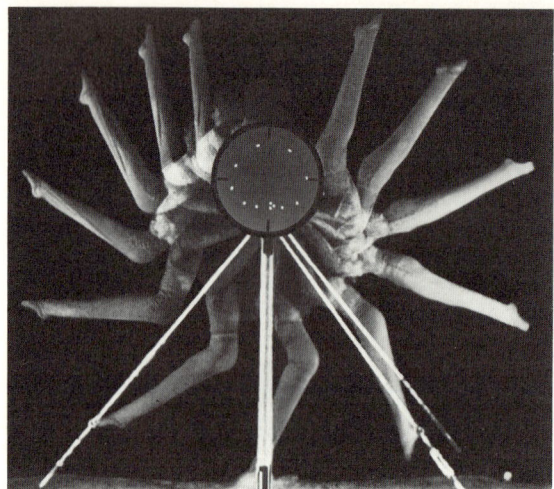

Abb. 4.15: Analysierende Bewegungsdarstellung mit Hilfe der Chronozyklografie

wegungen bilden sich dann in einem bestimmten Bereich viele Bilder, bei schnellen Bewegungen wenig Bilder ab. Diese Aufnahmetechnik ist nur bei translatorischen oder rotatorischen Bewegungen in einem Durchlauf möglich. Bei Auf- und Abbewegungen überdecken sich die belichteten Phasen (Abb. 4.15).

– Die **Serienfotografie** ermöglicht eine Abbildung von Bewegungsfolgen. Der Filmtransport erfolgt hierbei durch einen Motor. So ist es möglich, innerhalb einer Sekunde mehrere Aufnahmen auszuführen. Diese Art der Aufnahmetechnik gibt allerdings keinen Aufschluß über die Bewegungszeit.

Methoden zur Messung dynamischer Merkmale

– Soll die bei der Bewegung auftretende Kraft gemessen werden, so werden Meßverfahren der **Dynamografie** angewendet. Früher wurde die Kraftwirkung mechanisch über Federwaagen und besonders konstruierte elastische Unterlagen gemessen. Heute stehen dafür sehr präzise Apparaturen zur Verfügung, die gleichzeitig drei Kraftrichtungen messen und registrieren können (Quarzkristall-Mehrkomponenten-Meßplattform). Mit solchen Meßanlagen kann die Abdruckkraft, z. B. beim Hochsprung, gemessen werden.

160

4.6.2 Ausgewählte Methoden zur Beurteilung der Bewegungsqualität

Über die Filmtechnik (8 mm/16 mm) ist man in der Lage, durch Beobachtung sowohl den räumlichen als auch den zeitlichen Verlauf von Sportbewegungen zu erfassen und zu beurteilen und damit Rückschlüsse auf qualitative Bewegungsmerkmale (z. B. Bewegungsrhythmus) zu ziehen. Es kann aber auch umgekehrt von qualitativen auf quantitative Merkmale geschlossen werden.

Bei Aufnahmegeschwindigkeiten von mehr als 18 Bildern/s kann die Bewegung zudem in „Zeitlupe" wiedergegeben werden. Die zeitliche Dimension der Bewegung wird dadurch allerdings verzerrt. Moderne Aufnahme- und Wiedergabetechniken lassen auch Standbildprojektion zu.

Die Videotechnik läßt sich zur Objektivierung von Bewegungsabläufen ähnlich einsetzen wie der Film. Problemlos läßt sich hier zusätzlich zum Bild auch der Ton aufzeichnen, so daß sie sich vorzüglich für die Aufnahme von Sportbewegungen eignet, die in Verbindung mit Musik durchgeführt werden (Eiskunstlauf, Bodenturnen mit Musik, Tanz usw.). Videotechnik eignet sich besonders für Schnellinformationen.

Neben den hier behandelten speziellen Verfahren zur Objektivierung von quantitativen und qualitativen Maßnahmen der Bewegungskoordination gibt es grundständige Datenerhebungsverfahren zur Messung von menschlichem Wahrnehmungs- und Bewegungsverhalten sowie von sozialem Verhalten. Sie werden in Kapitel 6 behandelt und sind auch auf Bereiche der Bewegungskoordination anwendbar.

Lernerfolgskontrolle

1. Erläutern Sie den Koordinationsbegriff aus der Sicht der sportwissenschaftlichen Bereiche Sportpädagogik, Sportphysiologie, Biomechanik.

   a) Unter welchen Aspekten kann die Bewegungskoordination im Rahmen der Bewegungshandlung betrachtet werden?

   b) Von welchen motorischen Zentren wird die Bewegungskoordination bestimmt, welche Aufgaben haben sie?

   c) Auf welche Weise läßt sich der Prozeß der Bewegungskoordination und die damit in Zusammenhang stehende Bewegungssteuerung und -regelung darstellen?

   d) Überlegen Sie sich anhand von Beispielen aus der Sportpraxis die Entwicklung der Bewegungskoordination vom „Nichtkönner" zum „Könner".

2. Der Vorgang der Verbesserung der Bewegungskoordination setzt voraus, daß ständig Vergleiche zwischen angestrebtem Ziel und erreichtem Ziel stattfinden.
   a) Wie wird dieser Vorgang bezeichnet?
   b) Wie läßt sich dieser Vorgang erklären?
   c) Was versteht man in diesem Zusammenhang unter intrinsischem und extrinsischem Feedback, Feedforward-Mechanismen?
3. Bewegungsanalysen sind Verfahren zur Beurteilung und Beschreibung der Bewegungskoordination.
   a) Wie lassen sich die Betrachtungsweisen von „Bewegung" grob strukturieren?
   b) Welche gebräuchlichen Analyseverfahren gibt es?
4. Was versteht man unter der „Phasenstruktur" einer Bewegung?
   a) Nach welchen Phasen kann eine „zyklische", eine „azyklische" Bewegung unterteilt werden?
   b) Welche Bedeutung haben die einzelnen Phasen für das Zustandekommen einer Bewegung?
5. In der Sportpraxis gibt es Bewegungsformen, die von einer der genannten Grundstrukturen abweichen.
   a) Um welche Bewegungsformen handelt es sich dabei?
   b) Welche Bedeutung haben die Strukturvarianten in der Sportpraxis?
6. Was versteht man unter den Bewegungsmerkmalen Bewegungskoppelung, Bewegungsfluß, Bewegungspräzision, Bewegungsumfang, Bewegungstempo, Bewegungsstärke?
7. Was beinhaltet eine Bewegungsanalyse nach Sequenzen? Erläutern Sie in diesem Zusammenhang die Begriffe Schlüsselsequenz, Superierung.
8. Von welchen Überlegungen geht eine Bewegungsanalyse nach Funktionalität aus?
   a) Welche Bedeutung wird dabei den funktionstragenden Aktionen beigemessen?
   b) Nach welchen Gesichtspunkten können die Funktionen der verschiedenen Aktionen untersucht werden?
9. Nennen Sie gebräuchliche Meßmethoden und Verfahrensweisen zur Objektivierung
   a) der Bewegungsquantität,
   b) der Bewegungsqualität.

5   Motorisches Lernen

5.1   Einleitende Hinweise – Begriffsbestimmung

Der Mensch kommt als „instinktentlastetes" Wesen, als „Mängelwesen" auf die Welt (siehe dazu: Anthropologische Bemerkungen zur Bedeutung des Bewegens S. 4). Im Gegensatz zum „instinktgesicherten" Tier ist er gezwungen, sich seine Welt individuell zu erschließen und zu gestalten. Das bedeutet, daß er Verhaltensweisen und Strategien zur Lebensbewältigung erst erlernen muß. Lernen wird als Erwerb relativ überdauernder Erfahrungen, welche Verhalten und Verhaltensmöglichkeiten verändern, angesehen. Nicht gemeint sind dabei Einflüsse auf das Verhalten oder auf Verhaltensmöglichkeiten, die auf Ermüdung, Entwicklung, Drogen o. ä. zurückzuführen sind. Im Zuge individueller Informationsverarbeitung kommt es beim Lernenden zur Ausbildung und Korrektur von Gedächtnisbesitz (vgl. KLIX 1971, S. 347 f).
Lernen erstreckt sich auf verschiedene Bereiche des menschlichen Verhaltens, die in verschiedenen Arten des Lernens zum Ausdruck kommen. Es sind dies u. a. *motorisches* Lernen, *kognitives* und *emotionales* sowie *soziales Lernen.*

Das **motorische Lernen** setzt sich aus verschiedenen Prozessen zusammen, besonders bezogen auf Informationsaufnahme und -verarbeitung. Diese Prozesse führen zu einer relativ dauerhaften Veränderung des motorischen Verhaltens. Im Kern bezieht sich das motorische Lernen auf den Erwerb von Bewegungsabläufen oder von Techniken, die vorher im individuellen Bewegungsrepertoire nicht verfügbar waren.

Das **kognitive Lernen** ist ausgerichtet auf das Verstehen und Behalten bestimmter Sachverhalte. Auf den Sport bezogen sind dies z. B. Regeln, taktische Verhaltensweisen, biomechanische Prinzipien und Gesetzmäßigkeiten, Wissen über Trainingsgesetzmäßigkeiten.

Das **emotionale Lernen** bezieht sich auf die Entwicklung der Fähigkeit, eigene Gefühle in bezug auf Sachverhalte und Personen zu erleben und zu kontrollieren.

Unter *sozialem Lernen* versteht man verallgemeinert das Lernen von sozialem Verhalten und Handeln, z. B. Formen des sozialen Umgangs (vgl. BÖHM 1988, S. 548).

Die genannten Bereiche haben eine gewisse Eigenständigkeit, sind aber in der Sportpraxis und Sportunterrichtspraxis meist gekoppelt. Das *motorische Lernen* steht in einem integrativen Zusammenhang zum kognitiven, emotionalen und sozialen Lernen. Motorisches Lernen im engeren Sinne versteht sich als Erwerb der Bewegungskoordination und deren Veränderung. Der Prozeß der Bewegungskoordination ist als Teil der Bewegungshandlung anzusehen und aus diesem Grund von kognitiven und emotionalen Prozessen nicht zu trennen. Verlauf und Ergebnis motorischen Lernens zeigen sich in einer bestimmten Lernleistung. Äußerlich sichtbar wird dies in einer bestimmten Ausprägung qualitativer, quantitativer und stilistischer Bewegungsmerkmale.

Es gibt in der Wissenschaft eine Vielzahl von Theorien und Modellen, die den Vorgang des Lernens allgemein und den des motorischen Lernens im besonderen zu erklären versuchen. Es besteht jedoch weitgehende Übereinstimmung, daß sich das motorische Lernen auf folgende funktionale Grundlagen reduzieren läßt:

- Informationsaufnahme (input)
- Informationsabgabe (output)
- Informationsverarbeitung
- Informationsrückmeldung (feedback)

5.2 Ausgewählte Theorien und Modelle des motorischen Lernens

„Theorien sind dazu da, um Zusammenhänge zwischen Beobachtern verständlich zu machen und können nur so lange Geltung beanspruchen, als sie diese Forderung erfüllen, genauer, solange sie sie besser erfüllen als andere angebotene Theorien" (METZGER 1975, S. 2). Diese Erkenntnis kann auf jede der dem motorischen Lernen zugrundegelegten Theorien angewendet werden.

Die Vielfalt an theoretischen Grundlagen, an Modellen, die das motorische Lernen in der sportwissenschaftlichen Literatur schematisieren, verweist darauf, daß es bislang noch nicht gelungen ist, den Vorgang des motorischen Lernens im Sport unter Einbeziehung aller zu berücksichtigender Aspekte vollständig in einem Modell abzubilden.

Um dem Leser die Schwierigkeit einer möglichst vollständigen Darstellung des motorischen Lernens mit Modellcharakter vor Augen zu führen, sollen einige ausgewählte Lernmodelle, die als mögliche Erklärungsgrundlage in der Sportwissenschaft dienen, in kurzer Form vorgestellt werden. Die Lernmodelle lassen sich hinsichtlich ihrer theoretischen Grundlage wie folgt strukturieren. Es sind dies Modelle auf

– reiz-reaktionstheoretischer Grundlage (Lernen durch klassisches sowie durch operatives Konditionieren),
– kognitiver Grundlage (Einsichtiges Lernen),
– kognitiver und reiz-reaktionstheoretischer Grundlage (Lernen am Modell),
– kybernetisch-informationstheoretischer Grundlage,
– handlungstheoretischer Grundlage.

5.2.1   Reiz-reaktionstheoretische Grundlage

5.2.1.1   Lernen durch klassisches Konditionieren

Die sog. Reflexpsychologie und der sog. Behaviorismus erklären jedes Verhalten von Mensch und Tier auf der Grundlage von S-R-Modellen.

Reiz (Stimulus)   Reaktion (Response)
S   R

(S=Reiz aus der Umwelt; R=ausgelöste Reaktion)
Gelernt wird dann, wenn eine neue, bisher nicht vorhandene S-R-Verbindung zustande kommt. Dies soll anhand eines von PAWLOW (1927) durchgeführten Tierversuchs erläutert werden.

PAWLOW stellte fest, daß bei einer schon bestehenden reflektorischen Verbindung zwischen einem Reiz (Futter) und einer Reaktion des Organismus (z. B. Speichelfluß beim Hund), diese auftretende Reaktion durchaus auch durch einen bislang neutralen Reiz (wie z. B. Glockenton) ausgelöst werden kann. Dabei ist Voraussetzung, daß dieser neue Reiz (Glocke) lange genug mit dem alten Reiz (Futter) gemeinsam auftritt. Der bisherige neutrale Reiz kann dann die Auslösung der Reaktion übernehmen, ohne daß der ursprüngliche Reiz auftreten muß.

Das Lernen besteht in diesem Fall also in einer neuen Assoziation eines anderen Reizes mit derselben Reaktion (Verbindung von S-R).

S (Futter) . . . . R   (Speichelfluß)
S (Ton)   . . . .   (bestehende reflektorische Verbindung)

S_F. . . . .
S_T. . . . . $\Big\rangle$ . . . . R_S (bedingter [1] Stimulus deshalb, weil er mit der Futtergabe zusammenfällt)

S_T . . . . R_S (bedingte Reaktion = gelernte Reizreaktion)

Übertragen wir diesen Vorgang, der als Lernmodell unter dem Begriff – *Reaktives Konditionieren* – bekannt ist, auf ein Beispiel aus der Sportpraxis.

Ein Turner führt eine Rolle vorwärts am Boden aus. Es besteht eine Primärverknüpfung der Bodenmatte (S_1) und der Rolle vorwärts (R_1). Das Lernziel besteht nun darin, die Rolle vorwärts auf einer etwas höheren Unterlage auszuführen (höhere Unterlage=S_2). Nach mehreren Wiederholungen gelingt die Verbindung S_2 mit R_1).

5.2.1.2   Lernen als operatives Konditionieren

Aufbauend auf dem Grundmodell der klassischen Konditionierung wurden in der Lernpsychologie weitere differenziertere Modelle entwickelt, die mehr Aufschluß über die Zusammenhänge von Reiz und Reaktion und die sie bestimmenden Faktoren geben sollen.

Im Gegensatz zum klassischen Konditionieren wird beim operativen Konditionieren die Verbindung von Reiz und Reaktion durch die auf die Reaktion folgende Konsequenz erklärt. Die Konsequenzen können als positiv (Belohnung) oder als negativ (Bestrafung) empfunden werden (vgl. THORNDIKE, SKINNER, HULL). Untersuchungen haben ergeben, daß Reaktionen, die einen befriedigenden Zustand nach sich ziehen, mehr Chancen haben gelernt zu werden, als solche, bei denen der Zustand danach unbefriedigend ist. Reaktionen können ausgelöst werden infolge

– zielloser Aktivität (Versuch und Irrtum),
– Zwang (z. B. Gefahrensituation),
– Nachahmung von beobachtetem Verhalten (z. B. erfolgreiches aggressives Verhalten des Vaters wird nachgeahmt),
– eigenen Nachdenkens (vgl. GABLER 1989, S. 111).

Beim operativen Konditionieren werden im Gegensatz zum reaktiven Konditionieren auch innere Vorgänge, nämlich Bedürfnisse, mitberücksichtigt. Es können dies sein:

---

1 Unter „bedingt" versteht man etwas Erlerntes – unter „unbedingt" etwas Angeborenes bzw. bereits reflektorisch Vorhandenes.

- Primäre Bedürfnisse (angeborene Bedürfnisse), wie z. B. Hunger, Durst, Bewegungsmangel und Triebe.
- Sekundäre Bedürfnisse (erlernte Bedürfnisse), wie z. B. Musik, Sport, Kunst usw.

In Auseinandersetzung mit der Umwelt entwickeln sich daraus beim Menschen Bedürfnisspannungen. Der Mensch ist bestrebt, diese Spannungen abzubauen. Haben seine Aktivitäten zum Abbau der Bedürfnisspannung Erfolg, wird also die Verhaltensreaktion belohnt, so wird er geneigt sein, diese Verhaltensweisen zu wiederholen. Dies zieht einen Lernprozeß nach sich.

Versuchen wir, diese Theorie auf den Sport zu übertragen, so müssen wir einmal feststellen, daß es hier meist nicht um den Abbau von primären, sondern von sekundären Bedürfnissen geht. Ein Bedürfnis im Sport könnte z. B. sein, einen Ball in ein vorgegebenes Ziel zu werfen, ein Hindernis zu überwinden, oder eine steile Wand zu überklettern. Die Wurfform, bzw. die Art und Weise des Kletterns, die vom Ausführenden als erfolgreich erkannt werden kann oder durch Verstärkung, d. h. Lob durch einen Außenstehenden als richtige Reaktion bestätigt wird, führt zu Wiederholungen und damit zum Lernen dieser Reaktion. Auf diesem Weg ist es möglich, Teilreaktionen auf dem Weg zur Zielreaktion durch Verstärkung zu lernen.

Das operative Konditionieren baut darauf auf, daß Konsequenzen, die unser Verhalten nach sich zieht, zukünftiges Verhalten beeinflussen. Der kausale Zusammenhang zwischen Erfolg und Teilbewegungen wird bei diesem Modell nicht deutlich (vgl. Gabler 1986, S. 115). Die konsequenteste Anwendungsform der Prinzipien des Lernens durch Verstärkung ist die programmierte Instruktion, in diesem Zusammenhang das programmierte Lernen (vgl. Schaller 1981).

5.2.2 Lernmodelle auf kognitiver Grundlage/ Lernmodelle auf kognitiver und reiz-reaktionstheoretischer Grundlage

In den Modellen auf reiz-reaktionstheoretischen Grundlagen (klassisches Konditionieren und operatives Konditionieren) wird der Mensch im wesentlichen passiv gesehen. Er soll auf Grund bestimmter Reizkonstellationen bestimmte Reaktionen zeigen. Diese Reaktionen sollen auf Grund der damit verbundenen Erfolgserlebnisse beim Lernenden verstärkt werden. Die Lernmodelle auf kognitiver Grundlage sehen den Menschen nicht passiv. Sie gehen davon aus, daß er sich gedanklich mit dem Lösungsweg auseinandersetzt.

Von der Gestalt- bzw. Ganzheitspsychologie werden modellartige Lernvorstellungen entwickelt, die den Gesichtspunkt ganzheitlicher bzw. gestalthafter Wahrnehmung in den Vordergrund rücken [1]. Ein einfaches Beispiel soll die gestalthafte Wahrnehmung verdeutlichen. Eine Melodie stellt etwas Ganzheitliches dar. Sie ist sozusagen mehr als die Summe von Tönen, aus denen sie sich zusammensetzt. Eine bestimmte Bewegung im Sport wird deshalb auch als Ganzes wahrgenommen und nicht als die Summe der sie zusammensetzenden Teilbewegungen. Aus gestaltpsychologischer bzw. ganzheitspsychologischer Sicht erklärt sich das Lernen als kognitiver Prozeß, in dem ohne vorheriges Probieren ein Lösungsplan erstellt wird. Das bedeutet, daß Teilschritte gedanklich durchprobiert und geordnet werden, bis am Ende der Lösungsweg als Ganzheit gedanklich vorliegt.

Das Lernmodell auf kognitiver Grundlage ist gekennzeichnet durch zwei unterschiedliche Ansätze:

– Lernen durch Einsicht
– Lernen am Modell

Bei letzterem wird sowohl auf behavioristische als auch auf kognitive Lerntheorieansätze zurückgegriffen (BANDURAS/WALTER 1963). Betrachten wir zunächst das einsichtige Lernen etwas genauer.

5.2.2.1 Einsichtiges Lernen

Wie oben erwähnt, werden von der Gestalt- bzw. Wahrnehmungspsychologie modellartige Lernvorstellungen entwickelt. Diese gehen davon aus, daß der Mensch ganzheitlich vorgeht und in Problemsituationen versucht, ohne vorheriges Probieren einen Lösungsplan zu erstellen. Teilschritte zur Lösung der Aufgabe (Bewegungsaufgabe) werden dabei gedanklich durchgespielt und in die Lösung der Aufgabe als Ganzes eingebracht. Dieser Lösungsweg wird in der Gestaltpsychologie als „Einsicht" bezeichnet. Im Volksmund wird das Finden von Lösungsplänen als „Aha"-Erlebnis bezeichnet.

Bei der Erstellung von Lösungsplänen können je nach Kenntnisstand des Ausführenden auch physikalische oder physiologische Gesetzmäßigkeiten verwertet werden. Die Funktion von Teilbewegungen in

---

1 Siehe dazu GALLWEY, beschrieben von K. KOHL in: Lernen im Sportspiel (Hrsg. R. ANDRESEN und G. HAGEDORN).

einem komplexen Bewegungsablauf (z. B. Speerwurf) muß dem Lernenden einsichtig sein oder einsichtig gemacht werden. Er muß also wissen, welche Bedeutung z. B. Rumpfeinsatz und die spezielle Schnellkraft für die Wurfbewegung und damit auch für die Wurfweite beim Speerwurf haben (z. B. Vordehnung, Einsatz großer Muskelgruppen, Bewegungskoppelung, Impulsübertragung).

Bei dem Lernmodell durch Einsicht werden reiz-reaktionstheoretische Ansätze nicht berücksichtigt.

5.2.2.2 Lernen am Modell

Die Theorie des Lernens am Modell geht von der Annahme aus, daß man durch Beobachten und Nachahmen von Verhaltensweisen, die von einem Modell repräsentiert werden (Personen oder Medien), lernen kann. Modelle vermitteln dabei Informationen über die Organisation von Handlungen, die die Grundlage für die Erstellung eines Handlungsplans beim Lernenden bilden (vgl. BANDURA 1976).

Bei diesem Theorieansatz wird sowohl auf behavioristische als auch auf kognitive Ansätze zurückgegriffen. Es erfolgt aber keine Integration der beiden Modelle. Das „Modell-Lernen" baut auf der Tatsache auf, daß komplexe Verhaltensmuster wie z. B. Sprache, Arbeitstechniken, Techniken im Sport nicht ständig neu durch Versuch und Irrtum (operatives Konditionieren) oder den schrittweisen Vollzug über Einsichten (kognitives Lernen) entwickelt werden können. Der Zeitaufwand hierfür wäre zu groß bzw. manche Probleme könnten von einer Person überhaupt nicht gelöst werden (z. B. Erlernen einer Sprache). Auf die Lernpraxis übertragen bedeutet dies, daß nicht einzelne Reaktionen instrumentell miteinander verknüpft, sondern ganze Verhaltensmuster übernommen werden. Die Vermittlung von erprobten und bewährten Verhaltensmustern erfolgt dabei auf unterschiedliche Weise, durch

– das Beobachten realer Modelle (z. B. Übungen werden vorgeturnt, Skilehrer fährt einer Gruppe vor),
– bildlich präsentierte Modelle (z. B. Reihenbilder),
– Erklärungen und Beschreibungen (z. B. Technikbeschreibungen, Erläuterung biomechanischer/physiologischer/anatomischer Zusammenhänge und Gesetzmäßigkeiten),
– Film, Video (Zeitlupenvorführungen etc.).

Bei diesem Lernmodell kann man davon ausgehen, daß der Prozeß der Aneignung (Wahrnehmung) kognitiv abläuft, während beim Vollzug reiz-reaktionstheoretischer Prozesse Erwartung und Verstärkung wirksam werden (vgl. GABLER 1986, S. 199). Das Lernen am Modell ist nur dann erfolgversprechend, wenn das Vorhandensein von

- koordinativen und konditionellen Fähigkeiten, die einen Nachvollzug möglich machen,
- intellektuellen Fähigkeiten und Kenntnissen, die es ermöglichen, Erklärungen zu erfassen und zu bewerten,
- Beobachtungs- und Konzentrationsfähigkeit,
- Gedächtnisleistungen, die es ermöglichen, aufgenommene Informationen bis zum Vollzug zu speichern und reproduzierbar zu machen (verbale und bildliche Kodierung),
- Verstärkungs- und Motivationsprozessen

gegeben ist.

Zusammenfassend kann gesagt werden, daß es sich beim Lernen am Modell nicht um eine eigene Theorie handelt, sondern daß hier versucht wird, zwei Modelle zu verbinden. Über das Lernen am Modell ist es möglich, Bewegungsabläufe in kürzester Zeit zu erlernen. Es wird in der Sportpraxis vor allen Dingen bei der Vermittlung von Techniken und taktischen Konzeptionen angewandt. Besonders erfolgreich ist es dann, wenn Bewegungsabläufe in Verbindung mit Demonstration vollzogen werden. Das Nachahmungslernen basiert in diesem Fall auf visueller und kinästhetischer Wahrnehmung und weniger auf Erklärungen und Erläuterungen. Eine besondere Bedeutung kommt dem Beobachtungslernen in Zusammenhang mit dem sozialen Lernen zu. Dabei geht es um die Aneignung von Verhaltensweisen. Erlernt werden z. B. Bedürfnisse, Einstellungen, emotionale Reaktionen. Ein Sportler beobachtet, daß er im Sport nur dann zu anerkannten Leistungen kommen kann, wenn er noch härter, angriffsbetonter und aggressiver kämpft, weil die sportlichen Vorbilder, die Leistungsbesten in seiner Sportart, eben dieses Verhalten zeigen.

5.2.3 Kybernetische und informationstheoretische Grundlagen

Das Verhalten von Lebewesen kann ebenso wie die Wirkungsweise von nachrichtenverarbeitenden Maschinen mit den Regelkreismodellen der Kybernetik erklärt werden. Der Organismus wird dabei als ein System verstanden, bei dem Informationen mittels Steuerungs- und Regelungsprozessen zu bestimmten Verhaltensweisen und Reaktionen verarbeitet werden. Da der Steuerungs- und Regelungsprozeß vornehmlich auf Informationen aufbaut, spricht man auch von einem sensomotorischen System. Betrachtet man das Lernen unter diesem Gesichtspunkt, so spricht man von *sensomotorischem Lernen.*

Betrachten wir den Menschen als sensomotorisches System in bezug zur Umwelt etwas genauer. Zwischen Mensch und Umwelt (Gesellschaft) läuft ein ständiger Austausch von Nachrichten ab (Kommunikation). Für den lerntheoretischen Spezialfall gilt das Kommunikationssystem, das Lehrende-Lernende-System, zwischen denen ein Informationsaustausch stattfindet. Es wird nicht nur der Schüler in die Betrachtung mit einbezogen, sondern auch der Lehrer.

Kybernetische Modellvorstellungen zum motorischen Lernen werden im angelsächsischen Sprachraum auch als *„closed-loop-Theorien"* bezeichnet. Das Gemeinsame dieser motorischen Lernmodelle besteht darin, daß rückgemeldete sensorische Informationen über den Verlauf bzw. das Resultat einer Bewegung (feedback) als notwendige Voraussetzung für zielgerichtete Lernvorgänge betrachtet werden. Besonders zu erwähnen sind in diesem Zusammenhang Lernmodelle von Ungerer, Schnabel, Adams, Schmidt („Schematheorie").

Die Funktionsweise eines sensomotorischen Systems erfolgt über die Darstellung eines Funktionskreises. Im folgenden soll ein sensomotorischer Funktionskreis, ausgehend von einem einfachen Schema, zu einem zunehmend differenzierteren Modell veranschaulicht werden.

1. Reiz-Reaktionstheoretische Grundlagen zum Vergleich:

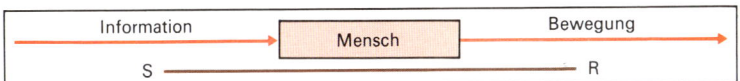

Hier ist keine Rückkopplung enthalten!

2. Aufbau eines sensomotorischen Funktionskreises:
   Vereinfachtes Modell: Die Bewegungsausführung führt zu einer Rückmeldung beim Ausführenden.

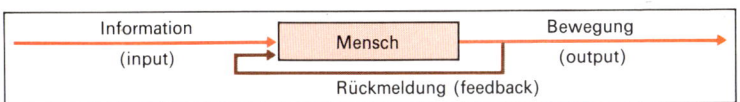

Komplexeres Modell:
Die Rückmeldung erfolgt als „innere" und „äußere" Rückmeldung.

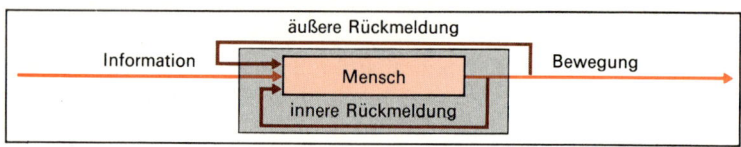

Die *innere Rückmeldung* erfolgt ohne Einbeziehung der Umwelt, d. h. von den bewegungsausführenden Organen ausgehend durch kinästhetische, statico-dynamische Informationen. Wir sprechen in diesem Zusammenhang vom sog. „inneren Funktionskreis".
Die *äußere Rückmeldung* kann über visuelle, akustische und auch taktile Informationen erfolgen, die von der Umwelt gesendet werden. Dabei spielt das sog. Lehrende-System eine wichtige Rolle, d. h., der Lehrer oder Trainer gibt während oder nach dem Bewegungsablauf Informationen, z. B. durch Ruf/taktile Unterstützung u. a.
Analog zur „inneren Rückmeldung" vollzieht sich die „äußere Rückmeldung" innerhalb sog. äußerer Funktionskreise, die als visu-

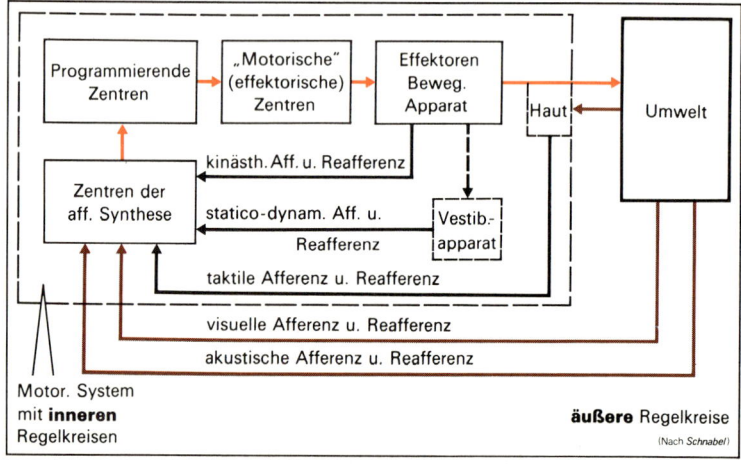

Abb. 5.1: Innere und äußere Regelkreise des motorischen Systems.

motorische, audimotorische und mit Einschränkung taktilmotorische Funktionskreise bezeichnet werden können. Dies wird in Abb. 5.1, in der alle Funktionskreise erfaßt werden, dargestellt.
Eine Trennung der Funktionskreise hat nur formale Bedeutung. Tatsächlich erfolgt die Informationsaufnahme über die Rückkoppelung (Rückmeldung) nicht so isoliert, sondern meist in enger wechselseitiger Verbindung. Man spricht in diesem Zusammenhang von einer *vermaschten Regelung.*

Grenzen der Anwendung sensomotorischer Regelkreismodelle
Bei schnell ablaufenden Bewegungen, wie z. B. Schraubensalti, ist eine Rückmeldung während des Bewegungsvollzugs nicht möglich, da die rückmeldenden Nervenleitprozesse langsamer ablaufen als die Bewegung selbst. Daraus folgt, daß der Ausführende nur über das Resultat der Bewegung informiert wird. In diesem Fall, und dies trifft auf Bewegungen zu, die 200 ms und weniger Zeit beanspruchen, ist der sensomotorische Funktionskreis als Erklärungsmodell nicht geeignet (s. Sollwert-Istwert-Vergleich, S. 139). Hier kommt der Unterscheidung nach „closed-loop"- und „open-loop"-Modellen eine besondere Bedeutung zu.

closed-loop bedeutet: Rückgemeldete Informationen während des
(loop=Schleife)   Bewegungsablaufs,
open-loop bedeutet: keine Rückmeldung während des Ablaufs.

Open-loop-Modelle treffen daher auf motorische Programme zu, die ohne bewußte Steuerung ablaufen.
Nach neueren sportwissenschaftlichen Erkenntnissen sind diese Modelle nicht alternativ, sondern vielfach gekoppelt als Erklärungsgrundlage für sportliche Bewegungshandlungen verwendbar. Denn oft liegen bei einer einzigen Bewegung gleichzeitig sowohl Programmsteuerung (open-loop-Erklärungsmodell) als auch willkürliche Steuerung (closed-loop-Erklärungsmodell) vor.

5.2.4   Handlungsorientierte Grundlagen

Im motorischen Lernen kann auch das Handeln im Mittelpunkt des Betrachtens stehen. Das bedeutet, daß sich der Lernprozeß am Verlauf einer Bewegungshandlung orientiert (siehe dazu Handlungsmodell S. 58). Im Gegensatz zum sensomotorischen Lernen, bei dem Steuerungs- und Regelungsprozesse im Vordergrund stehen, werden bei Lernmodellen auf handlungstheoretischer Grundlage auch kognitive und emotionale Prozesse in die Betrachtungen miteinbezogen.

Legt man ein Handlungskonzept zugrunde, so untergliedert sich das Lernen in Anlehnung daran in:

Antriebsteil, Orientierungsteil, Entscheidungsteil, Ausführungsteil, Ergebnisteil.

Die einzelnen Teilbereiche sollen nun unter lerntheoretischen Gesichtspunkten betrachtet werden.

Antriebsteil

Der Antrieb zum Lernen (Handeln) setzt eine motivierende Erwartung voraus, d. h., der Lernende verfolgt damit eine ganz bestimmte Absicht. Er muß dabei erwarten können, daß die Handlung zu einem erfolgreichen Abschluß kommt und daß der dafür erforderliche Aufwand in einem ausgewogenen Verhältnis zum Handlungsziel steht. Auf die Sportpraxis übertragen bedeutet dies, daß der Lernende auf Grund von Einstellungen und Motiven eine bestimmte Technik oder Taktik lernen möchte.

Orientierungsteil

Hier erfolgt die Handlungsplanung. Die Informationen dazu erhält der Lernende auf vielfältige Weise: z. B. verbale Beschreibungen und Erläuterungen, Demonstration von Techniken durch Lehrer/Lehrerinnen oder Mitschüler/Mitschülerinnen, Filme, Video, aber auch über eigenes Nachdenken und Probieren. Dabei kommt es zu einer gedanklichen Vorwegnahme des Handlungsziels auf der Grundlage einer mehr oder weniger detaillierten Bewegungsvorstellung.

Eine *Bewegungsvorstellung* besteht aus einem im Gedächtnis gespeicherten Bewegungsakt, bei dem neben visuellen auch kinästhetische, taktile, staticodynamische und gegebenenfalls auch akustische Anteile enthalten sind. Zusammengefaßt sind es die räumlichen, zeitlichen und dynamischen Komponenten einer Bewegung. Neben solch sinnlich anschaulichen Faktoren kommt bei der Bewegungsvorstellung auch der Sprache eine besondere Bedeutung zu. Mit ihrer Hilfe ist es möglich, Bewegungsteile (Muster) zu kennzeichnen, zu speichern und zu reproduzieren. Im Zusammenhang mit der Bildung einer Bewegungsvorstellung und der Erstellung eines Handlungsplans kommt auch dem Gedächtnis eine besondere Bedeutung zu.

Zum leichteren Verständnis der komplizierten Vorgänge des Behaltens sind Hinweise auf verschiedene Gedächtnisspeicher und deren Funktion im Rahmen motorischer Lernprozesse notwendig (Abb. 5.2).

Wie aus nachfolgender Abbildung ersichtlich wird, kann man grundsätzlich zwischen Kurzzeit- und Langzeitgedächtnis unterscheiden. Innerhalb des Kurzzeitgedächtnisses wird differenziert zwischen sensorischem Gedächtnis (Speicherdauer bis zu 1 Sekunde) und primärem Gedächtnis (Speicherdauer mehrere Sekunden). Das Langzeitgedächtnis unterteilt man in sekundäres Gedächtnis (Speicherdauer: Minuten bis Jahre) und tertiäres Gedächtnis (Speicherdauer: permanent).

Entscheidend für die Bildung einer Bewegungsvorstellung ist die Berücksichtigung der Speicherdauer des primären Gedächtnisses. Aufgenommene Informationen müssen zur Bildung einer Bewegungsvorstellung gespeichert werden. Es reicht im allgemeinen nicht aus, Informationen nur einmal aufzunehmen, da sie durch Vergessenseffekte nur kurzzeitig zur Verfügung stehen. Auf die Praxis bezogen bedeutet dies, daß eine einmalige Demonstration oder verbale Information zur Bildung einer Bewegungsvorstellung meist nicht ausreicht. Der sensorische Gedächtnisspeicher hat für den motorischen Lernprozeß vergleichsweise geringe Bedeutung wegen der außerordentlich kurzen Speicherdauer.

Durch Abruf eines im primären Gedächtnis gespeicherten Bewegungsprogramms kommt es zum Bewegungsvollzug und rückgemeldeten Informationen während und nach der Bewegungsausführung (feedback, vgl. Soll-Istwert-Vergleich, S. 139). Mit der zunehmenden Verfestigung des Handlungsprogramms ist deren Abspeicherung im sekundären Gedächtnis verbunden.

Bewegungsprogramme, die im tertiären Speicher vorliegen, sind lebenslang verfügbar (z. B. Schwimmen oder Radfahren).

Für unsere Betrachtungen des motorischen Lernens ist es nicht unwesentlich, daß die Speicherdauer des primären Gedächtnisses durch Wiederholung, d. h. durch wiederholte geistige Repräsentation von erhaltenen Informationen erheblich zu verlängern ist. Damit erhöht sich gleichzeitig die Wahrscheinlichkeit der Informationsübertragung in das Langzeitgedächtnis, hier in den sekundären Gedächtnisspeicher.

Eine weitere Steigerung der Gedächtnisleistung ist dadurch zu erreichen, daß Informationen nicht isoliert, sondern gebündelt gespeichert werden. Die Aufnahmefähigkeit des Gedächtnisses wird da-

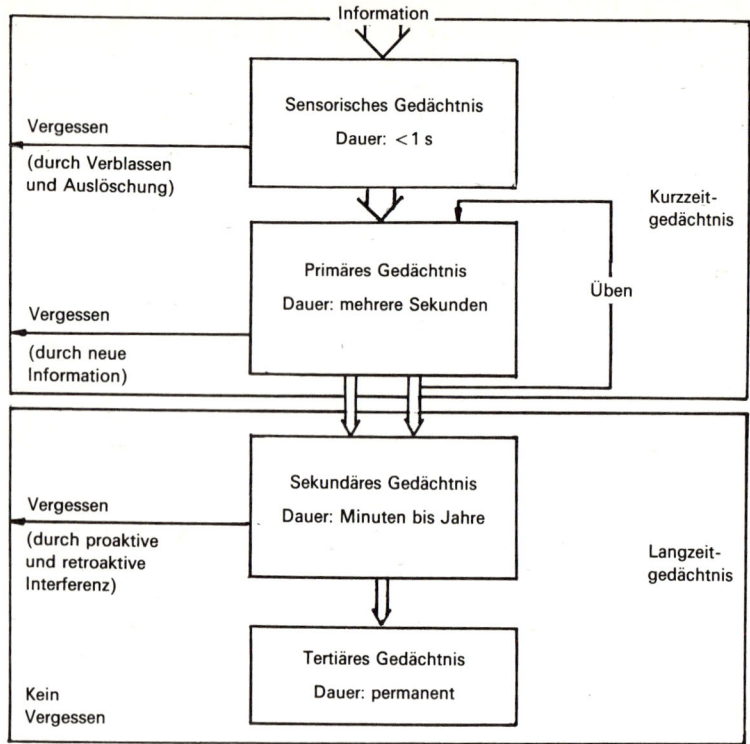

Information

Sensorisches Gedächtnis
Dauer: < 1 s

Vergessen
(durch Verblassen und Auslöschung)

Kurzzeit-gedächtnis

Primäres Gedächtnis
Dauer: mehrere Sekunden

Üben

Vergessen
(durch neue Information)

Sekundäres Gedächtnis
Dauer: Minuten bis Jahre

Vergessen
(durch proaktive und retroaktive Interferenz)

Langzeit-gedächtnis

Tertiäres Gedächtnis
Dauer: permanent

Kein Vergessen

Abb. 5.2: Gedächtnisspeicher (nach DAUGS/BLISCHKE 1984, angelehnt an WAUGH/NORMAN 1965).

durch erweitert. Solche Superierungsvorgänge (vgl. S. 154) sind dadurch zu erklären, daß die für die Zielerreichung einer Bewegung bedeutsamen Teile erkannt und als Informationseinheiten zusammengefaßt werden können („chunking" = klumpen). Beobachtet man z. B. die prägnante Körperposition am Ende des Absprungs beim frontalen Schmetterschlag im Volleyball, so kann diese als *eine* Information aufgenommen werden.

Ein weiteres Kriterium für die Behaltensleistung ist die Speicherkapazität des primären Gedächtnisses. Sie umfaßt 6–7 Informationen pro Sekunde. Eine Reduzierung dieses Richtwertes erfolgt durch Einflußnahme verschiedener Faktoren, wie *Alter, Art der Information* (visuell, verbal u. a.), *bisherige Erfahrungen, Motivation* und *Konzentrationsdauer.*

Entscheidungsteil

Nach ausreichender Orientierung (Handlungsplanung) erfolgt dessen Abruf im Entscheidungsteil unter Berücksichtigung emotionaler Bewertung.

Ausführungsteil

Die Steuerung und Regelung des Handlungsverlaufs erfolgt im Ausführungsteil. Bezogen auf diesen Bereich läßt sich das motorische Lernen über die Prozesse zur Ausbildung und Veränderung der Bewegungskoordination erklären. In einer knappen Zusammenfassung soll der Vorgang noch einmal schematisiert dargestellt werden:

- die Ausführung der Handlung erfolgt mehr oder weniger bewußt unter Berücksichtigung der verbal formulierten Bewegungsvorstellung und unter der Voraussetzung, daß alle für die Ausführung notwendigen Teilhandlungen beherrscht werden;
- die Teilhandlungen werden nacheinander, aber auch gleichzeitig ausgeführt;
- die sensorischen Rückmeldungen während der Ausführung werden bedingt bewußt aufgenommen und verarbeitet, vielfach auch unter Mithilfe von außen (Lehrer/Partner). Sie beeinflussen den Fortgang der Handlung in vielfältiger Weise (Veränderung bis hin zum Abbruch);
- das Ergebnis der Handlung wird während und nach deren Abschluß mit dem Handlungsziel verglichen. Bei Abweichungen erfolgt ggf. eine Veränderung des Handlungsplans.

Neben diesen sog. kognitiven, bewußten Steuerungs- und Regelungsprozessen gibt es noch solche, die zwar gleichzeitig ablaufen, aber nicht der Kontrolle des Bewußtseins unterliegen. Das hängt damit zusammen, daß es unmöglich ist, alle für die Ausführung einer Bewegungshandlung notwendigen Teilbewegungen bewußt zu steuern, alle rücklaufenden Informationen bewußt zu erfassen und zu verarbeiten. So werden der Gesamtablauf der Handlung und ihre wesentlichen Komponenten bewußt reguliert, während gleichzeitig für die Durchführung notwendige Teilbewegungen (Aktionen) nicht bewußt ablaufen (vgl. GABLER 1986, S. 124). Die Steuerung des Gesamtablaufs der Handlung verläuft somit auf zwei Ebenen – der bewußten und der unbewußten Regulationsebene. An einem Beispiel aus der Sportpraxis soll dies verdeutlicht werden. Beim Standwurf im Basketball erfolgt die Zielbewegung bewußt (kognitiv), während die Aufrechterhaltung des Gleichgewichts im Stand unbewußt (sensorisch) erfolgt.

Ergebnisteil

Im Ergebnisteil werden das Handlungsziel (Sollwert) mit dem Handlungsergebnis und der geplante Handlungsverlauf mit dem tatsächlich durchgeführten Handlungsverlauf verglichen. Je nach Könnensstand erfolgt der Sollwert-Istwert-Vergleich über äußere und innere Rückmeldungen. Abweichungen vom Sollwert werden dabei sowohl bewußt (kognitiv) als auch unbewußt (sensorisch) registriert. Notwendige Veränderungen werden auf beiden Ebenen eingeleitet. Erwähnt werden muß, daß Regelungsprozesse auf der Grundlage von Rückmeldung bei relativ langsamen Bewegungen schon während des Bewegungsvollzugs eingeleitet werden können (Regelung). Dies ist bei schnellen Bewegungen nicht möglich (vgl. Kap. 4). Erfahrungen über den Handlungsvollzug – positiv oder negativ – werden im sekundären Gedächtnis gespeichert. Sie sind als gespeicherte Bewegungserfahrungen die Grundlage für nachfolgende Bewegungsvollzüge.

In der Praxis verläuft der handlungsorientierte sportmotorische Lernprozeß nicht so schematisch, wie hier dargestellt. Sportmotorische Lernprozesse spielen sich auf verschiedene Weise ab. Es gibt Fertigkeiten im Sport, bei denen der Ausführende nicht in der Lage ist, den differenzierten Handlungsplan, der dafür notwendig ist, zu beschreiben. Dies hängt von der Schwierigkeit der zu lernenden Bewegungshandlung und der jeweiligen Lernhaltung des Lernenden ab. Es wird unterschieden zwischen *strukturierenden* Lernhaltungen, d. h. der Lernende baut eine Handlungsstruktur nach einem Plan auf, und einer *rezeptiven* Lernhaltung, bei der sich der Lernende von einzelnen Informationen leiten läßt und so lange probiert, bis er zum Erfolg kommt. Gerade bei sehr komplexen Bewegungshandlungen ist es oft sehr schwierig, alle gleichzeitig und nacheinander ablaufenden Teilbewegungen kognitiv zu erfassen. Dies ist z. B. beim Schmetterlingsschwimmen der Fall. Die Erstellung eines rationalen Handlungsplans ist hier besonders schwierig. Der Lernvorgang läuft dabei weitgehend sensorisch ab, d. h. die Koppelung der einzelnen Teilbewegungen spielt sich sozusagen unbewußt ein. Erst wenn die Bewegung beherrscht wird, kommt es zu Einsichten in Beziehungen und Regeln der Bewegungshandlung als Ganzem (vgl. GABLER 1986, S. 121 ff).

Zusammenfassend läßt sich feststellen, daß das motorische Lernen ein komplexer Vorgang ist, der nicht über eine Lerntheorie allein erklärbar ist. Je nach der Art der zu lernenden Bewegungen, der Aufgabenstellung und der Lernsituation können die vorgestellten Lernmodelle nebeneinander oder in Verbindung als Erklärungsgrundlage dienen.

5.3 Der Aufbau des motorischen Lernens nach Lernstufen (-phasen)

5.3.1 Kriterien für eine Strukturierung des motorischen Lernens

Betrachten wir eine Schülergruppe, die gerade dabei ist, im Schwimmen die Rollwende zu lernen. Nach zahlreichen Versuchen mit entsprechenden Korrekturen gelingt schließlich die Bewegung, wenn auch nicht in der angestrebten Ausführung. Folgende Fehler können dabei auftreten: Nach der Rollbewegung wird die Drehung um die Längsachse noch unvollständig ausgeführt. Der Abstoß erfolgt infolgedessen nicht parallel zur Wasseroberfläche. Wird die Bewegung nun weiter geübt, so wird eine Könnensstufe erreicht, in der der Zufall für das Gelingen weitgehend ausgeschlossen ist. Die Rollwende kann nun bei gleichbleibenden Bedingungen beständig mit Erfolg ausgeführt werden. Damit werden die Bewegungsmerkmale weiter verbessert, liegen jedoch noch nicht in ausgeprägter Form vor. Anhand unseres Beispieles zeigt sich dies etwa in einem geringen Abdruck vom Beckenrand (mangelnde Bewegungsstärke), in einer zu geringen Geschwindigkeit der Beinbewegung über Wasser (Bewegungstempo), in einem zu großen Hüftwinkel während der Drehung (Bewegungsumfang) u. a. Im Verlauf weiteren Lernens festigt sich der Bewegungsablauf so, daß die Bewegungsmerkmale optimal abgestimmt sind. Evtl. auftretende Störungen werden ohne Mühen ausgeglichen. Dem Schüler gelingt es nun, die Bewegung auch unter veränderten Bedingungen, z. B. unter Wettkampfstreß, präzise auszuführen.

Aus dieser Darstellung lassen sich zwei Betrachtungsweisen des motorischen Lernens ableiten:

Tab. 5.1: Grundlagen zur Lernstufeneinteilung.

| | Erreichter Könnensstand bezogen auf |
Behaltens-Festigungsgrad	Bewegungsqualität
Können nicht gefestigt (Handlungsziel nur zufällig erreicht)	Ausprägungsgrad der Bewegungsmerkmale unvollkommen
Können unter gleichbleibenden Bedingungen gefestigt (Handlungsziel durch Störgrößen beeinflußbar)	Ausprägungsgrad der Bewegungsmerkmale verbessert bei gleichbleibenden Anwendungsbedingungen
Können unter verschiedenen Anwendungsbedingungen (Handlungsziel wird auch unter Einfluß von Störgrößen erreicht)	Ausprägungsgrad der Bewegungsmerkmale optimal bei verschiedenen Anwendungsbedingungen

Bei genauer Betrachtung der bisherigen Aussagen und der obigen Übersicht wird man erkennen, daß sich der motorische Lernprozeß nach bestimmten Kriterien strukturieren läßt. In einem Fall gilt als Kriterium für die Einteilung des Lernprozesses die erreichte Bewegungsqualität, im anderen Fall ist das Kriterium dafür das erreichte Können über die feststellbare Behaltensleistung. Unter Berücksichtigung beider Kriterien läßt sich eine Einteilung des Lernvorgangs nach unterschiedlichen Lernzielen vornehmen, die entweder überwiegend unter dem Gesichtspunkt der Bewegungsqualität oder über Behaltensleistung erfolgen kann.

5.3.2 Ausgewählte Beispiele für die Strukturierung des motorischen Lernens nach verschiedenen Lernzielebenen

Für eine Einteilung nach Lernzielebenen – aufbauend auf den genannten Betrachtungsweisen – gibt es in der sportwissenschaftlichen Literatur zahlreiche Modellvorstellungen. Sie weisen sowohl im Hinblick auf die Anzahl der formulierten Lernstufen (-phasen), als auch hinsichtlich deren Bezeichnung große Unterschiede auf. Die Tabelle enthält einige ausgewählte Modelle, die einen Eindruck davon vermitteln sollen.

Tab. 5.2: Ausgewählte Lernstufenmodelle

Stufen	LAWTHER (1968)	RÜSSEL (1976)	GENTILE (1972)	FITTS (1964) FITTS/POSNER (1967)	FETZ (1974)	KOHL (1956)	MEINEL u. SCHNABEL (1977)	VOLPERT (1973)	KOCH u. MIELKE (1972)
1.	Early stage of skill learning	Rahmen-koordination	Bewegungsvorst., -plan, Reizlernen, verarbeit. rückgemeld. Infos	Kognitive Phase	Naive Stufe	Naive Stufe	Grob-koordination	Grob-koordination	Sammeln spez. Bewegungs-Erfahrung
2.	Advanced skill levels	Fein-koordination	Festigung, Veränder. d. motor. Reaktion	Stabilisierungsphase	Zuwendungsstufe	Lern- u. Übungsstadium	Fein-koordination	Fein-koordination	Bildung eines Bewegungsentwurfs
3.				Automatisierungsphase	Feinformung	Könnensstadium	Stabil. variabl. Verfügbarkeit	Stab. Phase	Erlernen der Grobform
4.								Ultrastabile Fertigk.	Anwendung/ Feinformung
5.									Automatisation/ Anwendung

Da Bewegungsqualität und Behaltensleistung als Einteilungskriterien keine Aussage über die inhaltliche Struktur des Lernverlaufs ermöglichen, ist eine Einteilung nach Lernzielebenen auch unter diesem Aspekt notwendig. Eine solche Einteilung setzt allerdings voraus, daß die Zielbewegung, z. B. die Rolle vorwärts am Boden, nicht als Ganzes erlernt wird (ganzheitliches Lernen). Die Bewegung wird in Abschnitte zerlegt, die einzeln oder in bestimmten Kombinationen erlernt werden (analytisch-synthetisches Lernen). Die Analyse einer Bewegung zur Ermittlung einzelner Abschnitte und die Begründung für die Kombination von Teilbewegungen kann nach zwei verschiedenen bewegungstheoretischen Standpunkten erfolgen: Analyse nach Bewegungssequenzen oder Analyse nach Funktionsphasen.

5.3.2.1 Lernstrukturmodelle auf der Basis von Bewegungsqualität und Gedächtnisleistung

Aus einer Vielzahl von Lernmodellen wurden hier ein Dreiphasenmodell (SCHNABEL/MEINEL) und ein Zweiphasenmodell (RÜSSEL) ausgewählt. Diese beiden Modelle wurden bevorzugt, weil sie praxisrelevant sind und sich in gewisser Weise ergänzen. Das Dreiphasenmodell orientiert sich überwiegend an qualitativen Merkmalen der Lernleistung, also an äußeren Merkmalen der Bewegung, wohingegen sich das zweiphasige Modell an der Behaltens-(Gedächtnis)leistung orientiert. Dabei erfolgt die Strukturierung der Lernprozesse einmal auf die Bewegung (3-Phasenmodell) und einmal auf die lernende Person bezogen (2-Phasenmodell).

Dreiphasenmodell

Der Prozeß des motorischen Lernens wird nach SCHNABEL u. MEINEL anhand eines kybernetischen Regelkreismodells in drei Phasen beschrieben. Sie ergeben sich im wesentlichen auf Grund einer morphologischen, d. h. einer an äußerlich erkennbaren Merkmalen orientierten Betrachtung der Bewegungskoordination. Daraus lassen sich drei Lernzielebenen ableiten:

1. Lernphase – Entwicklung der Grobkoordination
2. Lernphase – Entwicklung der Feinkoordination
3. Lernphase – Stabilisierung der Feinkoordination/Entwicklung der variablen Verfügbarkeit.

Folgende Prozesse charakterisieren die einzelnen Lernphasen. Sie werden hier nur verkürzt dargestellt, da sie im Rahmen der Bewegungskoordination schon angesprochen wurden.

Grobkoordination (1. Lernphase)

(Vgl. dazu Bewegungskoordination – 1. Regulationsebene.)
Afferente und reafferente Signale werden noch unzureichend verwertet – es dominiert der optische Analysator. Eine wichtige Rolle spielt das Bewegungsgedächtnis, d. h. gespeicherte Bewegungserfahrungen. Es kommt zur Bildung einer groben Bewegungsvorstellung, die zunächst mehr ein optisches Abbild der Bewegung darstellt. Kinästhetische Anteile sind darin kaum enthalten.

Programmierung der Bewegung (Bewegungsantizipation)

Ausgehend von einer noch groben und lückenhaften Informationsaufnahme und -verarbeitung wird ein „Grobprogramm" erstellt, in das bereits gespeicherte Bewegungsabläufe früher erlernter Bewegungen als Programmteile einfließen können (s. Transfer, S. 231). Dabei kann es zu Interferenzerscheinungen kommen (s. dazu S. 237).

Bewegungsausführung

Die Bewegungskoordination ist bei gleichbleibenden Lernbedingungen noch unsicher, d. h. Steuerung und Regelung sind auf Grund des noch unvollkommenen Bewegungsprogramms wenig gezielt. Die Steuerung (Regelung) erfolgt hauptsächlich über den äußeren Regelkreis.

Erscheinungsbild der Grobkoordination

1. Fehlerhafte Bewegungsstärke durch übermäßigen bzw. zu geringen oder teilweise falschen Krafteinsatz.
2. Unzweckmäßiger Bewegungsrhythmus in bezug auf den Wechsel von Spannung und Entspannung.
3. Ungenügende Bewegungskoppelung der Teilbewegungen.
4. Mangelnder Bewegungsfluß, der sich in Pausen im Bewegungsablauf zeigt.
5. Zu weiter oder zu geringer Bewegungsumfang.
6. Das Bewegungstempo ist zu langsam oder zu schnell.
7. Geringe Ausprägung der Bewegungspräzision und der Bewegungskonstanz.

Feinkoordination (2. Lernphase)

(Siehe dazu Bewegungskoordination – 2. Regulationsebene.)

Der Lernverlauf von Grob- und Feinkoordination erfolgt nicht kontinuierlich, vielmehr lassen sich sowohl Perioden des Lernfortschritts als auch der Stagnation (Lernplateau) unterscheiden.

Informationsaufnahme und -verarbeitung

In zunehmendem Maß werden Informationen über die Bewegungsausführung (Kinästhetischer Analysator) verwertet. Das bedeutet,
daß die bewegungslenkende Reafferenz, d. h. die während der Bewegung erfolgende Rückmeldung über Analysatoren zunehmend an
Wirksamkeit gewinnt. Hinzu kommt die Präzision der Information
über den taktilen Analysator.

Programmierung der Bewegung (Bewegungsantizipation)

Es kommt zu einer verbesserten Programmierung des Bewegungsablaufs, damit verbunden der genaueren Bewegungsantizipation.

Bewegungsausführung

Der Bewegungsablauf zeichnet sich durch hohe Präzision und durch
Konstanz bei bekannten Bedingungen aus.

Erscheinungsbild der Feinkoordination

1. Zweckmäßiger Kraftaufwand.
2. Optimale dynamische Struktur des Bewegungsablaufs, zielent-
   sprechender Bewegungsrhythmus. (Spannungs- und Entspannungsphasen sind optimal ausgeprägt.)
3. Räumlich, zeitlich und dynamisch gut abgestimmte Bewegungskoppelung.
4. Optimaler Bewegungsumfang – zu weite oder zu enge Bewegungen werden aufgabengemäß reduziert bzw. erweitert.
5. Gut entwickelter Bewegungsfluß, der sich am Übergang von einer
   Bewegungsphase zur anderen, besonders an Stellen der Bewe-
   gungsumkehr, durch fließende nahtlose Übergänge zeigt.
6. Hohe Bewegungspräzision und Bewegungskonstanz bei gleich-
   bleibend günstigen Bedingungen.

Stabilisierung/Variable Verfügbarkeit (3. Lernphase)
(Siehe dazu Bewegungskoordination – 3. Regulationsebene.)

Informationsaufnahme und -verarbeitung

In dieser Phase erfolgt eine feinabgestimmte Informationsaufnahme
und -verwertung. Vorrang haben dabei differenzierte Informationen
des kinästhetischen Analysators.

Programmierung der Bewegung (Bewegungsantizipation)

Es liegen Alternativprogramme im motorischen Gedächtnis vor, die
abgerufen werden können. Über die bewegungslenkenden Reafferenzen sind Programmumstellungen im Bewegungsablauf, die sich
durch situative Änderungen ergeben können, möglich.

Bewegungsausführung

Der Bewegungsablauf zeichnet sich durch höchste Präzision auch bei variierenden Bedingungen aus.

Erscheinungsbild der Stabilisierung/variablen Verfügbarkeit

1. Die stabilisierte Feinkoordination zeigt sich vor allem in der Bewegungspräzision.
2. Die Bewegungskonstanz ist auch bei mehrfachen Bewegungswiederholungen sehr hoch. Dies trifft auch auf die Konstanz der meßbaren Ergebnisse zu (z. B. Weite, Höhe, Geschwindigkeit).
3. Bewegungsrhythmus und Bewegungsstärke sind optimal im Hinblick auf Ökonomie und Zweckmäßigkeit der Bewegung.

Zweiphasenmodell

RÜSSEL (1976) unterscheidet zwei Stufen der Koordination von Bewegungsabläufen: Die Rahmenkoordination und die Feinkoordination. Das Kriterium für die Einteilung ist das Behalten bzw. das Vergessen. Vom Können kann erst dann gesprochen werden, wenn eine Bewegung behalten wird, d. h. wenn sie im motorischen Gedächtnis abrufbar vorliegt. Können orientiert sich nicht an der äußerlich erkennbaren Bewegungsqualität (SCHNABEL/MEINEL 1977), sondern daran, daß der Lernende das „Entscheidende" einer Bewegung beherrscht (RÜSSEL 1976, S. 55).

Rahmenkoordination (1. Lernphase)

Das Erreichen der Rahmenkoordination wird unter zwei Gesichtspunkten gesehen:

a) Sie ist gegeben, wenn eine Bewegung zum ersten Mal gelingt, wenn also das Handlungsziel erreicht wird. Als Beispiele seien das Radfahren genannt, bei dem der Lernende erstmals das Gleichgewicht halten und erfolgreich fahren kann, oder das Sich-über-Wasser-halten beim Schwimmen. Der Lernende ist überrascht von dem plötzlich auftretenden Können. Das nunmehr erreichte Können hat seine Grundlage in den propriozeptiven Wahrnehmungen über Position, Bewegung und Krafteinsatz. Dies ist nach RÜSSEL beobachtbar und klassifizierbar. Es kommt nach dem Ausprobieren aller Möglichkeiten, bei dem sich die richtige Zuordnung plötzlich ergibt, zu einem motorischen „Aha-Erlebnis".

b) Nach dem gelungenen Versuch folgt die gedächtnismäßige Festigung der Rahmenkoordination, wobei eine Anpassung an außergewöhnliche Umstände noch nicht sicher gelingt. Von überragender Bedeutung in der Phase der Rahmenkoordination sind gespeicherte Erfahrungen und Erlebnisse mit gleichen oder ähnlichen Aufgaben und Situationen, die der Lernende auf die neue Lernsituation zu übertragen versucht. Dieser positive Transfer ist auf eine hohe Behaltenskonstanz zurückzuführen (vgl. dazu auch ZIESCHANG 1977; CRATTY 1975).

Wenn die Rahmenkoordination einmal gefestigt ist, wird sie unverlierbarer Besitz des Lernenden. So verlernt man z. B. das Radfahren oder auch das Schwimmen nicht mehr.

Feinkoordination (2. Lernphase)

Im Zuge der Festigung der Rahmenkoordination setzt auch die Bildung der Feinkoordination ein. Sie stellt einen Prozeß dar, der dem Lernenden eine sichere und präzise Bewegungsausführung ermöglicht. Räumliche, zeitliche und dynamische Bewegungsparameter werden durch häufige Übung optimiert. Fehlt es an Übung, kommt es u. U. zu einem Verlust der Feinkoordination und damit zu einem Rückfall in die Phase der Rahmenkoordination.

Wir kommen nun zu den Lernstrukturmodellen, die sich auf der Basis zweier Möglichkeiten der Bewegungsanalysen herleiten, nämlich der Bewegungsanalyse nach Sequenzen und der nach Funktionsphasen. Wie bereits erwähnt, besteht bei den beiden bisher behandelten Lernstrukturmodellen kein Zusammenhang zwischen der Bewegungsstruktur und der Lernprozeßstruktur. Dieser Zusammenhang soll in den beiden folgenden Lernstrukturmodellen hergestellt werden.

5.3.2.2 Lernmodelle auf der Basis von inhaltlichen Strukturen des Lernverlaufs

Das motorische Lernen kann einerseits ganzheitlich, andererseits analytisch-synthetisch erfolgen. Eine inhaltliche Begründung für eine analytisch-synthetische Strukturierung des Lernverlaufs basiert im wesentlichen auf zwei Möglichkeiten, Bewegungen lernrelevant aufzubereiten, nämlich nach Sequenzen und nach funktionalen Gesichtspunkten. Beide Richtungen sind in hohem Maße lernrelevant. Beim sequenzorientierten Lernmodell besteht die Möglichkeit der Superierung, dies bedeutet eine ökonomischere Nutzung der Speicherkapazität des Kurzzeitgedächtnisses (s. Kap. 5.2.4). Hinsichtlich des funktionsanalytisch orientierten Lernmodells liegt der Schwerpunkt in der Notwendigkeit, dem Lernenden die Bedeutung einzelner Funktionsphasen bzw. funktionstragender Aktionen einsichtig zu machen.

Lernstrukturmodell auf der Basis von Sequenzanalysen

Der motorische Lernprozeß ist ein Vorgang, bei dem Sequenzverknüpfungen entstehen, die vorher im Bewegungsrepertoire des Lernenden nicht vorhanden waren. UNGERER (1977) versucht, inhaltliche und ergebnisorientierte Lernzielebenen miteinander zu verbinden. Dies geschieht dadurch, daß die Grobform dann erreicht sein soll, wenn alle Sequenzen aneinandergeknüpft sind, d. h., wenn schließlich die Gesamtbewegung (Superzeichen höchster Zeichenebene) realisiert ist. Die Feinformung wird erreicht, indem die sequenziell gegliederte Fertigkeit an veränderte Umweltbedingungen angepaßt wird.

Die folgenden Anmerkungen stellen eine kritische Betrachtung dieses Lernstrukturmodells im Hinblick auf seine Brauchbarkeit in der Praxis dar:

1. Die Definition einer sensomotorischen Sequenz ist bisher nicht eindeutig genug erfolgt, d. h., Sequenzanalysen zur Bestimmung von Sequenzen bzw. Schlüsselsequenzen werden relativ willkürlich durchgeführt.
2. Für die Bestimmung der Bedeutung einzelner Sequenzen/Schlüsselsequenzen fehlt der theoretische Bezugsrahmen. Es ist somit sehr schwierig nachzuweisen, welche Sequenzen bzw. Schlüsselsequenzen als lernrelevant zu bezeichnen sind.
3. Bei diesem Lernstrukturmodell wird das motorische Lernen auf Sequenzverknüpfungen reduziert. Es wird also nur ein Teilbereich aus der Bewegung als Handlung betrachtet. Die Voraussetzungen für Sequenzverknüpfungen, die bei der Bewegungshandlung im Antriebs- und Orientierungsteil angesprochen werden, bleiben hier weitgehend unberücksichtigt.
4. Bei der Sequenzverknüpfung steht das Endziel des motorischen Lernens nicht im Vordergrund der Betrachtung (einsichtiges Lernen).

Lernstrukturmodell auf der Basis von Funktionsanalysen

Eine sportmotorische Fertigkeit läßt sich nach dieser theoretischen Ausgangsposition (in Anlehnung an GÖHNER 1979) in sog. Funktionsphasen unterteilen. Eine Funktionsphase in einem Bewegungsablauf stellt einen Abschnitt dar, der für das Erreichen des Bewegungsziels eine ganz bestimmte Funktion trägt (nähere Ausführungen dazu S. 154). So hat z. B. beim Hürdenlauf das Anheben des Schwungbeines vor der Hürde (Stützphase 1) die Funktion, eine optimale Ausgangsposition für die Schwungbeinstreckung zu Beginn des sog. Hürden-

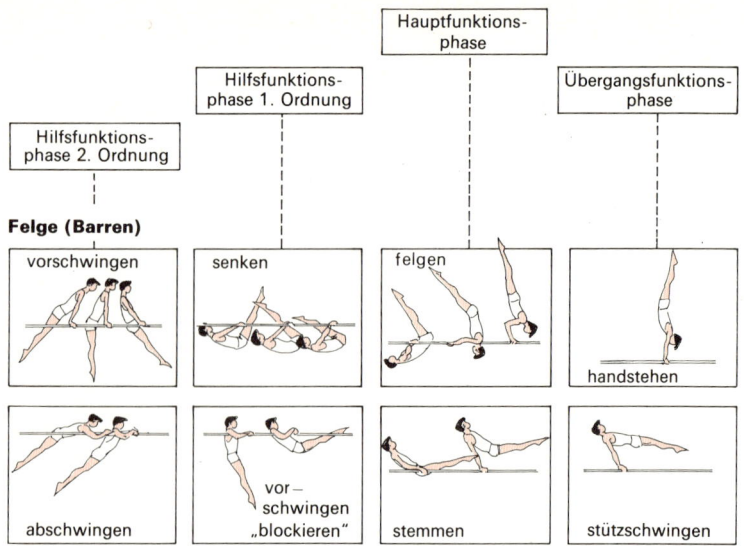

Abb. 5.3: Darstellung der Funktionsphasen beim Felgaufschwung und der Schwungstemme vorwärts am Barren.

schritts zu schaffen. Die Funktionsphase, die der eigentlichen Zielerreichung dient, also nicht austauschbar sein kann, wird als „Hauptfunktionsphase" bezeichnet. Dies ist z. B. der Kippschub bei der Schwungkippe, die Stoßbewegung beim Kugelstoß nach Beendigung des Angleitens. Die Phasen, die der Hauptfunktionsphase vorausgehen, werden nach GÖHNER als „Hilfsfunktionsphasen" bezeichnet. Die der Hauptfunktionsphase nachfolgende Phase wird „Übergangsfunktionsphasen" genannt.

Motorisches Lernen nach Funktionsphasen geht davon aus, daß eine motorische Fertigkeit hinsichtlich ihrer Bewegungsstruktur zunächst in Funktionsphasen untergliedert wird (s. dazu auch MEINEL/SCHNABEL 1987). Nach der Gewichtung der Funktionsphasen – der Hauptfunktionsphase kommt dabei die größte Bedeutung zu – ergeben sich die Inhalte der Lehrstufen und deren Aufeinanderfolge. Davon leiten sich die Inhalte des motorischen Lernens, d. h. der Lernstufen ab. Unter Gewichtung versteht man die Bedeutung, die man den einzelnen Phasen beimißt zur Realisierung der Hauptfunktionsphase.

Anhand zweier Beispiele aus dem Turnen soll die Aufeinanderfolge der Lehr-Lernstufen exemplarisch dargestellt werden (Abb. 5.3).

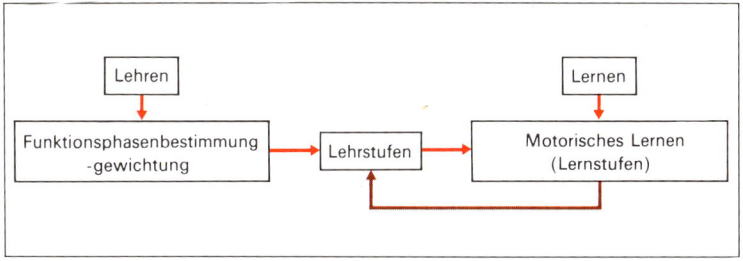

Abb. 5.4: Lehren und Lernen im Sport

Lehr-Lernstufe 1: Hauptfunktionsphase

Lehr-Lernstufe 2: Hilfsfunktionsphase 1. Ordnung, die der Individuallage des Lernenden angepaßt sein muß (Reckhöhe, Barrenbreite). Sie dient der Verbesserung der Ausgangsbedingungen zur Realisierung der Hauptfunktionsphase in positioneller und energetischer Hinsicht (Ausgangslage des Körpers vor eigentlicher Stemmbewegung bei der Schwungstemme am Barren).

Lehr-Lernstufe 3: Vorschaltung weiterer Hilfsfunktionsphasen zweiter und höherer Ordnung inklusive möglicher äußerer Hilfen (Kästen, Hilfestellungen).

Diese formale Aufteilung in Lehr-Lernstufen ist nicht grundsätzlich möglich, da z. B. die Hauptfunktionsphase in der 1. Lehr-Lernstufe häufig nur in Verbindung mit einer oder mehreren Hilfsfunktionsphasen durchführbar ist, wie bei der Schwungkippe am Reck.

5.4 Motorische Lernfähigkeit – bestimmende Einflußgrößen

Versucht man, die Fülle an Einzelaussagen zur motorischen Lernfähigkeit in der einschlägigen Literatur zu ordnen, so ergibt sich folgende Feststellung:

Motorische Lernfähigkeit ist eine komplexe Fähigkeit, die von den je gegebenen entwicklungsbedingten personenspezifischen motivationalen/emotionalen, intellektuellen, koordinativen, konditionellen und konstitutionellen sowie soziokulturellen Voraussetzungen, der

Art und Komplexität des Lerngegenstands und dessen Vermittlung sowie vom Lernumfeld bestimmt wird.

Die motorische Lernfähigkeit ist bestimmbar durch die benötigte *Lernzeit*, die erreichte *Lerngüte* und die *Lernmenge*. Eine gute motorische Lernfähigkeit liegt also dann vor, wenn schwierige Bewegungen in kurzer Zeit gelernt und präzise ausgeführt werden können.

Auf die Fähigkeitsbereiche Kondition, Koordination, Intellekt und Psyche wurde bei der Darstellung der Bewegungshandlung bereits ausführlich eingegangen. Es genügt, in diesem Abschnitt auf die entsprechenden Textstellen zu verweisen. Die Faktoren/Fähigkeiten, die die motorische Lernfähigkeit darüber hinaus beeinflussen, werden näher erläutert.

Konditionelle Fähigkeiten

Die konditionellen Fähigkeiten Kraft – Schnelligkeit – Ausdauer sind z. T. anlagebedingt und können durch Training verbessert werden.

Koordinative Fähigkeiten

Sie sind zu einem gewissen Teil anlagebedingt, entwickeln sich jedoch im wesentlichen in der tätigen Auseinandersetzung mit der Umwelt.

Intellektuelle Fähigkeiten

Darunter werden Fähigkeiten verstanden, Informationen aufzunehmen, zu verarbeiten, zu speichern und zu bewerten. Auch hier sind anlagebedingte und entwicklungsbedingte Faktoren gleichermaßen beteiligt.

Psychische Faktoren und Fähigkeiten

Dazu zählen Konzentrationsfähigkeit und Aufmerksamkeit. Hinzu kommen Einstellung und Motivation. Letztere entstehen überwiegend in jungen Jahren und bleiben eine relativ stabile Lernvoraussetzung (s. dazu Bewegungshandlung, S. 57).

5.4.1 Entwicklungsbedingte Faktoren

5.4.1.1 Begriffsklärung von Reifung – Wachstum – Lernen

In der Entwicklungspsychologie wird *Entwicklung* – verallgemeinert definiert – als ein Prozeß fortschreitender endogener, d. h. anlagebedingter, und exogener, d. h. durch die Umwelt verursachte Veränderungen der psychischen, physischen und geistigen Organisation des Menschen definiert. Entwicklung ist somit ein fortschreitender Prozeß, der zu Veränderungen im Bereich des Verhaltens und Erlebens führt. Sie kann untergliedert werden in den *kognitiv-intellektuellen, psychischen, sozialen und den motorischen Entwicklungsbereich.* Entwicklung schließt innerhalb dieser vier Teilbereiche sowohl den Anstieg als auch den Abfall von Merkmalsausprägungen ein.

Motorische Entwicklung bezieht sich auf eine Reihe von miteinander zusammenhängenden, auf den motorischen Persönlichkeitsbereich bezogene Veränderungen, die in einem individuellen Lebenslauf an bestimmten Stellen zugeordnet werden können.

Die *sportmotorische Entwicklung* ist eine spezielle, auf den Sport bezogene Komponente motorischer Entwicklung. Sie umfaßt konditionelle und koordinative Fähigkeiten sowie elementare Fertigkeiten wie Gehen, Laufen, Werfen u. a. und sportmotorische Fertigkeiten wie Kraulschwimmen, Speerwerfen u. a. (vgl. WILLIMCZIK 1987, S. 106 ff).

In engem Zusammenhang zur motorischen Entwicklung stehen die Begriffe Reifung, Wachstum, Lernen.

Reifung

„Reifung" kann vom Begriff „Entwicklung" nicht scharf getrennt werden. Sie wird als Teilprozeß der Entwicklung angesehen – als Summe der Genwirkungen, durch Vererbung determinierter, sinngesteuerter Wachstumsimpulse (vgl. TRAUTNER 1978).

Nach OERTER (1980, S. 22) liegen die für die Entwicklung entscheidenden Reifungsprozesse in der frühen Kindheit.

Wachstum

Wachstum bezieht sich auf die quantitative Veränderung (wie z. B. Größe, Körperbaumerkmale); damit einhergehend auf die Strukturveränderung des Menschen (vgl. Söll 1982, S. 15).

Lernen

Im Unterschied zu Reifung und Wachstum ist „Lernen" nicht an bestimmte Zeitpunkte im individuellen Lebenslauf gebunden, vielmehr generell zu allen Lebenszeitpunkten möglich.

5.4.1.2 Faktoren, die die motorische Entwicklung bestimmen

Die Wirksamkeit der die motorische Entwicklung bestimmenden Faktoren und ihre Zusammenhänge lassen sich in vier Punkten zusammenfassend darstellen (Abb. 5.6). Anders formuliert: Die Veränderungen im motorischen Bereich haben folgende Ursachen (vgl. WIDMER 1978):

a) Die Motorik ist in ihrer Funktionstüchtigkeit und Leistungsfähigkeit vom Zentralen Nervensystem und der Gehirnentwicklung abhängig. Das bedeutet, daß Reifungsvorgänge für die motorische Entwicklung von erheblicher Bedeutung sind. Je jünger somit ein Kind ist, um so mehr sind motorische Veränderungen vom Reifungsstand bestimmter Organsysteme abhängig (vgl. SCHENK-DANZINGER 1975, S. 18). So sind Bewegungen, die z. B. Gleichgewichtsfähigkeit erfordern, erst dann erlernbar, wenn spezifische neurophysiologische und neuromuskuläre Reifungsprozesse bezüglich des „Gleichgewichtssinns" hinreichend fortgeschritten sind (vgl. JOCH 1984, S. 356).

b) Motorische Entwicklung ist abhängig von den Umweltbedingungen, d. h. vom Anregungsmilieu und den Lerngelegenheiten, die Rückwirkungen auf die Reifungsprozesse haben können. Prägende Wirkungen auf das Kind gehen von Familie, Schule, Berufslehre, der Wohngegend aus. Sitten, Gebräuche, Freizeit- und Arbeitsstile der jeweils gegebenen gesellschaftlichen Umgebung (Schichtzugehörigkeit), damit zusammenhängend bestimmte Normen, Verhaltensmuster, sind externe Faktoren, die auf die motorische Entwicklung einwirken.

c) Motorische Entwicklung ist abhängig von Selbststeuerungsprozessen, d. h. vom inneren Antrieb des Kindes, Lerngelegenheiten auch wahrzunehmen und für motorische Aktionen zu nutzen. Solche Lernprozesse, die über das Angebot von Lerngelegenheiten entstehen, sind nicht von „außen" gelenkt und systematisch aufgebaut (man kann sie als „funktionales Lernen" bezeichnen im Gegensatz zum sog. intentionalen Lernen). Diese Art des Lernens, die einen wichtigen Faktor für die motorische Entwicklung darstellt, ist abhängig von der Wirksamkeit psychischer Persönlichkeitsmerkmale, die das Selbstbild des Kindes mitbestimmen. So wird z. B. ein ängstliches Kind beim Versuch, neue motorische Fertigkeiten zu lernen, wie etwa Klettern, von einer Mauer herunterspringen und beidbeinig landen, möglicherweise zögern. Im Gegensatz dazu dürfte sich ein weniger ängstliches Kind mit vergleichbaren Fähigkeiten ohne Bedenken neuen Lernerfahrungen aussetzen und folglich im Fertigkeitsbereich ein vergleichsweise höheres Entwicklungsniveau erreichen.

d) Sehr bedeutsam für die motorische Entwicklung sind auch die von außen, z.B. von Lehrern oder Trainern initiierten und gelenkten Lernprozesse (als „intentionales Lernen" zu verstehen), die vor allem die sportmotorische Entwicklung betreffen. Detaillierte Ausführungen zum motorischen Lernen finden sich im entsprechenden Kapitel.

5.4.1.3   Theorien zur motorischen Entwicklung

Die Entwicklung des Menschen vom Keim zum entwickelten Individuum (Ontogenese) wird von der Anlage (genetischen Faktoren) und der Umwelt (Elternhaus, Gesellschaft, Wohngegend, Erziehung, Ernährung usw.) bestimmt. Hinsichtlich der Bedeutung des Einflusses von Anlage- und Umweltfaktoren gehen die Meinungen auseinander. Zur Einschätzung der Bedeutung von Anlage- und Umweltfaktoren für die motorische Entwicklung können verschiedene Theorien über die menschliche Entwicklung herangezogen werden, die einzelnen Faktoren unterschiedliche Wirksamkeit beimessen.

In *Reifungstheoretischen Ansätzen* wird die Entwicklung weitgehend als biologisch vorprogrammiertes Geschehen betrachtet. Umwelteinflüsse haben hier vergleichsweise geringe Auswirkungen. Durch diese theoretischen Vorstellungen werden die Phasen- oder Stufenlehren über den Verlauf der Entwicklung begründet.

Milieutheoretische Ansätze geben den Umwelteinflüssen (dem Milieu) die entscheidende Bedeutung für das Entwicklungsgeschehen. Dabei spielen anlagebedingte Faktoren eine geringe Rolle. Im Zusammenhang mit diesen theoretischen Ansätzen zur Erklärung von Entwicklung stehen die Reiz-Reaktionstheorien (Behaviorismus), die im Rahmen des „motorischen Lernens" (vgl. S. 165) behandelt werden.

Interaktionstheoretische Ansätze gehen davon aus, daß sowohl Erbanlagen als auch Umweltbedingungen in ihrer Wechselbeziehung (Interaktion) die Entwicklung bestimmen (vgl. EBERSPÄCHER 1982, S. 73).

In engem Zusammenhang zu interaktionistischen Ansätzen stehen *kognitive Entwicklungstheorien*. Hier ist bedeutsam, daß die kognitive Entwicklung des Kindes in der aktiven Auseinandersetzung mit seiner Umwelt geschieht, wobei das Kind nicht nur als Objekt von Reifung und Umwelt zu betrachten ist (vgl. PIAGET 1967; SCHERLER 1975).

5.4.1.4 Zum Verlauf der menschlichen Entwicklung

Über den Verlauf der Entwicklung gibt es bei Psychologen und Pädagogen unter Bezugnahme auf die im vorherigen Abschnitt genannten Theorien zur Entwicklung keine einheitliche Meinung. Besonders die Einteilungskriterien für die Entwicklung werden heftig diskutiert. Es haben sich zwei Auffassungen herauskristallisiert:

1. Phasen- und Stufeneinteilung der menschlichen Entwicklung
Nach dieser Einteilung, die überwiegend auf das Kindes- und Jugendalter bezogen ist, vollzieht sich die menschliche Entwicklung in Schüben. Die Übergangsperioden werden dabei als Ergebnis fortschreitenden Alters angesehen (vgl. SINGER 1985, S. 286).
In Zusammenhang damit steht die Vorstellung, daß es im Verlauf der Entwicklung sog. *sensible Phasen* gibt, in denen der Mensch auf Umweltreize besonders reagiert.
Aus der Vielzahl der Modelle zur stufenmäßigen Entwicklung soll eines exemplarisch vorgestellt werden. Dabei handelt es sich um ein Modell, das einen sehr differenzierten Entwicklungsverlauf darstellt. Andere Modelle vergröbern die Stufeneinteilung durch Zusammenfassung. Die Abb. 5.5 gibt eine allgemeine Vorstellung eines stufenmäßigen Verlaufs der Entwicklung.

Tab. 5.1: Modell zur menschlichen Entwicklung in Stufen.

1.	Neugeborenenalter		1–10 Tage
2.	Säuglingsalter		10 Tage bis 1 Jahr
3.	Frühes Kindesalter		1– 3 Jahre
4.	Erstes Kindesalter		4– 7 Jahre
5.	Zweites Kindesalter	Jungen	8–12 Jahre
		Mädchen	8–11 Jahre
6.	Pubertät	Jungen	13–16 Jahre
		Mädchen	12–15 Jahre
7.	Jugendalter	Jungen	17–21 Jahre
		Mädchen	16–20 Jahre
8.	Reifealter I. Abschn.	Männer	22–35 Jahre
		Frauen	21–35 Jahre
	II. Abschn.	Männer	36–60 Jahre
		Frauen	36–55 Jahre
9.	Zeit des Alters	Männer	61–74 Jahre
		Frauen	56–74 Jahre
10.	Greisenalter		75–90 Jahre
11.	Zeit des langen Lebens	über 90 Jahre	

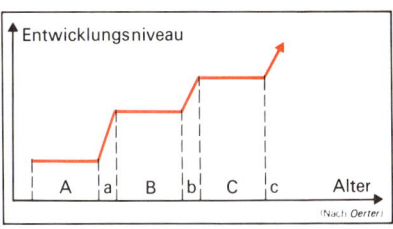

Abb. 5.5: Schema zu den Entwicklungsstufen. A, B, C Phasen relativer Ruhe in der Entwicklung, a, b, c Phasen der Veränderung.

2. Die menschliche Entwicklung ist ein lebenslanger, kontinuierlicher Prozeß

Aus wissenschaftlicher Sicht dominiert heute eher die Auffassung, nach der sich die Entwicklung als lebenslanger, kontinuierlicher Prozeß darstellt (vgl. BALTES/SCHAIE 1973; RUDINGER 1977). Die individuumbezogene Betrachtung von Veränderungen der Persönlichkeitsmerkmale steht dabei im Vordergrund.

In jüngster Zeit erfolgt eine Abkehr von den biogenetisch orientierten Phasenlehren (reifungstheoretischer Ansatz). Es setzt sich mehr und mehr die Meinung durch, daß biogenetische Prozesse die Voraussetzung schaffen, um umweltgebundenes Lernen wirksam werden zu lassen. Somit erwirbt der Mensch auf der Basis von Reifungsprozessen seine Erfahrungen in einem lebenslangen kontinuierlichen Prozeß über umweltbezogenes Handeln (vgl. BAUR 1989, S. 47). Eine allgemeine Orientierung an Altersabschnitten, bezogen auf das kalendarische Alter, ist daher nur als Groborientierung von Bedeutung, zumal die Schwankungen des biologischen Alters bei kalendarisch Gleichaltrigen bis zu sechs Jahren (bis zu drei Jahren nach „oben" und „unten") betragen können. Dies betrifft in erster Linie die Zeitspanne der Pubertät. Ein Fünfzehnjähriger kann demzufolge in seiner biologischen Entwicklung einem Achtzehnjährigen entsprechen (die beschleunigte Entwicklung nennt man *Akzeleration*) oder erst einem Zwölfjährigen (die verzögerte Entwicklung nennt man *Retardierung*).

Man geht davon aus, daß der scheinbar festgelegte biologische Ablauf der Entwicklung durch Umwelteinflüsse, insbesondere durch Erziehung verändert werden kann (vgl. RETTER 1974, S. 229). Daher wird in diesem Zusammenhang dem Lernen und damit den Lerntheorien große Bedeutung beigemessen. Dies wurde im ersten Teil dieses Kapitels bereits durch die Begriffe „funktionales" und „intentionales" Lernen angesprochen.

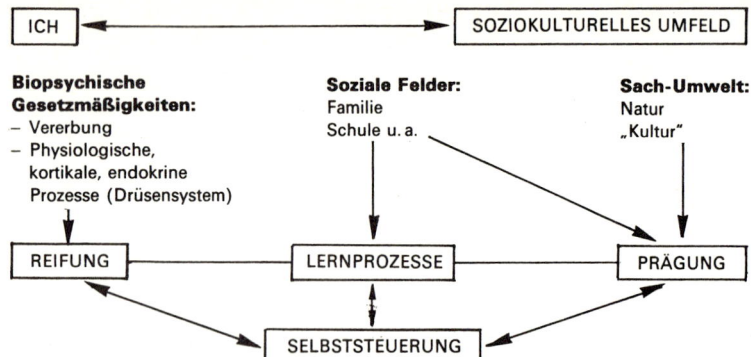

Abb. 5.6: Motorische Entwicklung bestimmende Faktoren und ihre Zusammenhänge (nach WIDMER 1978, S. 372).

Die Entwicklung des Menschen wird im wesentlichen dadurch bestimmt, daß

– eine Vielzahl gesellschaftlicher Bedingungen untereinander in Beziehung treten (Elternhaus, Freunde, peer-groups, Schule, Beruf etc.),
– natürliche Bedingungen (Umwelt, Struktur und Funktionsweise des Organismus, Reifungszustand des ZNS) Voraussetzungen schaffen,
– sie sich in der handelnden Auseinandersetzung der Person mit diesen gesellschaftlichen Lebensverhältnissen vollzieht.

Die Komplexität der die menschliche Entwicklung bestimmenden Faktoren zeigt Abb. 5.6.
Nach den bisherigen Ausführungen sollte Entwicklung als dialektischer Prozeß verstanden werden, in dem sich, vereinfacht dargestellt, Persönlichkeitsentwicklung über eine aktive, wechselseitige Auseinandersetzung mit der Umwelt vollzieht. Die Entwicklung ist demnach weder allein reifungs-, noch milieuabhängig, sondern wird vom Menschen (Subjekt) bestimmt, der sich auf der Basis biogenetischer Voraussetzungen mit sozialökonomischen Gegebenheiten auseinandersetzt und auf sie einwirkt.

5.4.1.5 Motorische Entwicklung und „sensible Phasen"

Als „sensible Phasen" werden begrenzte Zeiträume im Entwicklungsprozeß des Menschen bezeichnet, in denen dieser auf Umweltreize intensiver mit entsprechenden Entwicklungseffekten reagiert als zu anderen Zeitpunkten (vgl. THIESS/SCHNABEL/BAUMANN 1978, S. 175).

Solche „sensible Phasen", z. T. auch als „sensitive Phasen" bezeichnet (vgl. WINTER 1984, S. 343), stellen insofern „kritische Phasen" dar, als in bestimmten zeitlichen Abschnitten der Entwicklung jeweils günstige zu nutzende Voraussetzungen für die Entfaltung von Fähigkeiten im koordinativen und konditionellen Bereich sowie für das Erlernen von Bewegungsfertigkeiten bestehen. Was in diesen Phasen versäumt wird, kann später nur schwer oder gar nicht mehr nachgeholt werden, da eine Steigerung konditioneller und koordinativer Fähigkeiten nicht in jedem Lebensalter mit der gleichen Effektivität möglich ist (vgl. ISRAEL 1976, S. 501). Vergleichbares gilt für Zeiträume innerhalb der motorischen Entwicklung, in denen für das Bewegungslernen besonders günstige Voraussetzungen vorliegen.

Die Kenntnis von Zeiträumen, in denen die Adaptionsfähigkeit, d. h. die Anpassungsfähigkeit von Organsystemen an Umweltreize besonders ausgeprägt vorhanden ist, hat für Eltern, Sportlehrer und Trainer erhebliche Bedeutung, um durch entsprechende Lern- bzw. Übungsangebote darauf reagieren zu können.

Da man in der letzten Zeit Entwicklung als einen lebenslangen kontinuierlichen Prozeß ansieht (Life – span – Entwicklung), werden die Ansichten, daß in bestimmten Lebensabschnitten bestimmte Lernvorgänge optimal organisiert werden können, kritisch betrachtet (vgl. BAUR 1989, S. 31; RIEDER 1991, S. 24). In diesem Zusammenhang wird die Existenz sog. sensibler Phasen unter Angabe folgender Gründe in Frage gestellt:

- Das Vorhandensein sensibler Phasen in der sportmotorischen Entwicklung ist über wissenschaftliche Untersuchungen kaum abgesichert.
- Entwicklungsschübe basieren nicht auf sensiblen Phasen, sondern sind die Folge des Erreichens eines bestimmten Entwicklungsniveaus. Die Höhe dieses Niveaus ist dabei abhängig von der Qualität erreichter Fähigkeiten und Fertigkeiten, die für neuzulernende Bewegungen (Technik, Taktik) Voraussetzung sind.
- Entwicklungsschübe kommen zustande, wenn sich Anforderungen an die Adaptionsfähigkeit infolge eines neuen sozialen Umfelds verändern oder erhöhen (Elternhaus – Kindergarten – Schule – Kleingruppe – Verein – Beruf). Eine Entwicklungsreaktion bei gleichbleibenden Umweltreizen, allein auf Grund des Eintretens in eine sensible Phase, kann weitgehend ausgeschlossen werden (vgl. BAUR 1987, S. 9).

Daraus können folgende Konsequenzen für Training und motorisches Lernen abgeleitet werden:

– Sensible Phasen brauchen nicht berücksichtigt zu werden.
– Reifungsprozesse müssen dagegen in die Trainingsplanung einbezogen werden, z. B. Entwicklungsstand des ZNS, Akzeleration, Reterdation, hormonelle Veränderungen und ihre Auswirkungen auf Kraftentwicklung und anaerobe Ausdauerfähigkeit.
– Für bestimmte Techniken sind bestimmte Fähigkeiten und Fertigkeiten Voraussetzung, die unabhängig vom Alter vorher entwickelt werden müssen. Dies bezieht sich sowohl auf koordinative als auch auf kognitive Fähigkeiten.

Es gibt aber auch Wissenschaftler, die die Existenz sensibler Perioden in der Entwicklung des Menschen als gegeben ansehen (vgl. STAROSTA/HIRTZ 1989, S. 11). Sie stützen ihre Aussagen auf umfangreiche Untersuchungsbefunde in der früheren DDR. Nach diesen Untersuchungsbefunden wird die Existenz besonders sensibler Perioden gegenüber koordinativer Reize oder Anforderungen zwischen dem 7. und 11. bzw. 12. Lebensjahr bestätigt. Daraus ergibt sich die trainingspraktische Konsequenz, daß diese Perioden unbedingt genutzt werden müssen, um die Koordinationsprozesse zu beeinflussen. Werden sie „verpaßt", ist der Lern- bzw. Trainingsaufwand erheblich größer. Der Wachstumsschub in der puberalen Phase bestätigt die Existenz einer kritischen Periode in der Entwicklung. In dieser Phase kommt es auf Grund der Veränderung der Körperproportionen zu einer Beeinträchtigung der Koordination.

5.4.1.6 Anmerkungen zum Entwicklungsverlauf motivationaler und affektiv-kognitiver Faktoren/Fähigkeiten

Motivation und *Einstellung* zum Sport setzen das Vorhandensein entsprechender Motive voraus. Die Entstehung von Motiven erfolgt bereits im frühen Kindesalter. Sie entwickeln sich, ausgehend vom angeborenen Bewegungstrieb, in der frühkindlichen Nahumgebung, d. h. im Elternhaus (vgl. HAHN 1982, S. 28).

Dem Kind muß in vielseitiger Weise Gelegenheit gegeben werden zum Spielen, zur Erkundung und Erforschung (zum „Begreifen") der Umwelt. Dadurch können sich frühzeitig günstige Bedingungen für eine positive Einstellung zum Sport herausbilden.

Bewegungs-, Probier- oder Spieltrieb stellen Lernantriebe dar, die dem Erfahrungserwerb des Kindes dienen. Solche Lernantriebe sen-

sibilisieren das Nervensystem für einen intensiven Informationsgewinn, für das Durchprobieren der eigenen Möglichkeiten und Fähigkeiten.
In bezug auf die affektiv-kognitive Komponente des Kindes entwickelt sich mit Beginn des späten Schulkindalters (ca. 10./11. bis 12./13. Lebensjahr) nach der gefühls- und phantasiebetonten Haltung des Vorschulkindes und der späteren „naiv-realistischen" Einstellung des frühen Schulkindes (7.–10. Lebensjahr) ein „kritischer Realismus". Das Kind zeichnet sich nun durch bestimmte Willenseigenschaften, Konzentrationsausdauer, sachbezogene Interessen, logisches Denken, Verstärkung sozialer Bindungen aus (vgl. WIDMER 1978).

5.4.2 Geschlechtsspezifische Unterschiede in der Enwicklung des Menschen

Hinsichtlich des Leistungsvermögens und der Entwicklung von Jungen und Mädchen gibt es in der Sportpraxis vielfach vorgefaßte Meinungen. Jungen sind mutiger, stärker, ausdauernder und können besser spielen. Mädchen haben dagegen mehr Sinn für das Schöne, Ästhetische, was dann in der Neigung zu bestimmten Sportarten wie Gymnastik, Tanz, Turnen usw. zum Ausdruck kommt. Diese unterschiedlichen Verhaltensweisen im Sport werden als typisch weiblich oder typisch männlich bezeichnet und als biologisch und anthropologisch unabänderlicher Wesensunterschied der beiden Geschlechter angesehen (vgl. LUTZ 1974).
Dabei macht man sich häufig wenig Gedanken darüber, inwieweit bestimmte Verhaltensweisen anlage- (geschlechtsbedingt) oder gesellschaftsbedingt (Umwelt, Milieu, Erziehung, kulturelle Normen und Zwänge usw.) sind (vgl. CRATTY 1975, S. 217).
Nach neueren Erkenntnissen der Entwicklungspsychologie gilt als erwiesen, daß die geschlechtstypischen Neigungen überwiegend gesellschaftsbedingt sind. Die Abstempelung der Frauen als sog. „schwaches Geschlecht" ist nicht gerechtfertigt, was die Leistungsentwicklung im Frauenhochleistungssport deutlich macht. In folgenden Bereichen lassen sich dennoch Unterschiede nachweisen: So setzt der Reifungsprozeß bei den Mädchen um ca. zwei Jahre früher ein und ist entsprechend früher beendet. Damit in Zusammenhang steht eine frühere motorische Entwicklung (vgl. SINGER 1985, S. 305). Unterschiede, z. B. hinsichtlich Körperbau, reifungsbedingter Kraft-

fähigkeit, bevorzugen Jungen gegenüber Mädchen in einer Reihe von sportbezogenen Aufgabenstellungen bzw. Anforderungen. In bezug auf Unterschiede in der Lernfähigkeit und Lerngeschwindigkeit zwischen den Geschlechtern können keine generalisierbaren, wissenschaftlich begründeten Aussagen getroffen werden.

5.4.3 Körperbau

In der Konstitutionslehre von E. KRETSCHMER wird unterschieden zwischen Athletikern, Pyknikern und Leptosomen. Diese Körperbautypen treten im allgemeinen nie in Reinform auf. Es ist daher fragwürdig, ob über den Körperbautyp ein gesichertes Kriterium für die Lernfähigkeit vorliegt. Dennoch hängt die Lernfähigkeit in bestimmten Sportarten vom Körperbau ab. Betrachten wir die kleinwüchsigen, athletischen Turner, die hochaufgeschossenen, schlaksigen Basketballspieler und Hochspringer und die relativ kleinen Ausdauersportler, so wird offensichtlich, daß ein gewisser Zusammenhang zwischen Körperbau und Lernfähigkeit bestehen muß.

5.4.4 Lateralität (Seitigkeit)

5.4.4.1 Begriffsbestimmung

Jeder Mensch besteht aus einer rechten und linken Körperhälfte. Beim Betrachten des äußeren Erscheinungsbildes kann man feststellen, daß beide Hälften nicht gleich sind. Sowohl das Gesicht als auch der Körper und untere Extremitäten zeigen mehr oder weniger deutliche Unterschiede wie z. B. stärkere Muskulatur, verschieden große Ohren usw. Aber auch hinsichtlich der Funktionalität zeichnet sich eine Seitigkeit ab, die in der Bevorzugung der linken oder rechten Hand bzw. des linken oder rechten Fußes bei der Ausführung zielorientierter, feinmotorischer Fertigkeiten zum Ausdruck kommt. Bei Drehungen des Gesamtkörpers wird ebenfalls jeweils eine Drehrichtung bevorzugt. Funktionale Unterschiede ergeben sich bei paarig angelegten Sensoren, z. B. beim Gehörsinn, Geschmackssinn, Tastsinn, Gleichgewichtssinn. Danach läßt sich die Seitigkeit der Menschen, auch Lateralität genannt, einteilen in eine

– *morphologische Lateralität:* ungleiche Ausbildung einer Körperseite;

- *funktionale Lateralität:* Links- und Rechtshändigkeit, Füßigkeit, Mimik, Drehrichtung;
- *sensorische Lateralität:* Tastsinn, Geschmack, Gehör, Gleichgewicht.

5.4.4.2 Entstehung der Lateralität

Im Zusammenhang mit der funktionalen Lateralität stellt sich die Frage, ob die Bevorzugung einer Seite umwelt- oder anlagebedingt ist. Es gibt hierzu in der Wissenschaft verschiedene Theorien. Nach GESELL (1952) sind alle Menschen bei Geburt Beidseiter (Ambidexter). Bis zum 8. Monat läßt sich die Bevorzugung einer Extremität nicht erkennen.
Seitigkeit wird danach erst im Laufe der menschlichen Entwicklung verwirklicht, wobei den Umweltbedingungen eine entscheidende Bedeutung zukommt. Vergleichbare Ansichten vertritt auch SCHNABEL (1987, S. 237), wenn er schreibt, daß „das Herausbilden einer guten Seite das Ergebnis einer langen Schulung ist". FETZ (1989, S. 163) sieht in der Seitigkeit eine Art biologisch notwendige Spezialisierung hochentwickelter Lebewesen, die sich während des Wachstums auf Grund von Vererbung einstellt. Der Mensch ist demnach von Geburt aus nicht Ambidexter, sondern Links- bzw. Rechtshänder (vgl. dazu JÖRGENSEN/RIEDER 1972, S. 305). Unabhängig von diesen gegenteiligen Ansichten kann als gesichert gesehen werden, daß Lateralität nicht von der Peripherie, sondern vom Gehirn ausgeht. Die Abwertung der Linkshändigkeit als Anomalität ist nicht zu rechtfertigen.

5.4.4.3 Physiologisch-anatomische Grundlagen

Das menschliche Großhirn wird durch eine Furche (fissura longitudinalis cerebri) in zwei Hälften geteilt, die als Hemisphären bezeichnet werden. Diese beiden Großhirnhemisphären sind jedoch nicht vollständig autonom, sondern durch Fasern (Kommissurenfasern, sog. corpus callosum) miteinander verbunden (Abb. 5.7). Es handelt sich dabei um eine nervöse Verbindung, die der Korrespondenz beider Hemisphären dient. Die motorischen und sensorischen Zentren sind in der Großhirnrinde auf beiden Seiten festgelegt und stehen untereinander durch Nerven, den Assoziationsfasern, in Verbindung. Die Zentren für die verschiedenen Bewegungen, z. B. der Lippen, der Hand, des Armes oder Beines, sind getrennt lokalisiert in der Zentralfurche (sulcus centralis), in der genannten Reihenfolge von unten nach oben (s. Abb. 5.8).

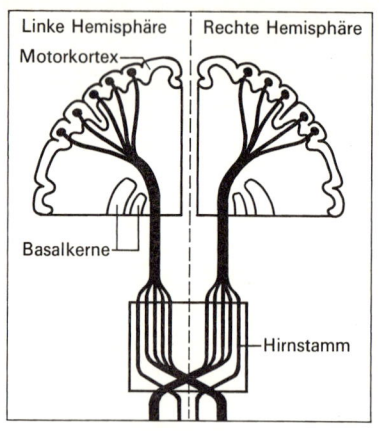

Abb. 5.7: Kreuzung der Pyramidenbahnen im Bereich des Hirnstamms.

Die Abb. 5.7 zeigt, daß sich die afferenten und efferenten Nervenbahnen im Bereich des Hirnstamms kreuzen. Entsprechend der Kreuzung der sog. Pyramidenbahnen, die direkt zu den motorischen Vorderhornzellen des Rückenmarks ziehen, ist jede Hemisphäre für die entgegengesetzte Körperhälfte zuständig.

Der Rechtshänder verfügt also über eine linksseitige Hemisphärendominanz. Eine ausschließliche Hemisphärendominanz ist jedoch nicht erwiesen. Vielmehr hat sich herausgestellt, daß in mancher Hinsicht die rechte Hemisphäre der linken überlegen ist und es zutreffender ist, von einer sich gegenseitig ergänzenden Spezialisierung der beiden Hemisphären zu sprechen.

5.4.4.4 Lateralität und sportliche Praxis

In der sportlichen Praxis läßt sich häufig feststellen, daß Rechtshänder ein linkes Sprungbein besitzen. Derartige Überkreuzungen treten relativ häufig auf. Sie sind darauf zurückzuführen, daß die motorischen Zentren für die oberen und unteren Extremitäten getrennt lokalisiert sind und zudem angenommen wird, daß die *Beinigkeit* im Gegensatz zur angeborenen *Händigkeit* als erworben angesehen wird (vgl. ILJUI in FETZ 1989, S. 169). Auch bei der *Drehseitigkeit* (Wendigkeit, *Läufigkeit*) können Überkreuzungen mit der Händigkeit auftreten. Unter Wendigkeit versteht man Drehungen um die Längs- und Tiefenachse, unter Läufigkeit die Abweichungen von der Geraden beim Gehen mit geschlossenen Augen. Letztere ist auf die mor-

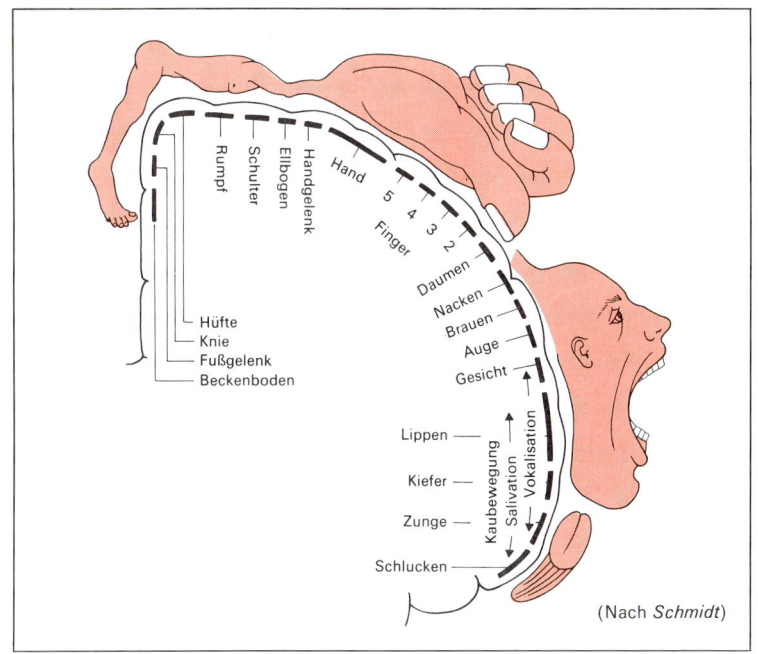

Abb. 5.8: Zuordnung der verschiedenen motorischen Zentren im Cortex.

phologische Asymmetrie des Körpers zurückzuführen. Ursachen für die Richtungsbevorzugung beim Drehen um die Längs- und Tiefenachse sind nach Fetz (1989, S. 170) zum einen die Dominanz der Extremitäten (z. B. Sprungbein beim Hochsprung, Skilauf), zum anderen – bei Drehungen um die Längsachse im kräftefreien Raum bei Sprüngen (z. B. Schrauben beim Wasserspringen) – die unterschiedliche Erregbarkeit der Vestibularapparate im Innenohr.

In unserer Gesellschaft gibt es mehr Rechtshänder als Linkshänder, was dazu geführt hat, daß sehr viele Einrichtungen, Werkzeuge, Anordnungen von Bedienungshebeln bei Maschinen usw. auf den Rechtshänder ausgerichtet sind. Diese Rechtshänderbevorzugung führt wiederum dazu, daß linksdominante Kinder von Eltern umerzogen werden und so den Kreis der Rechtshänder weiter vergrößern. Die Sportartikelindustrie hat sich auf die Linkshänder eingestellt. Dort, wo die Beschaffenheit der Griffe (Fechten, Schießen) und die Konstruktion der Geräte (z. B. Golfschläger) die Handhabung erschwert, wird dem Linkshänder ein entsprechendes Angebot unterbreitet. Linkshändigkeit bringt in bestimmten Sportarten sogar Vorteile. So kommen z. B. Rechtshänder mit Linkshandfechtern und Linksauslegerboxern nur relativ schlecht zurecht. Das läßt sich so begründen, daß Linkshänder es überwiegend mit Rechtshändern zu tun haben, während sich die Rechtshänder nur selten auf Linkshänder einstellen müssen (vgl. Fetz 1989, S. 170).

5.4.4.5 Lateralität und motorisches Lernen

In der letzten Zeit häufen sich die Stimmen von Sportpädagogen, die die beidseitige Ausbildung von Fertigkeiten fordern. Was in den meisten Sportspielen schon lange erfolgreich praktiziert wird, versucht man auf Sportarten zu übertragen, die mit einer dominanten Hand betrieben werden (z. B. Kugelstoß, Speerwurf usw.). Um diese Entwicklung zu beschleunigen, werden teilweise Wettkämpfe angeboten, bei denen Leistungen mit der dominanten und der weniger dominanten Extremität erbracht werden müssen (z. B. Diskuswurf, Kugelstoß, Speerwurf). Durch diese Maßnahme erhofft man sich eine Verbesserung der Lernleistung in zeitlicher (Verkürzung der Lernzeit) und qualitativer Hinsicht (Verbesserung der Ausführungsgüte). Darüber hinaus kann bei auftretenden Verletzungen die Sportart mit dem gesunden Bein bzw. Arm weiter betrieben werden (z. B. leichtathletischer Zehnkampf). Diskutiert wird auch die Möglichkeit, Lernprozesse im Sport grundsätzlich mit der nichtdominanten Seite zu beginnen, weil die „bessere Seite", bedingt durch den erhöhten kognitiven Einsatz beim Üben mit der „schwächeren Seite", einen größeren Mitübungseffekt zeigt. Dies wird durch vorliegende Untersuchungsergebnisse bestätigt. In der Praxis wird dieser methodische Weg allerdings noch recht selten angewandt. Nicht unproblematisch ist auch die Forderung von Trainern und Sportlehrern, Drehungen um die Längs- und Tiefenachse auch bei schwierigen Übungsteilen nach beiden Seiten zu trainieren. Der dazu nötige große Zeitaufwand steht in keiner Relation zum Nutzen.

5.5 Lernverlaufsbestimmende Einflußgrößen

Neben den die Lernfähigkeit bestimmenden Einflußgrößen gibt es noch weitere, die den Lernverlauf mitbestimmen. Es sind dies:
– die Aufnahme handlungsrelevanter Informationen,

- die Lehrkraft,
- die Sprache,
- das soziale Umfeld – Sportstätten und Geräte,
- das motorische und nichtmotorische Training,
- das Aufwärmen,
- die Ermüdung,
- die Angst,
- das massierte oder das verteilte Üben,
- der Transfer,
- der Bewegungsstil – die Bewegungstechnik.

5.5.1 Aufnahme und Verarbeitung externer handlungsrelevanter Informationen im sportmotorischen Lernprozeß

Unter Berücksichtigung des handlungstheoretischen Lernkonzepts vollzieht sich das Aneignen von sportmotorischen Fertigkeiten bzw. Handlungen weder ausschließlich über innere Prozesse (einsichtiges Lernen) noch über äußerliches Verhalten (blindes unreflektiertes Üben). Es wird vielmehr bestimmt durch das richtige Verhältnis von Einsicht und Üben und von der Beachtung der Zusammenhänge zwischen psychischem Befinden während der Handlung (vgl. GABLER 1986, S. 134). Und um dieses Ziel zu erreichen, ist es notwendig, den Lehr- und Lernprozeß so zu gestalten, daß zwischen der sensomotorischen und kognitiven Regulationsebene Wechselbeziehungen hergestellt werden. Das erfordert, daß der Lernende vor und während des Lern- und Übungsprozesses Informationen erhält. Dabei beziehen sich die Informationen vor Handlungsbeginn auf das Handlungsziel und auf die Maßnahmen zur Erreichung dieses Ziels (Sollwertvermittlung), während die Informationen im Verlauf der Handlungsausführung entweder die Richtigkeit der getroffenen Maßnahmen bestätigen oder auf Abweichungen vom Sollwert gerichtet sind.

5.5.1.1 Informationen zur Sollwertbestimmung

Die Informationen über den Sollwert sollen neben einer möglichst genauen Beschreibung der Bewegungstechnik auch Hinweise enthalten, was zu tun ist, um das Handlungsziel zu erreichen und welche Informationen während der Ausführung über die Analysatoren zu erwarten sind. Dabei ist zu beachten, daß Informationen auf das Alter, den Intellekt und auf die Bewegungserfahrung des Lernenden abgestimmt werden. An einem Beispiel soll dies verdeutlicht werden: Während der Hinweis, „Verlagere den Körperschwerpunkt über den Talski" für einen Sportstudenten umsetzbar ist, ist für einen Schüler die Bewegungserklärung, „Neige Dich zum Tal hin" vergleichsweise leichter nachvollziehbar. Dies läßt sich sinngemäß auch auf visuelle Informationen übertragen. Auf die Problematik der Informationsübermittlung wird später genauer eingegangen.

5.5.1.2 Methoden zur Vermittlung des Sollwerts

Informationen über den Sollwert können erfolgen über:

- verbale Informationen,
- optische Informationen,
- akustische Informationen,
- taktile/kinästhetische Informationen,
- Mischformen.

Akustische (verbale) Informationen

Verbale Informationen sind inhaltlich gesehen vor allem auf die Beschreibung der Bewegungstechnik gerichtet, daneben richten sie die Aufmerksamkeit des Lernenden auf bestimmte Ereignisse während des Bewegungsablaufs. Als Beispiel sei hierzu der Hinweis genannt: „Wenn Du betont in die Knie gehst, wirst Du merken, daß sich der Ski leichter drehen läßt" (vgl. GABLER 1986, S. 136; RIEDER 1991, S. 68). Verbale Informationen können über folgende methodische Maßnahmen vermittelt werden:

Bewegungsbeschreibung

Sie versucht, den Bewegungsablauf mit Hilfe von Fachausdrücken sprachlich wiederzugeben. Kausalitäten und Gesetzmäßigkeiten (z. B. Hinweise auf biomechanische Prinzipien und mechanische Gesetzmäßigkeiten) finden keine Berücksichtigung.

Bewegungserklärung

Sie macht im Gegensatz zur Bewegungsbeschreibung Aussagen über physiologische und biomechanische Zusammenhänge und gibt Hinweise zu möglichen psychischen Erscheinungen (z. B. Angst) und ihre Bewältigung. Dieses verbal gebotene Hilfsmittel setzt ein entsprechendes Fachwissen voraus. Es ist deshalb für Kinder und Jugendliche nur mit Einschränkungen geeignet.

Bewegungsvorschrift

Während die Bewegungsbeschreibung den Bewegungsablauf als Ganzes darstellt, bezieht sich die Bewegungsvorschrift auf bestimmte Teile einer Bewegung (z. B. Vorschrift an die Skikursgruppe: „setzt die Spitze des Skistocks beim Stockeinsatz zwischen Skispitze und Bindung ein"). Die Forderungen, die hier gestellt werden, lassen keine Wahl der Bewegungsausführung zu.

Bewegungsanweisung/Bewegungsaufgabe

Weitere verbale methodische Hilfsmittel sind Bewegungsanweisung und Bewegungsaufgabe. Bei der Bewegungsaufgabe ist der Weg zur Erreichung des Handlungsziels freigestellt, bei der Bewegungsanweisung sind dagegen bestimmte Vorschriften gegeben. Ein Beispiel für eine Bewegungsausgabe wäre: „Versuche, den Korb zu treffen." Der Hinweis: „Versuche, den Ball mit einer Hand in den Korb zu werfen", ist dagegen eine Bewegungsanweisung.

Akustische Informationen im Sinne nonverbaler Informationen dienen vor allen Dingen dazu, den Rhythmus einer Bewegung darzustellen bzw. zu unterstützen. Dabei läßt sich die Komponente „Zeit" einer Bewegung durch taktierende Geräusche oder Silben deutlich machen. So kann z. B. ein Lauf- oder Sprungrhythmus vorgeklatscht, die Kraftkomponente einer Bewegung durch akustische Hilfen betont werden. Akustische Hilfen kommen auch zum Tragen, wenn eine Demonstration zum Mitmachen anregt (z. B. Schrittgeräusche bei der Gymnastik oder beim Tanz).

Optische Informationen

Viele Verhaltensweisen werden durch Beobachten gelernt. Auch das Lernen von Bewegungen erfolgt zu einem großen Teil durch Beobachten (Observatives Training). Deshalb kommt der visuellen Sollwertvermittlung bei sportmotorischen Lernprozessen eine große Bedeutung zu. Bei Anwendung dieser Methode zur Sollwertvermittlung ist allerdings zu beachten, daß jeder Beobachter andere Bereiche des Bewegungsablaufs erfassen kann (ganzheitliche Wahrnehmung, Detailwahrnehmung). Eine gezielte Aufmerksamkeitslenkung (verbal) ist deshalb geboten (vgl. GABLER 1986, S. 137). Das Demonstrieren von Bewegungsabläufen wird vor allen Dingen dann angewandt, wenn dynamische Akzente zu vermitteln sind, oder wenn es auf Grund eines komplexen Bewegungsablaufs schwierig wird, alle Handlungsbestandteile verbal darzustellen. Das Vorzeigen soll helfen, Bewegungsvorstellungen zu schaffen und zur Nachahmung anregen. Es wird unterschieden zwischen Vorzeigen durch Lehrer, Schüler sowie durch Medieneinsatz (Lichtbild – Reihenbild – Zeichnung – Skizze – Film – Videoaufzeichnung), (GRÖSSING 1988).

Vorzeigen durch Personen

Demonstrieren und Vorzeigen von Bewegungen durch Lehrer oder Schüler sind beim Neulernen sportmotorischer Bewegungsabläufe notwendige methodische Maßnahmen. Besonders wirkungsvoll erweist sie sich bei Sportarten, die eine starke dynamische Komponente haben. Beim Skilauf fährt der Lehrer z. B. der Gruppe vor, damit die nachfahrenden Schüler den Bewegungsverlauf ständig vor Augen haben.

Vorzeigen durch Medieneinsatz

Das Vorzeigen durch Schmalfilme oder Videofilme erlaubt eine optimale Darstellung von Bewegungsabläufen mit dem Vorteil einer unbegrenzten Wiederholbarkeit sowie Zeitlupen- und Standbildprojektion. Mit Hilfe von Lichtbildern (Dias) können isolierte Bewegungsabschnitte vorgestellt werden. Durch Reihenbildaufnahmen, Zeichnungen und Skizzen kann man die entscheidenden Bewegungsphasen hervorheben.

Taktile Informationen

Ein Bewegungsablauf kann auch dadurch vermittelt werden, daß die Bewegung vom Trainer taktil geführt wird. Dadurch wird die Bewegungshandlung von außen mitgesteuert, damit sie möglichst wenig vom angestrebten Sollwert abweicht. Das findet man beim Tennis, wenn der Lehrer die Schlaghand des Schülers führt, beim Geräteturnen, wenn der Turner durch Schub-, Zug- und Drehhilfen in die richtige Position gebracht wird, und in der Leichtathletik, wenn dem Athleten eine bestimmte Abwurfposition beim Speerwurf oder Diskuswurf durch taktiles Eingreifen bewußtgemacht werden soll. Die Problematik dieser Methode liegt allerdings darin, daß geführt, statt aktiv bewegt wird und dadurch eine völlig andere Rückmeldung erfolgt als bei der selbstgesteuerten Ausführung (vgl. GABLER 1986, S. 138). Taktile Informationen können auch gegeben werden durch Geländehilfen wie z. B. Markierung des Anlaufradius beim Flop, Wegtreten eines Stockes mit dem Schwungbein beim Laufsprung usw.

Mischformen

Beim Vormachen von schnellen Bewegungen durch Schüler oder Lehrer wird die Wahrnehmungskapazität des Beobachters meist überschritten, so daß lernrelevante, funktionstragende Aktionen nicht erkannt werden können. In diesen Fällen ist es notwendig, die Lernenden auf diese bedeutenden Abschnitte des Bewegungsverlaufs verbal hinzuweisen. Auch beim Medieneinsatz werden zusätzliche verbale Instruktionen dazu verwendet, die Aufmerksamkeit auf wesentliche Abschnitte der Demonstration zu lenken. Verbinden lassen sich auch taktile Informationen mit verbalen und akustischen (vgl. H. BAUMANN 1986/NEUMEIER 1988).

5.5.1.3 Informationen während und nach der Handlungsausführung (Feedbackformen)

Beim Handeln erfolgen ständig Rückmeldungen, die aufgenommen, verarbeitet, gespeichert und bewertet werden. Diese sog. „Istwertfeststellung" ist eine wichtige Voraussetzung für den Fortgang des Handelns und damit für den sportmotorischen Lernprozeß. Nur über die Rückmeldung des „Istwerts" (Feedback) ist es möglich, Vergleiche mit dem „Sollwert" vorzunehmen und bei Abweichungen Regelungsprozesse auf der Grundlage von Handlungsplanänderungen vorzunehmen. Diese Veränderung des Handlungsprogramms erfolgt bei langsamen Bewegungen meist während, bei schnellen erst nach Beendigung der Bewegungshandlung. Es sei denn, entsprechende Auswahlprogramme werden vor Beginn des Handlungsablaufs bereits antizipiert (Feedforward-Mechanismen). Die Bildung des Istwerts baut auf Eigen- (intrinsisches Feedback) und auf Fremdinformation (extrinsisches Feedback) auf. Gebräuchlich ist in diesem Zusammenhang die Bezeichnung Standard- und Ergänzungsfeedback (vgl. GABLER 1986, S. 138 f).

Beim Standardfeedback handelt es sich um Informationen, die der Lernende während des Bewegungsvollzugs selbst aufnimmt. Je nach Könnensstand erstrecken sie sich von „gelungen oder mißlungen" bis hin zu differenzierten kinästhetischen Rückmeldungen.

Beim Ergänzungsfeedback bekommt der Lernende zusätzlich zum Standardfeedback Informationen von außen über Personen und/ oder technische Hilfsmittel.

Inhalte, Formen und Methoden des Ergänzungsfeedbacks

Wird das Ergänzungsfeedback von Personen (Trainer, Sportlehrer, Freunde) ohne Hilfsmittel durchgeführt, so erhält man „subjektiv ergänzende" Informationen. Werden dabei zusätzlich technische Hilfsmittel eingesetzt, so werden die Ergebnisse und Werte, die man dabei erhält als „objektiv ergänzende" Informationen bezeichnet.

Technische Hilfsmittel und Methoden zur Bildung des Ergänzungsfeedbacks sind:

Film, Video, Foto, Kraftmeßanlagen, Tonbänder, Zeichnungen, Chronozyklographie u. a. m.

Über sie können z. B. Kraft, Zeit, Weg, Raummerkmale und Muskelaktionspotentiale objektiviert werden.

Weiter kann unterschieden werden zwischen „nonverbalen" und „verbalen" Feedbackformen. Auf welche Weise Außenstehende auf den Lernprozeß Einfluß nehmen können, soll nachfolgende Übersicht verdeutlichen.

Systematik von Feedbackformen (RIEDER 1991, S. 63)

nonverbale Kommentare	verbale Kommentare
Mimik, Gestik, Pantomimik	Lob u. Ermutigung
Klatschen, skeptisches Gesicht	Verweis auf Vorbilder
Nicken, übertriebenes Nach- oder Vormachen	Genereller Ansporn
Armbewegung als Bekräftigung, als Abwinken und Anstacheln	Konkreter Ansporn zu Einzelheiten
Rhythmisierungen, Skandierungen	Erhöhung des Lerntempos
	Frageformen zum Reflektieren
	Qualitätsmäßige Einordnung von Versuchen
	Ansprechen von Talent und Fähigkeiten
	„Positiver Tadel"
	Anregung zu Denkprozessen und Eigenkorrektur

Hinsichtlich des Inhalts lassen sich bei den verbalen und nonverbalen Feedbackformen Hinweise mit informatorischem und motivatorischem Aspekt unterscheiden. Sie können in der Praxis allerdings nicht isoliert eingesetzt werden. Jede sachliche Korrektur verbal oder nonverbal ausgeführt (z. B. „Du mußt früher öffnen" beim Salto vorwärts gehockt oder bekräftigende Armbewegungen zur Beschleunigung des Anlaufs beim Weit- oder Hochsprung), enthält einen Tadel und zeigt auf, daß der Bewegungsablauf vom Sollwert abgewichen ist. Jede Bekräftigung (z. B. „Das war super" oder Klatschen) informiert den Übenden auch darüber, daß die ausgeführte Bewegung den Vorstellungen (Sollwert) entsprach. Neben der Fehlerkorrektur bzw. Lernverstärkung muß über das Ergänzungsfeedback auch versucht werden, den Lernenden zu befähigen, sein Standardfeedback zu vervollkommen. Durch entsprechende Hinweise kann er zu mehr Aufmerksamkeit angeleitet, kann die Selbstbeobachtungsfähigkeit verbessert werden. Je nach Bewegungserfahrung kann z. B. die Aufmerksamkeit auf die Geräusche eines hüpfenden Balles, die akustische Dynamik beim Hürdenlauf, die unterschiedlichen Drücke beim Schwimmen, die Spannungszustände in bestimmten Körperteilen beim Speerwurf oder Diskuswurf gelenkt werden.

5.5.2 Die Lehrkraft

Der motorische Lernprozeß wird in den meisten Fällen durch Lehrkräfte eingeleitet und begleitet. Dabei spielen a) Persönlichkeitseigenschaften, b) sportmotorisches Wissen, c) Bewegungskönnen, d) pädagogisch-methodisches Wissen und Können eine wichtige Rolle. Hinzu kommen die Kenntnis der Ausgangsbedingungen des Lernenden sowie der im Lernvorgang veränderten Bedingungen (s. nachfolgende Abbildung).
zu a) Unter Persönlichkeitseigenschaften versteht man z. B. das Temperament.

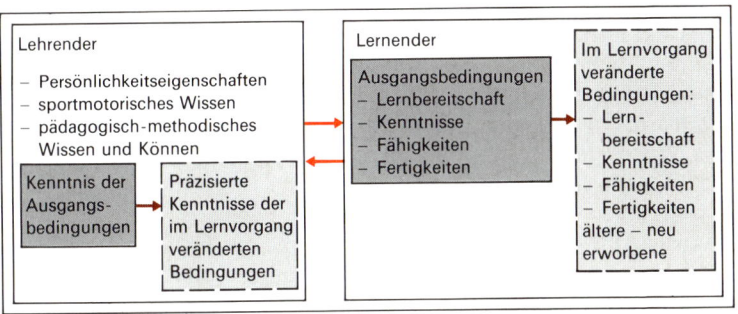

Abb. 5.9: Der Lehr-Lernprozeß im Überblick.

211

zu b) Sportmotorisches Wissen bezieht sich auf das Wissen über Sportbewegungen und deren Entstehung.

zu c) Das Bewegungskönnen ist einerseits Voraussetzung für die Demonstration von Bewegungen zur Bildung einer Bewegungsvorstellung beim Lernenden, andererseits Voraussetzung für Korrektur und bewegungsunterstützende Maßnahmen wie z. T. taktile und akustische Hilfen.

zu d) Pädagogisch-methodisches Wissen und Können schließt u. a. die Kenntnis von Vor- und Nachteilen einzelner Unterrichtsstile ein. Man unterscheidet meist zwischen autokratisch-dominativem Stil, laissez-faire-Stil und sozial-integrativem Stil. So bedeutet der autokratisch-dominative Stil, daß der Lehrer starken Einfluß auf den Lehr- und Lernvorgang nimmt, während er beim sozial-integrativen Stil etwas zurücktritt und die Schüler in den Entscheidungs- und Ausführungsprozeß mit einbezieht. Hinzu kommt die Kenntnis über die Anwendbarkeit von Unterrichtsverfahren, methodische Maßnahmen und Medien.

5.5.3 Die Sprache

Auf die Bedeutung der Sprache im allgemeinen und für das Zustandekommen sportmotorischer Handlungen und Fertigkeiten im besonderen wurde in den Abschnitten 1.1.1 und 3.2.1 bereits kurz hingewiesen. In Verbindung mit dem motorischen Lernen soll nun etwas genauer auf diesen Sachverhalt eingegangen werden.

Schon höhere Tiere besitzen die Fähigkeit, sich untereinander zu verständigen. Sie tun es über optische Signale (z. B. Zeigen der Zähne, Wedeln mit dem Schwanz), durch akustische Signale (z. B. Knurren, Bellen, Pfiffe, Gesang), durch taktile Signale (z. B. Anstoßen, Aneinanderreiben) und durch das Setzen von Duftmarken zur Abgrenzung des Reviers und zum Signalisieren der Paarungsbereitschaft.

Dem Menschen gelang es im Laufe seiner Entwicklung, vor allen Dingen die akustischen Signale zum Zwecke der Verständigung untereinander derart zu verfeinern, daß daraus ein *Wort-Signal-System* entstand, das als Sprache bezeichnet wird. Die Sprache entstand in einem engen Zusammenhang mit der Bewegung. Diese Verknüpfung mit der Bewegung kommt im bildhaften Gehalt der Sprache zum Ausdruck. So weisen z. B. die Worte „Hüpfen" und „Rollen" deutlich auf den charakteristischen Bewegungsverlauf hin. Aber auch abstrakte Wortgebilde können den Bewegungsursprung erkennen lassen. Wir finden diese Zusammenhänge von Lautbild und Bewegungsbild in allen Sprachen. Bei Kindern, die gerade Sprechen lernen, sind Laute immer mit Bewegungen verbunden (Betasten, Hindeuten usw.). Worte haben für sie nur dann Bedeutung, wenn sie mit realen Gegenständen bzw. Bewegungen verbunden werden können. Abstrakte Begriffe werden noch nicht erfaßt.

Bei der menschlichen Sprache handelt es sich also um ein Wort-Signal-System, das mit dem Bewegungssystem eng verbunden ist. Dieses System dient aber nicht nur der Verständigung untereinander, sondern auch der Steuerung und Regelung innerhalb der Bewegungshandlung. Dies ist eine typische menschliche Fähigkeit. Über die Sprache ist es ihm möglich, Bewegungsvollzüge gedanklich vorwegzunehmen (s. dazu Antizipation), also ohne realen Vollzug zu bewerten. Diese Denkvorgänge mittels der Sprache sind innerhalb der Bewegungshandlung in erster Linie im Orientierungs- und Ergebnisteil (s. Aufbau einer Bewegungshandlung) angesiedelt. Aber auch diese sog. kognitiven Prozesse sind keine ausschließlich nervalen Tätigkeiten. Denkvorgänge sind immer mit lautlosen Bewegungen der Stimmbänder verbunden. Die Verbindung von Sprache, Denken und Bewegung wird auch hier deutlich. Bei schwierigen Denkvorgängen wird deshalb oft halblaut mitgesprochen.

Welche Bedeutung hat nun die Sprache für den motorischen Lernprozeß?

Die Sprache dient zusammengefaßt dazu,

1. wahrgenommene Bewegungen (Eigen- und Fremdbewegungen) mit Wort-Signalen zu verknüpfen.
2. sich über das verbale Zeichensystem, das mit den sensorischen Informationen verbunden ist, Bewegungen vorzustellen.
3. Kinästhetische Empfindungen mit Worten zu beschreiben. (Dies erfordert allerdings eine differenzierte Informationsaufnahme und einen hohen sprachlichen Entwicklungsstand.)
4. Bewegungserfahrungen von Generation zu Generation weiterzugeben (Trainingsmethoden, bestimmte Techniken usw., s. dazu „Verbale Hilfsmittel").
5. Bewegungserfahrungen von Mensch zu Mensch auszutauschen (Lehrer – Schüler: Bewegungsbeschreibung, Korektur; Schüler – Lehrer: Beschreibung von Bewegungsempfindungen).
6. Bewegungserfahrungen zu speichern (motorisches Gedächtnis).
7. Handlungsziele präzise herauszubilden – Handlungsprogramme zu erstellen (Antizipation).

8. während und nach dem Bewegungsvollzug (Ausführungsteil) den Bewegungseffekt zu erfassen, gedanklich zu bewerten und gegebenenfalls Regelungsvorgänge einzuleiten.

Die Sprache verbindet den Menschen über die dadurch möglichen Denkprozesse und Wahrnehmungsspeicherung mit der Vergangenheit und der Zukunft. Er kann die über sie gespeicherte und abrufbare Erfahrung nutzen (Vergangenheit) und das Ziel seines Tuns gedanklich vorwegnehmen (Zukunft). Darüber hinaus ist er über die Sprache in der Lage, mit seinen Mitmenschen in Verbindung zu treten, vorausgesetzt, sie verstehen die Bedeutung der Wort-Signale (gleiche Sprache, gleicher Erfahrungsbereich usw.). Die Verbindung der Sprache mit der Schrift macht es zuletzt möglich, Gedanken über Generationen hinaus zu konservieren.

5.5.4 Soziales Umfeld – Sportstätten und Geräte

Soziales Umfeld, Sportstätten (Freiplätze, Turnhallen, Stadien usw.) und Geräte (Großgeräte wie z. B. Barren, Ruderboote sowie Kleingeräte wie z. B. Bälle, Speere usw.) gehören zusammengefaßt zu den äußeren Lernbedingungen. Dazu zählen aber auch die Wassertemperatur beim Schwimmen, die Beschaffenheit des Schnees beim Skilauf, die Windverhältnisse beim Segeln und im Tennis, die Eisqualität beim Schlittschuhlaufen. Diese äußeren Bedingungen bestimmen Lernverlauf und Lernleistung. Betrachten wir nun die einzelnen Bereiche etwas näher.

Soziales Umfeld
Voraussetzung für den erfolgreichen Abschluß eines Lernprozesses im sportmotorischen Bereich ist die Motivation (s. dazu Ablauf einer Bewegungshandlung, S. 64). Sie wird in sehr starkem Maße durch das soziale Umfeld bestimmt, also z. B. durch das Interesse der Familie, der Klasse, der Gemeinde oder der Schule an sportlicher Betätigung. Zusammengefaßt ist also der Stellenwert, den der Sport in einer Gesellschaft hat, ein mitbestimmendes Kriterium des motorischen Lernprozesses.

Sportstätten und Geräte
Positiv oder negativ motivierend können sich aber nicht nur das soziale Umfeld, sondern auch Sportstätten und Sportgeräte auswirken. Eine dunkle, kalte, schlecht belüftete Halle mit ungenügender Beleuchtung, glattem Boden und funktionsuntüchtigen Großgeräten

ausgestattet, Hallenbäder mit kaltem, stark gechlortem, unsauberem Wasser, Freisportanlagen mit unebenen Laufbahnen, harten, steinigen Sprunggruben und dem Wind ausgesetzten Tennisfreianlagen werden Lernbereitschaft und Lernleistung mit Sicherheit negativ beeinflussen. Auch Menge und Zustand der Kleingeräte, wie z. B. Bälle, Sprungseile, sind wesentliche Lernvoraussetzungen.

Wir wissen, daß sich koordinative und konditionelle Fähigkeiten erst über Lernprozesse entwickeln. Mangelhaft ausgebildete motorische Fähigkeiten können durch besondere Gerätebeschaffenheit und -konstruktion ausgeglichen bzw. gefördert werden. Die Lernzeit wird dadurch erheblich verkürzt. Die Sportartikelindustrie hat dazu in Zusammenarbeit mit Sportlehrern und Aktiven eine Fülle von Geräten entwickelt, solche, die die Ausführung erleichtern und andere, die sie erschweren. Eine Auswahl davon soll nachfolgend vorgestellt werden.

Geräte, die die Ausführung erleichtern, um mangelhaft ausgebildete koordinative und konditionelle Fähigkeiten auszugleichen:

Geräte	Art der Erleichterung	Ausgleich
Tennisschläger mit großer Trefferfläche	Ball kann leichter getroffen werden	Gering ausgebildete Differenzierungsfähigkeit u. Orientierungsfähigkeit
Langsam fliegende Softbälle beim Volleyball	Spieler hat lange Zeit, sich auf den fliegenden Ball einzustellen, sich zu orientieren und zu reagieren	Unzureichend ausgebildete Reaktionsfähigkeit und Orientierungsfähigkeit
In der Höhe verstellbare Zielbretter im Basketball	Kinder und Jugendliche mit geringer Größe kommen in Spielbrettnähe, um die richtige Wurftechnik zu erlernen	Geringe Größe, unzureichend ausgebildete Sprungkraft
Lernski	Ski dreht leichter, Schwünge können ausgesteuert werden	Mangelnde Kraftfähigkeit, gering ausgebildete Differenzierungsfähigkeit
Kleinere Segel beim Surfen	Segel kann bei stärkerem Wind leichter geführt werden	Zuwenig Gewicht (Frauen/Kinder), mangelnde Kraftfähigkeit
Breitere Lernboote beim Rudersport	Gleichgewicht kann zum Erlernen der Rudertechnik leichter gehalten werden	Wenig ausgebildete Gleichgewichtsfähigkeit, unzureichende Differenzierungsfähigkeit

Geräte, die die Ausführung einer Bewegung erschweren, um bestimmte koordinative und konditionelle Fähigkeiten zu entwickeln:

Geräte	Art der Erschwernis	Beabsichtigte Förderung
Paddles im Schwimmen	Erhöhung des Zugwiderstands	Kraftausdauer, Differenzierungsfähigkeit
Flossen	Erhöhung des Widerstands beim Beinschlag	Kraftausdauer, Verbesserung der Wasserlage
Gewichtwesten in der Leichtathletik	Erhöhung des Körpergewichts	Schnellkraft, Kraftausdauer
Kleinere/größere, schwerere Bälle als normal	Einstellung auf unterschiedliche Größen und Gewichte	Verbesserung des Ballgefühls durch Vervollkommnung der Differenzierungsfähigkeit

Aber auch psychische Einflüsse, wie z. B. Angst, können durch bestimmte Geräte und Geräteeinrichtungen abgebaut werden. Denken wir dabei an die Longe, die z. B. beim Trampolinspringen Stürze verhindert, die mit Schaumstoffteilchen gefüllte Grube für den Reckturner, die Weichbodenmatte u. a. m.
Die Beispiele, die sich fortsetzen ließen, machen deutlich, daß äußere Bedingungen und Gegebenheiten den motorischen Lernvorgang entscheidend beeinflussen.

5.5.5   Motorisches und nichtmotorisches Training

5.5.5.1   Begriffsbestimmung

Bewegungshandlungen und Fertigkeiten im Sport können auf verschiedene Arten gelernt bzw. trainiert werden. Eine grobe Unterscheidung läßt sich vornehmen, indem man zwischen motorischen und nichtmotorischen Methoden trennt.
Die motorische Methode des Lernens ist dadurch gekennzeichnet, daß dabei die Bewegungen tatsächlich ausgeführt werden, während sich die nichtmotorische Methode auf Sprech-, Denk-, Beobachtungs- und Vorstellungsprozesse beschränkt. Die beiden Methoden treten allerdings in der Sportpraxis nur in den seltensten Fällen isoliert auf, sie vollziehen sich vielmehr nacheinander oder gleichzeitig.

Innerhalb des nichtmotorischen Trainings wird unterschieden zwischen Lernen durch externe Realisation (Kommunikation mit dem Trainer) und interne Realisation (Denken und Vorstellen). Training durch interne Realisation bezieht sich auf die Bereiche mentales und observatives Training.

5.5.5.2 Training durch Sprechen/Kommunikation (externe Realisation)

Hierbei geht es um den Gedankenaustausch zwischen Lehrer und Lernenden, der über das Sprechen realisiert werden muß. Er beinhaltet die Vermittlung und Übermittlung von Erfahrungen und Empfindungen, Verhaltensstrategien und Tips von seiten des Lehrenden, während der Lernende die Möglichkeit hat, Fragen zum Vollzug zu stellen bzw. über seine Gefühle, Erfahrungen und Ängste zu berichten.

5.5.5.3 Training durch Beobachten eines Modells (interne Realisation)

Diese Trainingsmethode wird der inneren Realisation zugeschrieben, da sich hier der Lernende durch Beobachten eines Modells (Partner, Film, Video) eine genaue Bewegungsvorstellung verschaffen kann. Zudem laufen beim konzentrierten Zuschauen innerhalb der für die Bewegung zuständigen Muskelgruppen Mikrokontraktionen ab, die nicht sichtbar werden müssen (Carpenter-Effekt) (vgl. EBERSPÄCHER 1991, S. 59 ff).

5.5.5.4 Mentales Training (interne Realisation)

Im Zusammenhang mit Lernen im Sport wird in jüngster Zeit auch oft vom Einsatz des „Mentalen Trainings", einer Trainingsform der internen Realisation gesprochen. Man versteht darunter die Möglichkeit, einen Bewegungsablauf ohne gleichzeitiges Üben, nur durch planmäßiges, bewußtes Vorstellen des Vollzugs zu erlernen bzw. zu verbessern (vgl. RÜSSEL 1976; PÖHLMANN 1986; GABLER 1986; EBERSPÄCHER 1988; LEHNERTZ 1991).
Die beim mentalen Training ablaufenden Denk- und Vorstellungsprozesse können sich auf verschiedene Weise vollziehen. Indem man

- mit sich selbst über den Bewegungsablauf spricht,
- andere Personen bei der Ausführung eines Bewegungsablaufs beobachtet und sich das Beobachtete danach vorstellt (verdecktes Wahrnehmungstraining),

– sich selbst vorstellt, wie man eine Bewegung ausführt. Dabei ist es notwendig, Informationen aus früheren tatsächlichen Ausführungen zur Bildung einer Bewegungsvorstellung heranzuziehen. Letzteres wird auch als ideomotorisches Training bezeichnet (siehe dazu Abb. 5.9).

Die Begriffe „Mentales Training" und „Ideomotorisches Training" werden in der Sportwissenschaft vielfach synonym gebraucht (vgl. GABLER 1986, S. 143), obwohl ideomotorisches Training sich nur auf den eigenen gedanklichen Bewegungsvollzug bezieht. Da aber bei dieser Form der internen Realisation immer auch Selbstgespräche und Informationen aus beobachteten Bewegungsvollzügen beteiligt sind, wird nachfolgend dem weiter gefaßten Begriff „Mentales Training" der Vorzug gegeben.

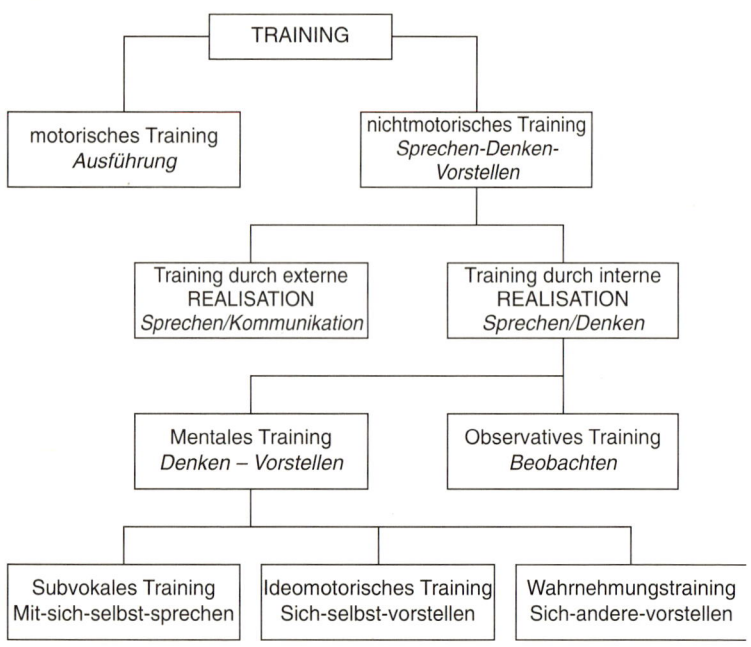

Abb. 5.10: Übersicht der Trainingsmethoden (nach EBERSPÄCHER 1991, S. 59 modifiziert)

Voraussetzungen für eine positive Wirkung des mentalen Trainings

Die Wirkung des mentalen Trainings ist abhängig von einer klaren Bewegungsvorstellung und einer ruhigen Atmosphäre beim Vollzug.

Störend dagegen wirken sich bei dieser Trainingsmethode ein zu großer Ehrgeiz, die sehr große Konzentrationsbelastung, familiäre, berufliche oder gesundheitliche Probleme sowie das Fehlen von Möglichkeiten, einen Vergleich zwischen Angestrebtem und Erreichtem herzustellen (Sollwert–Istwert–Vergleich), aus.

Ansichten über die Wirkung des mentalen Trainings

Die Ansichten über die Wirkung des mentalen Trainings gehen in der Sportwissenschaft immer noch auseinander (Untersuchungen über die Wirkung des mentalen Trainings wurden durchgeführt von: ULICH 1968; VOLPERT 1975; FRESTER 1974). Einige Wissenschaftler sehen den Effekt des mentalen Trainings als experimentell abgesichert und statistisch bewiesen an (vgl. PÖHLMANN 1986, S. 137), während andere die Meinung vertreten, daß die behaupteten Wirkungen des mentalen Trainings keine wissenschaftlichen Erkenntnisse sind, sondern nur auf Erfahrungen von Sportlern, Trainern und Psychologen basierende Vermutungen (vgl. LEHNERTZ 1991, S. 137) sind.

Obwohl die Wirkung des mentalen Trainings im Hinblick auf eine Verbesserung der Bewegungskoordination wissenschaftlich noch nicht in allen Einzelteilen abgesichert ist, lassen sich auf Grund von Beobachtungen aus der Sportpraxis und empirischen Untersuchungen folgende Grundsätzlichkeiten zusammenfassen:

– praktisches Training ist dem mentalen Training überlegen,
– eine Kombination von mentalem Training und praktischem Training zieht die besten Erfolge nach sich,
– mentales Training fördert die Fähigkeit, Bewegungsvorstellungen auszubilden als wichtige Voraussetzung für die Erstellung eines Handlungsplans.

5.5.6   Das Aufwärmen

Die Bewegungskoordination hängt in erheblichem Maße von den neuromuskulären Voraussetzungen ab. HOLLMANN u. HETTINGER (1980) führen das Auftreten von Schwierigkeiten in der Bewegungskoordination im nichtaufgewärmten Zustand oder bei herabgesetzter Außentemperatur auf die verminderte Geschwindigkeit von nervalen Impulsen und die geringe Empfindlichkeit der Rezeptoren zurück. Gezieltes Aufwärmen hat eine positive Wirkung auf die Bewegungskoordination.

Im einzelnen sind folgende Teilprozesse dafür verantwortlich:

- Erweiterung der Gefäße, daher bessere Durchblutung und Sauerstoffversorgung,
- Anstieg der Körpertemperatur und damit Abnahme der Viskosität, d. h. der inneren Reibung der Muskulatur. Dadurch werden Muskeln, ebenso wie Sehnen und Bänder elastischer und dehnfähiger (Verminderung der Verletzungsgefahr).
- Gesteigerte Empfindlichkeit der Propriozeptoren, damit zusammenhängend der kinästhetischen Empfindungen.
- Erhöhung der Entspannungsfähigkeit.
- Erhöhung der psychischen Leistungsbereitschaft (Aufmerksamkeit, Konzentration), die sich auf die Bewegungskoordination auswirkt.
- Verbesserung des neuromuskulären Zusammenspiels (vgl. HOLLMANN u. HETTINGER 1980).

Wenn auch Trainer und Wissenschaftler die Bedeutung des Aufwärmens unterschiedlich beurteilen, so wird seine grundsätzliche positive Beeinflussung auf die Bewegungskoordination kaum in Zweifel gezogen.

5.5.7 Die Ermüdung

Aus eigener Erfahrung wissen wir, daß Ermüdung den sportmotorischen Lernprozeß erheblich stören kann und daß sie unterschiedliche Ursachen hat. Müdigkeit stellt sich ein bei schwerer körperlicher Arbeit, aber auch bei monotonen leichten Tätigkeiten und bei konzentrierter geistiger Beschäftigung. Dies macht deutlich, daß dieser Zustand von komplexer Natur ist.

5.5.7.1 Erscheinungsbild und Auswirkungen der Ermüdung

Bei schwerer körperlicher Belastung, wie es z. B. beim Schnelligkeitstraining in der Leichtathletik der Fall ist, kann die schnell auftretende Ermüdung am Geschwindigkeitsabfall gemessen und damit objektiviert werden. Im Gerätturnen führt Ermüdung dazu, daß Fertigkeiten, die bisher verfügbar waren, nicht mehr gelingen. Auch das konzentrierte Üben von taktischen Spielzügen löst Ermüdungsprozesse aus, die zu Unlust, taktischen Fehlleistungen, Abspielfehlern und Aggressivität führen. Der Sportler erkennt Ermüdung an folgenden Symptomen:

- ziehender Schmerz in der arbeitenden Muskulatur,
- Steigerung der Herzschlagfrequenz,
- Kraftlosigkeit,
- Störungen der Bewegungskoordination,
- Atemnot,
- Lustlosigkeit.

Zusammenfassend kann gesagt werden, daß durch Ermüdung die für das Gelingen von Bewegungshandlungen bzw. Fertigkeiten notwendigen emotionalen, kognitiven, koordinativen und konditionellen Fähigkeiten eingeschränkt sind.

5.5.7.2 Physiologische/biochemische Erklärung der Ermüdung

Ermüdungserscheinungen sind sowohl auf organische als auch auf psychisch-nervale Prozesse zurückzuführen. Nach LEHNERTZ (1991, S. 179) wird bei sportlichen Tätigkeiten nicht nur die Skelettmuskulatur, sondern auch das Zentralnervensystem ermüdungswirksam gefordert. In diesem Zusammenhang wird von *peripherer* und *zentraler Ermüdung* gesprochen. Zwischen den beiden Systemen (Muskulatur und ZNS) bestehen nicht nur über das Nervensystem, sondern auch über die Blutbahn Verbindungen. Die Aktivierung der Arbeitsmuskulatur ist über Nervenimpulse vom ZNS abhängig. Die dafür notwendigen Transmitter müssen resynthetisiert werden, wobei Ammoniak entsteht. Zusätzlich gelangt auch vermehrt Ammoniak aus der arbeitenden Muskulatur über die Blutbahn ins Gehirn und diffundiert in die Gehirnzellen. Diese erhöhte Ammoniakkonzentration führt zu einer Verminderung der erregenden (Glutamate) und hemmenden (GABA) Transmitter (Hemmung der Transmitterresynthese). Auf Grund des Transmittermangels können die im Kleinhirn gespeicherten Koordinationsvorgaben (Engramme, Koordinationsschablonen) nicht mehr optimal abgerufen, bzw. Hemmungsprozesse zur Minderung überschießender Bewegungsausschläge nicht mehr eingeleitet werden. Damit wird der gängigen Meinung widersprochen, daß die Koordinationsstörungen bei Ermüdungen auf Grund zunehmender Hemmungsprozesse erfolgen. (Hinweis der

Verfasser: Vereinfachte Darstellung, das Studium entsprechender Literatur wird empfohlen). Als metabolische Ursache für die Muskelermüdung wird eine Anhäufung von Wasserstoffionen in der arbeitenden Muskulaturperipherie (Ermüdung) angenommen (spekulative Annahme). Diese bei starker Muskelarbeit auftretende Übersäuerung wurde bisher auf die Bildung von Laktat zurückgeführt. Danach soll durch Ablösung des Protons (H+) vom Endprodukt der aeroben Glykolyse – der Milchsäure (Laktat=Milchsäure minus H+) – eine Erhöhung der Protonenkonzentration (=pH-Werterniedrigung=„Säuerung") im Zellplasma der Muskulatur erfolgen. Neuere Untersuchungen haben ergeben, daß die Glykolyse insgesamt „protonenneutral" ist, ja sogar, wenn aus Pyrovat mit Hilfe des Enzyms Laktatdehydrogenase Laktat entsteht, dazu – neben NAHD (Nicodinomid-Adenin-Dinucleodit) – ein H+ aufgenommen wird. Das bedeutet, daß es sich bei der Laktatbildung um einen Mechanismus handelt, mit der sich die Muskulatur in Grenzen vor Übersäuerung schützen kann. Die wesentliche Protonenquelle ist die ATP-Spaltung selbst, denn bei jeder hydrolytischen Spaltung des ATP-Moleküls entsteht auch ein Proton H+. Bisher wurde angenommen, daß die Ermüdung des Zentralnervensystems der Ermüdung der Skelettmuskulatur vorgeschaltet ist und dadurch eine totale Ausschöpfung der Energiereserven verhindert wird. Auch hierzu gibt es neuere Untersuchungen, die besagen, daß die bei intensiver Arbeit vermehrt gebildeten Protonen die Wirkungsstellen des Calciums (Initiator für die ATP-Hydrolyse) blockieren und so verhindern, daß sich die Protonenzahl weiter erhöht, was auf Grund der damit verbundenen Übersäuerung zu einer Zellschädigung führen würde (vgl. LEHNERTZ 1991, S. 181). Auf andere Mechanismen, die die Protonenflut eindämmen helfen, kann in diesem Rahmen nicht eingegangen werden. Auf das Studium entsprechender Literatur wird verwiesen (siehe dazu LEHNERTZ 1991, S. 182).

5.5.7.3 Psychische Prozesse als Ermüdungsursachen

Wir wissen aus der Sportpraxis, daß die Stimmungslage des Sportlers ein die Ermüdung bestimmender Faktor ist. Bei Mehrkämpfen kann z. B. eine unerwartete Niederlage in einer Disziplin zu Ermüdungserscheinungen führen, die sich in Lustlosigkeit, Abgeschlagenheit äußert und in der Folge zu einer Leistungsminderung in den anderen Disziplinen führt. Wir sprechen in diesem Zusammenhang im Gegensatz zur Leistungsermüdung von Stimmungsermüdung. Stimmungen können aber auch leistungsfördernd in Erscheinung treten. Wie oft wachsen Sportler über sich hinaus. Sie erbringen im Wettkampf Leistungen, die sie im Training nie erbracht hatten.

Übermäßige psychische Erregung vor dem Wettkampf in Verbindung mit der Erregung bei körperlicher Höchstleistung kann ebenfalls zu übermäßigen Ermüdungserscheinungen führen.

Dies läßt sich vermutlich darauf zurückführen, daß diese Erregungsprozesse durch erhöhte Nervenaktivität hervorgerufen werden, was zu der bereits beschriebenen Transmitterminderung im ZNS führt. Diese Prozesse können sich bei manchen Sportlern im Wettkampf oder beim Lernen besonders schwieriger Bewegungsteile derart stark auswirken, daß sie im Wettkampf wesentlich geringere Leistungen bringen als im Training. Die Müdigkeit wird vielfach als bleierne Schwere in den Extremitäten empfunden. Wettkämpfer, die dafür besonders anfällig sind, werden als „Trainingsweltmeister" bezeichnet. Im motorischen Lernprozeß (2. Lernstufe) wirken sich diese Hemmungsprozesse so aus, daß z. B. Übungen nicht mehr gelingen, wenn sich Zuschauer im Raum befinden.

5.5.7.4 Übertraining

Das sog. Übertraining, eine chronische Ermüdung, tritt dann auf, wenn die Anforderungen des Organismus im Training in einem Mißverhältnis zur Lernbereitschaft stehen, der Trainer also von seinen Schützlingen zu viel verlangt, oder die Vorbereitungszeit bzw. Wettkampfperiode zu lange dauert. Unlust, Leistungsabfall und Gereiztheit sind das äußere Erscheinungsbild.

5.5.7.5 Ausschaltung der Ermüdung

Im organischen Bereich (Muskulatur) läßt sich Ermüdung bekämpfen bzw. lassen sich Ermüdungserscheinungen herabsetzen durch:

- äußere Anwendung von Wärme (z. B. ein warmes Bad),
- aktives Aufwärmen,
- Anwendung von Massagen,
- durchblutungsfördernde Mittel (Salben, Spritzen).

Ermüdung wird ausgeschaltet durch Mobilisierung der autonom geschützten Leistungsreserven. Dies ist möglich bei Todesangst oder durch Doping. Schäden am Organismus sind hierbei meist unvermeidlich. Die Ermüdung auf Grund psychischer Prozesse (z. B. Angst usw.) wird in jüngster Zeit im Leistungssportbereich vielfach durch den Einsatz von Psychologen zu vermindern versucht (Hypnose, Gespräche).

Der sportmotorische Lernprozeß wird sehr stark von diesem komplexen Problem „Ermüdung" beeinflußt. Es ist deshalb vordringliche Aufgabe von Trainern, Sportlehrern und Aktiven, die Ermüdungsfaktoren bei der Lehr-, Lern- und Trainingsplanung zu berücksichtigen.

5.5.8 Die Angst

5.5.8.1 Begriffsbestimmung

Emotionen beeinflussen Bewegungshandlungen, d. h. sie steuern, regulieren und modifizieren den Bewegungsverlauf und werden ihrerseits von ihm beeinflußt. Dabei können emotionale Prozesse sowohl positive als auch negative Auswirkungen haben (vgl. THOMAS 1978, S. 254). Eine den Emotionen zuzuschreibende Erscheinung ist die *Angst.* Der Begriff *Angst* darf aber nicht synonym mit dem Begriff „Furcht" gebraucht werden. Furcht bezieht sich auf einen konkreten Gegenstand, ein Ereignis, während Angst als eine subjektbezogene Unsicherheit angesehen wird, sozusagen als eine „gegenstandslose Furcht". Eine Definition von Angst ist sehr schwierig, weil es verschiedene Definitionsrichtungen gibt. Generell wird Angst als ein hypothetisches Konstrukt angesehen, d. h. man versucht, aus äußeren Merkmalen auf einen psychischen Zustand zu schließen (vgl. BAUMANN 1986, S. 111).

5.5.8.2 Merkmale der Angst

Angstmerkmale bzw. Symptome der Angst sind (vgl. ROHRACHER 1971, S. 466; BAUMANN 1986, S. 111):

- organische Symptome, z. B. Pupillenerweiterungen, Blutdruckanstieg, Herzklopfen, Steigerung der Atemfrequenz bzw. Preßatmung, bleiches Gesicht, Schweißausbruch, Zittern;
- Verhaltensmerkmale, z. B. Passivität, Gleichgültigkeit, Zögern, Zaudern, Drückebergerei, Aggressivität;
- motorische Merkmale, z. B. unkoordinierte Bewegungen, Verkrampfungen und Verspannungen; die Folgen davon sind Leistungsminderung, Versagen, in bestimmten Fällen aber auch Leistungssteigerung.

Informationen über den psychischen Zustand „Angst" gewinnt man über

– Messung biochemischer Vorgänge und Reaktionen des Gehirns, der Muskeln sowie des Herzens. Aber auch die Messung der Hautleitfähigkeit und des Blutdrucks sowie ein beobachteter Konzentrationsanstieg der Streßhormone Adrenalin und Noradrenalin geben Auskunft über die psychische Beanspruchung eines Menschen.
– Selbstbeobachtung: Eine Person beobachtet sich selbst und macht darüber Aussagen.
– Fremdbeobachtung: Die Beobachtung anderer kann direkt auf die Person gerichtet sein oder auf die Auswirkung ihres Verhaltens (vgl. EBERSPÄCHER 1988, S. 91 ff).

5.5.8.3 Ursachen der Angst

Hinsichtlich der Entstehung der Angst gibt es verschiedene Theorien (vgl. ROKUSFALVI 1980, S. 123):

– Somatogene (physiologische) Theorie. Das vegetative Nervensystem wie auch das endokrine System sind hier die Angstauslöser. Es wird davon ausgegangen, daß es eine angeborene Disposition zur Angst geben kann.
– Tiefenpsychologische Triebtheorie. Angst entsteht in Folge von Triebunterdrückung (FREUD u. a.).
– Lernpsychologische Theorie. Angst ist eine emotionale Reaktion, die durch Lernprozesse erworben wird. Sie sind durch die Mechanismen Belohnung und Bestrafung direkt beeinflußbar (vgl. BOISEN 1975, S. 18).

5.5.8.4 Formen der Angst

Zu den Angstformen gehören die Erwartungsangst und die soziale Angst. Die Erwartungsangst hat verschiedene Gesichter, so z. B. die Angst vor Versagen, Bestrafung und vor Verletzung. Bei der sozialen Angst ist das Selbstwertgefühl auf Grund von Leistungsbeurteilung bedroht. Angst vor „Blamage" kann in diesem Zusammenhang stehen.

5.5.8.5 Angst und sportliches Handeln

Im Sport kommt es häufig vor, daß eine antizipierte Situation als potentiell schädigend eingestuft wird. Auf Grund der Vielfalt von Angst auslösenden Faktoren kann man zusammenfassende Angstkategorien bilden. Dies sind z. B.:

- Angst durch Orientierungsmangel (z. B. bei Rückwärtsbewegungen),
- Angst vor dem Unbekannten (z. B. Skilauf im Nebel),
- Soziale Angst (z. B. Angst vor Niederlagen),
- Erfahrungsangst (z. B. Angst vor Stürzen bei schwierigen Abfahrten, Angst vor schwierigen Gegnern in Zweikampfsportarten).

Die Reaktion auf diese als Bedrohung bzw. als Herausforderung erlebte Situation ist unterschiedlich. Sie kann zum Ausdruck kommen als Angriff (der Sportler reagiert besonders aggressiv bzw. strengt sich im positiven Sinn besonders an), oder als Flucht (Sportler stellt sich dem Wettkampf erst gar nicht) oder in Form von Passivität (er resigniert und gibt dann auf). Die aufgezeigten Reaktionen werden aber nur selten sichtbar, sondern spielen sich vorwiegend im Kopf des Athleten ab (vgl. EBERSPÄCHER 1988, S. 91). Wie schon angedeutet, hat die Angst bei sportlichen Aktivitäten nicht nur hemmende, sondern auch anspornende Wirkung (vgl. ROKUSFALVI 1980, S. 123). Letztere bezieht sich dabei allerdings mehr auf den konditionellen Bereich, während sich die hemmende Wirkung vorwiegend im koordinativen Bereich leistungsmindernd bemerkbar macht (vgl. BAUMANN 1986, S. 113). Ob es zu einem leistungsmindernden oder leistungsfördernden Einfluß kommt, hängt primär von der Intensität der Angst ab. Sie kann vom Schwierigkeitsgrad der gestellten Aufgabe und vom allgemeinen Ängstlichkeitsgrad des Athleten bestimmt werden. Der aktivierende Einfluß der Angst kommt im Vorstartzustand zum Ausdruck, der gekennzeichnet ist durch die vegetative Vorbereitung der angestrebten sportlichen Leistung (vgl. STEINBACH 1968, S. 203 ff). Das bei manchen Athleten im Zusammenhang mit dem Vorstartzustand auftretende „Startfieber" oder die „Startapathie" beeinflussen den Wettkampfverlauf dagegen meist negativ (vgl. PUNI 1961).

5.5.8.6 Angst und motorisches Lernen

Angstzustände wirken sich besonders negativ auf den sportmotorischen Lernprozeß aus. Vor allen Dingen dann, wenn es darum geht, koordinativ schwierige Aufgaben zu bewältigen. Angst wird dann als Bedrohung erlebt, wenn eine antizipierte Situation als potentiell schädigend eingestuft wird. Schädigungsmöglichkeiten können sich dabei auf physische (Verletzungen), soziale (Blamagen, Bloßstellungen) und psychische Faktoren (Versagensangst) beziehen. Ängste geringer Intensität wirken sich beim motorischen Lernen leistungssteigernd aus. So gelingt in einer Prüfungssituation plötzlich der Sprung über das Pferd. Ein großer Angstreiz – z. B. ein mehrfach erlittener Schmerz über das zu erwartende Gelächter der Mitschüler bei Versagen – macht ein Ausführen der Bewegung unmöglich. Die Intensität des Angstreizes steht in Zusammenhang mit

– dem Schwierigkeitsgrad der Bewegungsaufgaben,
– erschwerten äußeren Bedingungen (z. B. vereister Hang beim Skilauf, Sprunglatte statt Sprungschnur),
– dem angsteinflößenden Charakter der jeweiligen Situation (Zuschauer),
– vorausgegangenen Bewegungserfahrungen mit der Bewegungsaufgabe (negativ: Verletzungen, Blamagen/positiv: Erfolgserlebnisse),
– dem allgemeinen Ängstlichkeitsgrad des Lernenden (vgl. BOISEN 1975, S. 48 ff).

Beim Vermitteln von sportmotorischen Handlungen und Fertigkeiten ist deshalb darauf zu achten, daß angstauslösende Zustände vermieden bzw. gemindert werden. Es gibt verschiedene Maßnahmen und Methoden dazu.

5.5.8.7 Maßnahmen und Methoden zur Reduzierung von Angstzuständen

Angstreduzierend wirkt sich z. B. das Unterrichten in Kleingruppen aus. Auch Entspannungsübungen, mentales Lernen und autogenes Training werden als angstreduzierend angesehen. Positiv wirkt sich auch die Erziehung zur Konfrontation mit der Angst aus. In diesem Zusammenhang ist es von Bedeutung, daß Schüler Angst eingestehen und ansprechen, Angstzustände ernst genommen und nicht lächerlich gemacht werden. Einsichten über die Entstehungszusammenhänge sollen gewonnen, Veränderungsmöglichkeiten der angstauslösenden Situation aufgezeigt und Kenntnisse von Gefahren und Fehlerquellen vermittelt werden (vgl. BOISEN 1975, S. 69).
Auch im Leistungssport werden in jüngster Zeit vermehrt Regulationsmaßnahmen zur Bewältigung psychischer Beanspruchungen angeboten. Die verschiedenen Techniken und Verfahren sollen nachfolgend kurz angesprochen werden. Einfluß genommen werden kann nach EBERSPÄCHER (199, S. 58 ff) über

– Regulation der Informationsaufnahme, d. h. durch gezielte Wahrnehmungslenkung wird auf materielle (Beschaffenheit der Wettkampfstätte und Geräte) und personale Bedingungen (eigener körperlicher Zustand, Gegner, Schiedsrichter, Zuschauer) hingewiesen.

- Probehandeln mittels Selbstgesprächen. Sie sollen helfen, die Anforderungen einer Situation zu bewältigen.
- Regulation des instrumentellen Handelns durch Sprech-, Denk- und Vorstellungsprozesse (siehe dazu mentales Training).
- Relaxations- und Mobilisationstechniken.

Folgende psychische Trainingsmethoden können dabei helfen, Ängste zu reduzieren.

Das autogene Training

Das autogene Training ist eine Form der Selbstsuggestion. Autogenes Training ist für die Regulation von Angstzuständen vor Wettkämpfen aber nur bedingt geeignet, da diese Trainingsform keine aktivierende Komponente aufweist.

Die progressive Muskelentspannung

Diese psychoregulative Technik wirkt über die Wahrnehmung der Muskelentspannung auf die Befindlichkeit ein. Es ist eine gute Methode zum Abbau von Ängsten und Spannungen. Das Gefühl tiefer Entspannung führt zur Angstbefreiung.

Bei dieser Technik werden nacheinander unter entsprechender Konzentration verschiedene Muskelgruppen des Körpers auf ein Signal hin angespannt und auf ein weiteres entspannt. Das Erlernen der Technik ist nicht sehr aufwendig.

Psychotonisches Training

Diese Technik hat sehr große Ähnlichkeit mit dem autogenen Training. Sie soll dazu dienen, den Muskeltonus in den Griff zu bekommen. Der Athlet muß unter Anleitung erkennen, daß Spannung und Entspannung wie Gegensätze sind und lernen, wie es ist, wenn man überhaupt keinen Muskel anspannt. Der Einstieg geschieht über Muskelgruppen, die leicht zu entspannen sind. Im Gegensatz zum autogenen Training erfolgt nach der sog. Dekontraktion eine Aktionsphase. Über diese Technik soll es u. a. möglich sein, Schmerzgrenzen oder Angst vor Verletzungen zu überwinden und psychische Beschwerden, die durch intensives Training und Wettkämpfe hervorgerufen werden, zu verringern.

Desensibilisierungsverfahren

Das sog. Desensibilisierungsverfahren basiert auf der Theorie, daß Ängste auf Lernprozesse zurückzuführen sind; d. h., eine Person ist mit der Reaktion „Angst" in bestimmten Situationen sensibilisiert. Desensibilisierungsmaßnahmen sollen nun diese Angst abbauen (verlernen). Da sich Angst und Entspannung ausschließen, versucht man, sich unter Entspannung an den angstauslösenden Sachverhalt heranzutasten: Die angstauslösende Geräuschkulisse wird z. B. bei Wettkämpfen im Training simuliert oder man spielt entsprechende Wettkampfsituationen mental durch.

Yoga

Eine weitere Technik zur Beherrschung von Körper und Geist ist Yoga. Auch diese Technik bietet im weitesten Sinne einen Weg zur Entspannung und zur Steigerung der Konzentrationsfähigkeit.

Relaxations-Mobilisationstechnik

Bei diesen Techniken folgt auf eine Entspannungsphase ein mobilisierender Teil. Auf der Basis des autogenen Trainings setzen sportspezifische Mobilisationsmaßnahmen ein, die durch aggressive Selbstgespräche und schnelle Bewegungen (z. B. Schwunggymnastik) gekennzeichnet sind.

Aktivtherapie

Die Aktivtherapie ist ein Verfahren, das aus drei Abschnitten besteht. Einem entspannenden Teil (Grundform des autogenen Trainings), einer Übergangsform zur Aktivierung und einem aktivierenden Teil, der Vorsatzbildung und Schwunggymnastik. Wettkampfbeobachtungen zeigen, daß diese Technik den Bewegungsablauf ökonomisiert und nervöse Begleiterscheinungen verhindert (vgl. FRESTER 1972, S. 194 ff).

Biofeedback

Als letztes sei noch das Prinzip des Biofeedbacks genannt. Wie wir wissen, lösen psychische Prozesse, wie z. B. die Angst, physische Reaktionen (z. B. Zunahme der Handfeuchtigkeit oder Steigerung der Atemfrequenz) aus. Der Athlet wird angehalten, diese Prozesse bewußt zu registrieren und ihre Veränderung bei Entspannung zu beobachten. Dazu sind allerdings Geräte notwendig, die dem Athleten genau über den jeweiligen Zustand berichten. Diese Methode ist relativ leicht erlernbar.

Alle diese Methoden haben dann ihre Grenzen, wenn durch psycho-regulative Maßnahmen Schutzmechanismen des Körpers ausgeschaltet werden, was zu psychischen und physischen Schädigungen führen kann (Grauzone des psychologischen Dopings) (vgl. EBERSPÄCHER 1988, S. 89).

5.5.9 Massiertes oder verteiltes Üben

Von massiertem Üben spricht man, wenn motorische Lernprozesse ohne Einschaltung von Pausen, d. h. in zeitlich geschlossener Form ablaufen, z. B. beim Hürdenlauf innerhalb einer Unterrichtseinheit (was einer Doppelstunde entsprechen kann). Werden die Lerninhalte auf mehrere Unterrichtseinheiten verteilt, die zeitlich nicht zusammenhängen, so bezeichnet man dies als verteiltes Üben.
In der Praxis kann verteiltes und massiertes Üben kombiniert werden. In einer ersten Unterrichtseinheit soll das gesetzte Lernziel, z. B. Erreichen der Grobform einer Bewegung, verwirklicht werden. Weitere Übungseinheiten dienen anschließend der Verbesserung bzw. Verfeinerung von Bewegungsteilen.
Es stellt sich nun die Frage, ob massiertes oder verteiltes Üben in bezug auf die Behaltensleistung Lernender vorteilhaft ist. Sie läßt sich nur unter Berücksichtigung der die Behaltensleistung mitbestimmenden Einflußgrößen beantworten. Dazu gehören:

– Motivationsstärke,
– Konzentrationsausdauer,
– zur Verfügung stehende Lernzeit,
– Komplexität des Lerngegenstands („Schwierigkeit").

Bei massiertem Üben wird versucht, das Lernziel in einem Zug zu erreichen. Auf Grund der damit verbundenen länger andauernden psychophysischen Belastungen werden Motivationsverlust, Verringerung der Konzentrationsausdauer sowie weitere Ermüdungserscheinungen der Lernenden in Kauf genommen.
Die genannten negativen Begleiterscheinungen beim massierten Üben treffen auf das verteilte Üben nicht, oder nur in wesentlich geringerem Umfang zu, was Vorteile für diese Art des Übens mit sich bringen kann. Dies können im einzelnen sein:

– Komplexe Lernziele erfordern eine Hinführung über eine entsprechende Anzahl von Lernschritten, die in der Praxis vielfach nur durch verteiltes Üben zu realisieren ist.

– Verteiltes Üben beinhaltet Pausen, die für die Behaltensleistung folgende Vorteile mit sich bringen können:
Verlängerung der Gesamtlernzeit durch Einbeziehung der Pausen in den Lernprozeß. Dadurch ergeben sich günstigere Bedingungen für die Speicherung des Erlernten im Gedächtnis (Konsolidierung). Kommt es nach der Ruhepause, in der also kein „aktives" Lernen stattgefunden hat, zu einer verbesserten Ausführung der erlernten Bewegung, so spricht man von einem *Reminiszenzeffekt.* Das deutet darauf hin, daß in der Pause innerhalb des kognitiven Bereichs des Lernprozesses kein Abbruch, sondern eine Fortsetzung erfolgt, was sich in einer qualitativen Steigerung des Lernergebnisses niederschlägt.

– Die Ausbildung von Lernplateaus kann verringert werden. Darunter versteht man Abschnitte im motorischen Lernprozeß, in denen so gut wie kein Lernfortschritt erkennbar ist. Ermüdungserscheinungen, abnehmende Motivation bis hin zu Lustlosigkeit, die bei massiertem Üben eher auftreten können, sind mögliche Ursachen dafür.

Als Nachteile des verteilten Übens gelten folgende Gegebenheiten:

– Pausen zwischen einzelnen Lernabschnitten können auf den Prozeß des Konsolidierens dann einen störenden Einfluß haben, wenn das Erlernen anderer Bewegungen in Pausen den Lernprozeß negativ beeinflußt. Man spricht in diesem Zusammenhang von Interferenzerscheinungen (s. Positiver und negativer Transfer).

– Eine sehr starke zeitliche Streckung eines Lernprozesses kann zu Motivationsverlust führen.
Eine Bevorzugung des verteilten Übens gegenüber dem massierten Üben und damit verbundenen Aussagen über eine optimale Pausenlänge ist auf Grund zahlreicher wissenschaftlicher Untersuchungen mit Einschränkungen zu rechtfertigen.

5.5.10 Der Transfer

5.5.10.1 Begriffsbestimmung

Im Zusammenhang mit Lernprozessen sportlicher Bewegungen ist zu beobachten, daß durch das Üben bestimmter Vorgänge andere, meist ähnliche Vorgänge positiv, aber auch negativ beeinflußt wer-

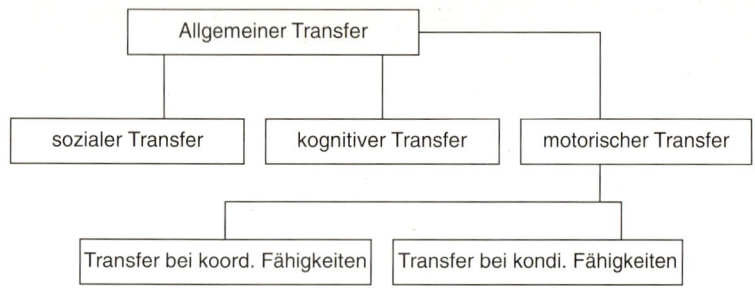

Abb. 5.11: Übersicht über Transferbereiche (nach FETZ 1989, S. 150).

den. Das Erlernen z. B. der Laufkippe am Barren kann auf das nachfolgende Erlernen der Kippe an den Ringen positiv, das Erlernen des gehockten Saltos rückwärts am Boden auf das nachfolgende Erlernen des Handstützüberschlags rückwärts am Boden negativ wirken. Beachtenswert ist auch die Tatsache, daß Fertigkeiten, die wir mit der dominanten rechten Hand sicher beherrschen, z. B. das Schreiben, auch von der linken Hand ausgeführt werden können, obwohl wir sie mit der nichtdominanten Hand nie geübt haben. Sinngemäß läßt sich das auch auf Hand-, Fuß- oder Fuß-, Fußverbindungen übertragen. Diese Erscheinungen werden als *Mitübung, Lernübertragung* oder *Transfer* bezeichnet. Diese Begriffe werden vielfach synonym gebraucht, obwohl dies nicht ganz richtig ist. Nach FETZ (1989, S. 150) spricht man von Mitübung dann, „wenn durch Üben bestimmter Vorgänge andere, meist ähnliche Vorgänge Übungswirkungen, d. h. letztlich Verbesserungen zeigen". Weiter gefaßt sind dagegen die Begriffe Transfer und Lernübertragung, denn sie beschränken sich nicht auf die Übertragung von Bewegungen, sondern schließen auch kognitive und soziale Bereiche mit ein. Der Begriff Transfer umschließt die in der Übersicht dargestellten Bereiche.
Der Schwerpunkt der Betrachtungen soll nachfolgend auf den motorischen Bereich gerichtet werden.
Hinsichtlich der Transferrichtung im motorischen Bereich unterscheidet man zwischen lateralem, vertikalem und kontralateralem/bilateralem/ipsilateralem Transfer.

Lateraler Transfer ist dann gegeben, wenn die in einer Lernsituation erworbene Erfahrung auf eine ähnliche Lernsituation übertragen wird. Erfahrungen zum Lösen von Problemen z. B. im Basketball sind demnach anwendbar im Handball oder Fußball.

Von *vertikalem Transfer* wird dann gesprochen, wenn in einem Lernprozeß erworbene Erfahrungen auf einen ähnlichen Lernprozeß übertragen werden oder wenn erworbene elementare Fähigkeiten das Erlernen von Komplexfähigkeiten erleichtern. Wassergewöhnungsübungen zur Verbesserung der Differenzierungsfähigkeit und Orientierungsfähigkeit fördern z. B. die Komplexfähigkeit „Wassergefühl", dieses wiederum erleichtert das Erlernen der Schwimmtechniken.

Kontralateraler Transfer bezieht sich auf die Übertragung der Lernleistung von der bevorzugten Hand auf die nichtbevorzugte Hand. Dies läßt sich sinngemäß auf die Beine übertragen oder auf Überkreuzwirkungen (z. B. rechte Hand zum linken Bein).

Beim *ipsilateralen Transfer* geht es um Übertragungen vom rechten Arm zum rechten Bein bzw. linken Arm zum linken Bein. Während es beim bilateralen Transfer um die Übertragung auf beide Seiten geht (z. B. linker Arm auf rechtes und linkes Bein). (vgl. Fetz 1989).

Neben den genannten Transferwirkungen gibt es auch proaktive bzw. retroaktive Wirkungen. Darunter versteht man die Erscheinung, daß eine gelernte Aufgabe auf eine nachfolgende eine positive oder negative Wirkung haben kann. Man spricht in diesem Zusammenhang von *Proaktion.* Wirkt sich dagegen eine gelernte Aufgabe auf eine vorher gelernte aus, so bezeichnet man dies als *Retroaktion.*

Wie bereits angedeutet, kann die Übertragung von Lernresultaten von einem Lernprozeß auf einen anderen sowohl positive als auch negative Auswirkungen haben (vgl. Pöhlmann 1986, S. 192; Fetz 1989, S. 150 f; Leist 1978).

Positiver Transfer liegt vor, wenn ein Lernvorgang einen folgenden dahingehend beeinflußt, daß das Ziel des nachfolgenden Lernvorgangs schneller erreicht werden kann als ohne den vorausgegangenen Lernprozeß.

Negativer Transfer liegt vor, wenn der erste Lernvorgang den folgenden zweiten so stört, daß das Lernziel des zweiten Lernvor-

gangs langsamer oder schwerer erreicht wird als ohne den ersten (vgl. Fetz 1989, S. 150).
O-Transfer liegt vor, wenn der erste Lernvorgang den zweiten weder positiv noch negativ beeinflußt.

5.5.10.2 Positiver Transfer (Transferenz)

Die Bedeutung des positiven Transfers wird wirksam bei identischen und ähnlichen Elementen, veränderten Lernsituationen, erschwerten Vorübungen, Fähigkeitsübertragungen sowie Spiegelseitenmitübungen.

Identische Elemente

Analysiert man Bewegungen im Hinblick auf „identische Elemente", so lassen sich anhand einer morphologischen Betrachtung sog. identische Elemente, d. h. Gemeinsamkeiten im Hinblick auf den raum-zeitlichen und dynamischen Verlauf von Teilbewegungen, ermitteln, die als Beugen, Strecken oder Drehen beschreibbar sind. Die sog. Bewegungsverwandtschaft hängt ab vom Umfang und vor allem von der bewegungsspezifischen Bedeutung der identischen Elemente. Sind die sog. Hauptfunktionsphasen der betreffenden Bewegungen identisch, so liegt ein hohes Maß an Bewegungsverwandtschaft vor. In diesem Falle kann das zeitlich aufeinanderfolgende Erlernen solcher verwandter Bewegungen zu einem positiven Transfereffekt führen.

So ist z. B. bei der „Laufkippe", der „Schwebekippe" oder der „Schwungkippe" am Reck der Kippstoß jeweils identisch.

Bei einem Hochschwung, Umsteigeschwung mit Talstemme oder Umsteigeschwung mit Bergstemme ist die Phase der Schwungsteuerung bei gleichen Schwungradien jeweils identisch.

Positiver Transfer entsteht durch die Übertragung des bereits bei einer Bewegung erlernten „Elements", hier des Kippstoßes oder der Schwungsteuerung, auf eine nachfolgende auszuführende bzw. zu erlernende vorausgegangene Bewegung. Ein positiver Transfer ist dann zu erwarten, wenn der Lernprozeß soweit abgeschlossen ist, daß die Bewegung sicher unter den gegebenen Lernbedingungen verfügbar ist.

Ähnliche Elemente

Viele Bewegungen weisen eine graduelle Ähnlichkeit, bezogen auf funktionstragende Teilbewegungen auf. Sie lassen sich innerhalb einer Sportart nachweisen, finden sich aber auch unter verschiedenen. Eine solche graduelle Ähnlichkeit besteht z. B. zwischen dem Schlagballwurf und dem Speerwurf. Voraussetzung für eine positive Übertragung ist dabei die kognitive Auseinandersetzung mit den beiden ähnlichen Bewegungsaufgaben (vgl. WEINERT 1974, S. 704). Vielfach werden allerdings Bewegungen als ähnlich angesehen, obwohl keine Ähnlichkeit im Sinne einer positiven Transfervoraussetzung vorhanden ist. Als Beispiel seien hierzu der Mühlaufschwung und der Knieaufschwung am Reck genannt. Eine genaue Analyse des Bewegungsverlaufs unter biomechanischen Gesichtspunkten macht deutlich, daß der Knieaufschwung durch einen Impuls des Schwungbeins zustandekommt, während es sich beim Mühlaufschwung um eine reine Kippbewegung handelt. Es ist deshalb ratsam, scheinbar ähnliche Bewegungen einer genauen Strukturanalyse zu unterziehen, bevor man sie zum Zwecke einer positiven Transferwirkung an einen „ähnlichen" Bewegungsvollzug koppelt (vgl. EBERSPÄCHER 1987, S. 105).

Erschwerte Vorübungen

Eine hohe positive Transferwirkung ist immer dann zu erwarten, wenn nach dem Erlernen eines komplexen Bewegungsablaufs ein ähnlicher, weniger komplexer erlernt werden soll, wenn letzterer also weitgehend im voraus Erlernten bereits enthalten ist. So wird man z. B. von der Unterschnittabwehr im Tischtennis ausgehend, den Schupfschlag schneller als in umgekehrter Reihenfolge erlernen, da dieser gewissermaßen in der Unterschnittabwehr implizit enthalten ist und daher mitgeübt wird.

Methodische Übungsreihen zeichnen sich häufig dadurch aus, daß einzelne Lernschritte schwieriger auszuführen sind als die eigentliche Zielübung. Solche Übungen innerhalb des Lehrwegs zur Zielübung weisen dann eine relativ größere Komplexität, verglichen mit der Zielübung auf, was zu einer positiven Transferwirkung führen kann.

Veränderte Lernsituation

Positive Transferwirkung bei einer veränderten Lernsituation ist dann gegeben, wenn eine erlernte Bewegung unter anderen äußeren Bedingungen durchgeführt werden kann (Salto vorwärts am Boden – Salto vorwärts ins Wasser; Kurzschwung auf der glatten Piste – Kurzschwung im Tiefschnee). Ändern sich die äußeren Bedingungen allerdings in so starkem Maß, daß sie Auswirkungen auf den funktionalen Aufbau der Bewegung haben und dadurch bedingt, sich auf innere Bedingungen (Kraft, Motivation) auswirken, so kommt es zu keiner positiven Transferwirkung (Salto vorwärts vom 10-m-Turm; Kurzschwung im Bruchharsch).

Fähigkeitsübertragung

Voraussetzung für das Gelingen von Bewegungshandlungen und Fertigkeiten sind bestimmte koordinative, konditionelle, kognitive und emotional/affektive Fähigkeiten. Jede sportliche Bewegung erfordert eine Vielzahl solcher Fähigkeiten in unterschiedlichen Ausprägungsgraden. So wird ein Sprung vom 10-m-Turm nur gelingen, wenn der Springer Orientierungsfähigkeit, Differenzierungsfähigkeit, Reaktionsfähigkeit, Kopplungsfähigkeit u.a. in besonderer qualitativer Abstimmung besitzt. Daneben sind spezielle Kraftfähigkeiten für den Körperzusammenschluß und schnellkräftige Drehaktionen, auf den Handlungsablauf abgestimmte Handlungsstrategien und Mut erforderlich. Es gibt Sportarten, die in Teilbereichen vergleichbare Anforderungen stellen, z. B. Fallschirmspringen, Skispringen, Trampolinturnen. Auf Grund von Fähigkeitsübertragungen käme es zwischen den genannten Sportarten zu einem positiven Transfer, was den Lernverlauf der nachgelernten Sportart günstig beeinflussen würde. Vergleichbare Transferwirkungen treten sicher auf vom Ski- zum Wasserskifahren oder vom Skate- zum Snowboardfahren. Am deutlichsten kommt die Wirkung bei den Komplexfähigkeiten „Wassergefühl", „Ballgefühl", „Rhythmusgefühl", „Spielfähigkeit" und „Tanzfähigkeit" zum Tragen. Besitzt z. B. ein Sportler Ballgefühl, so wird es ihm nicht schwerfallen, dieses „Gefühl" auf andere Bälle und Spielsituationen zu übertragen. Der Schwimmer, der über ein gutes Wassergefühl verfügt, wird mit dem Umgang des Paddels weniger Mühen haben als einer, der keine einschlägigen Erfahrungen hat. Aber auch konditionelle Fähigkeiten lassen sich übertragen. So können sich bestimmte Kraft-Ausdauer- und Schnelligkeitsfähigkeiten bei ähnlichen Anforderungen in anderen Sportarten, wie auch die Verfügbarkeit erprobter Lernstrategien, beim Lernen günstig auswirken.

Spiegelseiten-Mitübung

Dieser sog. kontralaterale Transfer bewirkt, daß beim Lernen einer Fertigkeit mit einer Hand die andere, wenn auch eingeschränkt, diese Fertigkeit ebenfalls ausführen kann. Sinngemäß läßt sich eine Mitübung auch von Fuß zu Fuß erkennen. Die Wirkung dieser Mitübungseffekte bezieht sich nicht nur auf den koordinativen, sondern auch auf den konditionellen Bereich. Bei der Übertragung koordinativer Fähigkeiten liegt ein prinzipieller Transfer von der dominanten Hand zu den anderen drei Körpergliedern vor. Am größten ist die Übertragung zur jeweils entgegengesetzten Seite, am geringsten zur entgegengesetzten asymmetrischen Seite (vgl. KUHN 1986, S. 428). Die Qualität der Übertragung ist abhängig von der Kompliziertheit der sensomotorischen Leistung. Hinsichtlich des Mitübungseffekts von Kraft, Schnelligkeit und Ausdauer gibt es umfangreiche Untersuchungen (vgl. FETZ 1989, S. 155). Es kann als erwiesen angesehen werden, daß bei Muskelbetätigung in der einen Körperseite bestimmte chemische Veränderungen in der Muskulatur der anderen Seite festzustellen sind. Diese Ergebnisse stützen sich auf Untersuchungen der russischen Wissenschaftler JAMBOLSKAYA, JAKOWLEW, POPOWA und UTEWSKI (vgl. FETZ 1989, S. 155).

5.5.10.3 Negativer Transfer (Interferenz)

Unter Interferenzen versteht man den hemmenden Einfluß, der von vorhandenen Bewegungsfertigkeiten auf die Entwicklung neuer, ähnlicher Bewegungsfertigkeiten ausgeht sowie den wechselseitigen hemmenden Einfluß nebeneinander geübter oder bereits erworbener ähnlicher oder gegensätzlicher Koordinationsmechanismen. Zur Erläuterung sollen einige Lernbedingungen aufgezeigt werden, die zu Interferenzen führen können.

1. Interferenzen können auftreten, wenn sportliche Techniken sich ändern oder neue, ähnliche entstehen, z. B. im Skilauf. Nach dem Erlernen einer Technik A soll die ähnliche Technik B erlernt werden. Hier kommt es insofern zu Störeinflüssen, als alte Koordinationsmechanismen in der gleichen Anwendungssituation immer wieder wirksam werden. Hier liegt eine sog. *proaktive Hemmung* vor. Vorher Erlerntes stört das nachher Erlernte. Im umgekehrten Fall würde die nachher erlernte Bewegung B die vorher erlernte Bewegung A stören, so daß diese nicht mehr stabil verfügbar ist. Dies bezeichnet man als *retroaktive Hemmung*.
Die folgenden Schemata für retroaktive und proaktive Hemmung sollen das Entstehen solcher Interferenzerscheinungen nochmals verdeutlichen.

Experimentiergruppe	Lernt Aufgabe A	Lernt Aufgabe B	Test Aufgabe B
Kontrollgruppe	–	Lernt Aufgabe B	Test Aufgabe B

Hat die Experimentiergruppe ein Leistungsdefizit im „Test Aufgabe B" gegenüber der Kontrollgruppe, so deutet dies auf eine proaktive Hemmung hin, d. h., daß die Aufgabe A einen hemmenden Einfluß auf das Erlernen der Aufgabe B hatte.

Retroaktive Hemmung

Experimentiergruppe	Lernt Aufgabe A	Lernt Aufgabe B	Test Aufgabe A
Kontrollgruppe	Lernt Aufgabe A	–	Test Aufgabe A

Weist die Experimentiergruppe ein Leistungsdefizit gegenüber der Kontrollgruppe im „Test Aufgabe A" auf, so hat die Aufgabe B im Sinne einer retroaktiven Hemmung die Behaltensleistung der Aufgabe A beeinträchtigt (vgl. EGGER 1975).

2. Paralleles Erlernen sehr ähnlicher oder gegensätzlicher Koordinationsmechanismen kann ebenfalls zu Interferenzen führen. Ähnlichkeit liegt z. B. zwischen Schleuderballwurf und Diskuswurf oder zwischen Schwungkippe am Reck und Ellhangkippe am Barren vor. Gegensätzliche Koordinationsmechanismen finden wir beim Salto rückwärts gehockt am Boden und beim Flick-Flack, vor allem in bezug auf die Einleitung des Absprungs (sog. assoziative Hemmung).

3. Interferenzen können auftreten, wenn Sportarten nacheinander erlernt werden, die sich strukturell völlig unterscheiden und gegensätzliche charakteristische Ausführungsmerkmale aufweisen (z. T. zwischen Turnen und Schwimmen).
Außerdem wird zwischen *vertikalem* und *lateralem* Transfer unterschieden (vgl. GAGNE 1980).
Vertikal bezeichnet die Wirkung erworbener Fähigkeiten und Fertigkeiten auf das Erlernen weiterer Fähigkeiten und Fertigkeiten höheren Niveaus.

Lateraler Transfer entsteht bei Anwendung von erlernten Bewegungen in vergleichbaren Situationen. Zur lerntheoretischen Begründung der einzelnen aufgezeigten Transfermöglichkeiten wird auf die Spezialliteratur verwiesen.

Zusammenfassung

Transfer ist ein Geschehen, das sich nur in den seltensten Fällen automatisch einstellt. Es muß vielmehr gezielt bei der Unterrichtsgestaltung berücksichtigt und auch angesprochen werden. Transferwirkung ist zudem abhängig von kognitiven Fähigkeiten der Lernenden. Es wird unterschieden zwischen Mitübung (Spiegelseitenmitübung, Fähigkeitsübertragung) im engeren Sinn und Übertragung der Übungswirkung (z. B. identische Elemente, ähnliche Elemente) auf andere Koordinationsvorgänge im weiteren Sinne. Dabei kann sowohl eine positive als auch eine negative Wirkung erzielt werden. Transfer wird aber auch verstanden als Übertragung von kognitiven und sozialen Erfahrungen von einem Lebensbereich in einen anderen, z. B. Übertragung von Fairneß im Sport auf Fairneß im Berufsleben.

5.5.11 Bewegungsstil – Bewegungstechnik

Bewegungsstil

Im allgemeinen Sprachgebrauch wird „Stil" meist in Verbindung mit Kunst, Sprache, Lebensweise, Musik, Ausdrucksweise einer Epoche verwendet. Auch im Sport begegnet uns dieser Begriff, allerdings mit unterschiedlichem Bedeutungshintergrund.
So werden unter Bewegungsstil

- technische Lösungen von Bewegungsaufgaben (z. B. Kraulstil, Flopstil),
- normative Setzungen (z. B. Stil einer Epoche) und
- persönlich geprägte Art und Weise einer Bewegung (persönlicher Stil)

verstanden.
Unter Stil, in Verbindung mit Kunst gebraucht, versteht man u. a. den ästhetisch verwertbaren Ausdruck der Gesetzmäßigkeit. Inwieweit ist dieser Definitionsversuch auch auf den Sport anwendbar? Mit Sicherheit ist er dort berechtigt, wo Sport eine künstlerisch ästhetische Ausprägung erfährt (z. B. Kunstturnen, Kunstschwimmen) und diese ästhetische Komponente auch in die Bewertung einfließt (z. B.

„künstlerischer Ausdruck" beim Eiskunstlauf). Schwieriger wird es, wenn man versucht, Sportarten, die von Ökonomie und Rationalität bestimmt sind, bei denen es darum geht, möglichst schnell zu sein, besonders hoch oder weit zu springen bzw. Geräte maximal weit zu werfen oder zu stoßen, unter stilistischem Aspekt zu betrachten. Es stellt sich die Frage, ob Leistung vom Stil abhängig ist oder nicht. Zwei Ansichten haben sich herausgebildet. Einmal wird die Meinung vertreten, daß hochtechnisierte sportliche Bewegungen und der Drang nach Perfektionismus jede persönliche und ästhetische Komponente erdrücken, zum anderen, daß Höchstleistungen im Sport nur zustandekommen können, wenn sie mit hoher technischer Meisterschaft unter Einsatz der allseits entwickelten Persönlichkeit vollbracht werden (vgl. MEINEL 1960, S. 251). Beobachten wir Hochleistungssportler beim Ausführen gleicher Bewegungshandlungen, so finden wir die Ansicht MEINELs bestätigt. Die von der Technik bestimmte Verlaufsform zeigt jeweils einen individuellen, persönlichkeitsgebundenen Charakter. Die Unterschiede finden ihren äußerlich erkennbaren Niederschlag in sog. Bewegungsmerkmalen wie Bewegungstempo, Bewegungsumfang, Bewegungsrhythmus usw. Nach der heute gängigen Stilauffassung sprechen wir von einem persönlichen Stil dann, wenn eine gestaltete Form (Bewegungstechnik) in einer charakteristisch persönlichen Prägung erscheint.

Im Sport kennt man auch sportartspezifische Bewegungsstile, die im Laufe der Entwicklung der jeweiligen Sportart entstanden sind. Es handelt sich dabei um bestimmte Haltungen und Posen und stilbedingte Mitbewegungen. Denken wir in diesem Zusammenhang an das exaltierte Gehen der Turnerinnen, an traditionsgebundene Bewegungen beim Reiten, Fechten und Wasserspringen. Innerhalb dieser „Bewegungsstile" sind aber zusätzlich noch persönlichkeitsgebundene Ausprägungen (persönlicher Stil) erkennbar.

Auch während bestimmter Zeitepochen bilden sich besondere Bewegungsstile heraus. Als Beispiel soll hier der alpine Skilauf angeführt werden. Parallel zur Veränderung der Skilauftechnik veränderte sich auch der Fahrstil. Legte man in den 60er Jahren Wert auf eine ausgeprägte Verwringung, so wird in der heutigen Zeit eine eher lockere, unverkampfte Fahrweise bevorzugt (JACOBS 1985, S. 361).

JACOBS begründet die Entwicklung von zeitepocheabhängigen Bewegungsstilen damit, daß „beim Menschen die Bewegungsform labil und wandelbar ist, weshalb es auch so viele Bewegungsstile geben muß, wie es Kulturstile gibt, denn die Gestalt eines vom Menschen geschaffenen Dings ist immer auch die Ausprägung seiner Lebensweise" (z. B. gerade Stuhllehnen in Zeiten, in denen besonders auf straffe Haltung geachtet wurde).

Zu klären ist nun die Frage, von welchen Faktoren der Bewegungsstil abhängig ist. In der Literatur wurde diesem Bereich bisher wenig Beachtung geschenkt.

Sind es

- Persönlichkeitseigenschaften wie Temperament und Ausdruckskraft;
- emotionale Prozesse, die Stimmungen, Gefühle, Erregungen beinhalten;
- Motive wie Geltungsbedürfnis;
- umweltbedingte Faktoren, wie Kleidung, Geräte;
- soziale Faktoren, wie soziale Umwelt (gesellschaftliche Schicht, Beruf);
- bestimmte koordinative, konditionelle Fähigkeiten und die Beweglichkeit;
- Körpermerkmale wie Größe, Gewicht, Proportionen;
- Alter und Geschlecht?

Die Aufzählung könnte mit Sicherheit noch ergänzt werden. Man kann aber davon ausgehen, daß Bewegungsstil durch eine Vielzahl von Faktoren bestimmt wird, die für die Ausprägung einer Bewegung unterschiedliche Gewichtung haben.

Zusammenfassung

Unter Bewegungsstil verstehen wir – allgemein gesehen – bei Sportarten mit künstlerischer Ausprägung die ästhetische Komponente der technischen Bewegungsform, bei Sportarten mit meßbaren Leistungen den individuellen Teil der von der Technik bestimmten Verlaufsform. Der Bewegungsstil ist abhängig von exogenen und endogenen Faktoren. Zur Bezeichnung von Lösungsarten um Bewegungsaufgaben zu bewältigen, sollte der Begriff „Stil" allerdings nicht herangezogen werden (z. B. statt Kraulstil besser Kraultechnik usw.).

Damit wird deutlich, daß die Ausführung einer Bewegung nicht nur abhängig ist von einer rational-ökonomischen Handlungsplanung und den darauf aufbauenden physiologisch und kybernetisch erklärbaren Steuerungs- und Regelungsprozessen, sondern auch einer persönlichkeitsgebundenen, charakteristischen Ausprägung unterliegt.

Bewegungstechnik

Da Bewegungstechnik in der Praxis sehr häufig in Verbindung mit Bewegungsstil gebraucht wird, ist es notwendig, die beiden Begriffe voneinander abzugrenzen.

Bewegungstechnik wird nach FETZ (1989, S. 331) interpretiert als:

- sportmotorisches Lösungsverfahren eines sportlichen Problems z. B. Kraulschwimmen, Brustschwimmen, Wälzer, Straddle, Flop;
- Beherrschungsgrad von sportmotorischen Fertigkeiten (z. B. „blendender Techniker" oder „technisch noch unvollkommen");
- Sammelbegriff „Sporttechnik" für die Gesamtheit biomechanischer Lösungsverfahren im Sport;
- individuelle Bewegungstechnik = „Bewegungsstil".

Bevor wir uns der Technik im Sport zuwenden, wollen wir den Begriff „Technik" unter allgemeinen Gesichtspunkten einer näheren Betrachtung unterziehen. Der Mensch bedient sich in der Auseinandersetzung mit der Umwelt der Technik. Das heißt, er formt seine Umwelt und verwertet ihre Kräfte und Möglichkeiten nach seinen Wünschen und Bedürfnissen. LEHNERTZ (1992, S. 109) definiert den Begriff Technik wie folgt:

„Mit Technik wird die Gesamtheit der Maßnahmen, Einrichtungen und Verfahren bezeichnet, die dazu dienen, naturwissenschaftliche Erkenntnisse praktisch nutzbar zu machen."

Auch im Sport versucht der Mensch, auftretende Problemsituationen durch Zweckmäßigkeitsüberlegungen und der Konstruktion von Geräten zu lösen. Damit wird deutlich, daß die Entwicklung einer Technik im Sport immer von Einsichten und Sachzusammenhängen abhängig ist. Ein unreflektiertes Kopieren von Bewegungsvorbildern wird dagegen als nichttechnisches Verhalten angesehen (vgl. FETZ 1989, S. 387; LEHNERTZ 1991, S. 109). HOCHMUTH (1981, S. 141) versteht unter einer sportlichen Technik ein bestimmtes biomechanisches Lösungsverfahren. Eine Konstruktion von sportlichen Techniken auf dem Reißbrett ist allerdings nur in den seltensten Fällen möglich. Meist ist es in der Praxis so, daß über das nachträgliche Analysieren eines zufälligen Ereignisses wichtige Erkenntnisse gewonnen werden können.

Bewährte sportliche Techniken können aber nicht schablonenhaft auf alle Athleten übertragen werden. Ökonomie und Rationalität sind nur dann gesichert, wenn es dem Athleten gelingt, individuell gegebene Voraussetzungen (Größe, konditionelle und koordinative

Fähigkeiten, Beweglichkeit) beim technischen Vollzug zu berücksichtigen. LEHNERTZ (1991, S. 118) sieht auch Zusammenhänge zwischen emotionalen Prozessen und der Technik. Sie spielen eine dominierende Rolle für den sportlichen Erfolg bzw. das Gelingen oder Mißlingen hochtechnisierter Fertigkeiten. Der technische Apparat darf also durch Emotionen nicht gestört werden, damit er im biomechanischen Optimum funktioniert (siehe dazu Angst, S. 224).

Zusammenfassung

Unter Bewegungstechnik versteht man ein motorisches Lösungsverfahren zur Erreichung eines Handlungsziels. Das Lösungsverfahren entwickelt sich aus einer Vielzahl vergleichbarer Bewegungsabläufe, die derselben Aufgabe dienen. Bei der Ausführung bewährter Techniken sind bei einzelnen Sportlern auf Grund individuell gegebener Voraussetzungen graduelle Abweichungen vom biomechanischen Optimum erkennbar (vgl. dazu BÖS/MECHLING 1983; MEINEL/SCHNABEL 1987; MECHLING/SCHIFFER/CARL (Red.) 1988).

Lernerfolgskontrolle

1. Definieren Sie den Begriff „Lernen"!
   Auf welche Bereiche des menschlichen Verhaltens erstreckt sich „Lernen"?
2. Was versteht man im engeren Sinn unter „motorischem Lernen"?
3. Der Vorgang des motorischen Lernens wird anhand von Lernmodellen erläutert, die auf unterschiedlichen Grundlagen aufbauen. Arbeiten Sie das Wesentliche der Modelle heraus, die sich auf
   – reiz-reaktionstheoretische,
   – kognitive,
   – kybernetische und informationstheoretische,
   – handlungsorientierte Grundlagen stützen.
4. Stellen Sie im Zusammenhang mit dem handlungsorientierten Modell des motorischen Lernens die Bedeutung des Gedächtnisses heraus. Gehen Sie dabei besonders ein auf
   a) die verschiedenen Gedächtnisspeicher,
   b) die Bedeutung des Gedächtnisses für die Bewegungsvorstellung,
   c) die Speicherkapazität von Informationen,
   d) Einflußgrößen, die die Gedächtnisleistung beeinflussen.

5. Der Lernverlauf läßt sich mittels Lernstrukturmodellen darstellen.
   a) Welche gebräuchlichen Lernstrukturmodelle kennen Sie?
   b) Worin unterscheiden sich die verschiedenen Lernstrukturmodelle?
6. Beschreiben Sie die Lernstrukturmodelle nach Schnabel/Meinel, Rüssel, Ungerer, Göhner! Arbeiten Sie Unterschiede heraus. Untersuchen Sie sie im Hinblick auf ihre Brauchbarkeit in der Unterrichtspraxis!
7. Wodurch wird „motorische Lernfähigkeit" bestimmt?
8. Den reifungs- und entwicklungsbedingten Faktoren kommt im Zusammenhang mit dem motorischen Lernen eine besondere Bedeutung zu.
   a) Definieren Sie die Begriffe Entwicklung, motorische Entwicklung, Reifung, Wachstum.
   b) Welcher Zusammenhang besteht zwischen Entwicklung und Lernen?
   c) Welche Theorien zur motorischen Entwicklung kennen Sie?
   d) Was bedeuten „sensible Phasen", „kritische Lernphasen"?
   e) Auf welche Weise ist die Entwicklung des Menschen von der Entwicklung seiner Fähigkeiten abhängig?
   f) Welche Bedeutung haben geschlechtsspezifische Unterschiede in der Entwicklung des Menschen?
9. a) Was versteht man unter dem Begriff „Lateralität"?
   b) Wie kann Lateralität differenziert werden?
   c) Welche anatomisch-physiologischen Grundlagen können zur Erklärung der Lateralität herangezogen werden?
   d) Wie entsteht Lateralität?
   e) Welche Bedeutung hat Lateralität in der Sportpraxis?
10. Informationsübermittlung erfolgt im motorischen Lernen über methodische Maßnahmen und Hilfsmittel.
    a) Welche Arten von Informationen werden dabei unterschieden?
    b) Welche methodischen Maßnahmen und Hilfsmittel können ihnen zugeordnet werden?
11. Welche Bedeutung kommt im motorischen Lernprozeß der Lehrkraft zu?
12. Stellen Sie die Bedeutung der Sprache für den motorischen Lernprozeß heraus!
13. Auch das soziale Umfeld, Sportstätten und Geräte nehmen Einfluß auf den motorischen Lernverlauf.

a) Was versteht man unter sozialem Umfeld und welche Bedeutung kommt ihm in diesem Zusammenhang zu?

b) Auf welche Weise kann die Gerätebeschaffenheit die Entwicklung koordinativer und konditioneller Fähigkeiten beeinflussen?

14. Was versteht man unter „Mentalem Training"; welche Bedeutung kommt ihm in der Sportpraxis zu?

15. Gezieltes Aufwärmen hat eine positive Wirkung auf die Bewegungskoordination. Worauf ist dies zurückzuführen?

16. Welche Ursachen kann Ermüdung in sportmotorischen Lernprozessen haben? Wie lassen sich Ermüdungserscheinungen im organischen Bereich herabsetzen?

17. Was versteht man unter „Übertraining"?

18. Welche Bedeutung kommt der Angst im sportmotorischen Lernprozeß zu?

19. Wann spricht man im motorischen Lernprozeß von verteiltem, wann von massiertem Üben?
Stellen Sie die Vor- und Nachteile der beiden Übungsarten gegenüber!

20. Wann spricht man im motorischen Lernprozeß von Transfer?

21. Transfer tritt positiv und negativ in Erscheinung.

a) Wann spricht man von einer positiven Wirkung? Überlegen Sie sich dazu Beispiele aus der Sportpraxis?

b) Wann spricht man von einer negativen Wirkung?

22. Was versteht man unter „Bewegungsstil", was unter „Bewegungstechnik"?

6 Grundständige Datenerhebungsverfahren zur Messung von Merkmalen menschlichen Verhaltens

Durch geeignete Meßmethoden können Merkmale aus verschiedenen Bereichen des menschlichen Verhaltens objektiviert werden. Dies sind im Überblick (vgl. EBERSPÄCHER 1989, S. 226):

Äußerliche Seite des Bewegungsverhaltens	Erforscht werden äußerlich sichtbare Weg- und Zeitmerkmale eines Bewegungsverlaufs.
Kognitive Seite des Handelns	Untersucht werden kognitive Prozesse der Person-Umwelt-Wechselbeziehung.
Emotionale Prozesse im Handeln	Grundlage der Forschung sind emotionale Prozesse: Das körperliche Empfinden, Stimmungen bei Training und Wettkampf.
Spuren von Verhalten und Handeln	Verhalten und Handeln hinterlassen sichtbare Spuren, die ausgewertet werden können, z. B. Aggressivität im Spiel.
Umweltbedingungen	Auswirkungen der Umwelt auf die Möglichkeiten für sportliche Aktivitäten (Familie, Peer-Group, Schule, Verein, geographische Gegebenheiten u. a.).

Daten können grundsätzlich durch *Beobachtung, Befragung* sowie durch einen *Test* erhoben werden.

Wir beschränken uns bei der Beschreibung dieser Verfahren auf das Wesentliche im Hinblick auf die Anwendbarkeit im Rahmen der Bewegungslehre.

6.1 Die Beobachtung

Verfahren der Bewegungsanalyse liefern die Grundlage zur Beschreibung der Bewegungskoordination. Voraussetzung für eine eingehende Analyse ist eine genaue Betrachtung des äußeren Erscheinungsbilds der Bewegung (morphologische Betrachtung). Über diese Betrachtung von außen ist es dann möglich, eine Analyse der Prozesse, die dem äußeren Erscheinungsbild zugrunde liegen (mechanisch, psychisch, physisch), vorzunehmen. Mit Fremdbeobachtung erfaßt man das Bewegungsverhalten anderer, mit Selbstbeobachtung das eigene Bewegungsverhalten.

In der Praxis sind Bewegungsbeobachtung und Bewegungsanalyse eng aufeinander bezogen. Einerseits ist die Bewegungsanalyse unabdingbare Voraussetzung für die Beobachtung bestimmter Bewegungsdetails, andererseits ist die Beobachtung Voraussetzung zur Analyse von Bewegungen.

6.1.1 Die Fremdbeobachtung

Beobachten unterscheidet sich vom einfachen Zuschauen dadurch, daß beim Beobachten einer Bewegung eine planmäßige selektive Suchhaltung eingenommen wird (vgl. THOMAS 1978; BORTZ 1984). Bewegungsbeobachtungen im Sport sind u. a. gefordert

- beim Lernvorgang, wenn demonstrierte Bewegungen nachvollzogen werden sollen;
- beim Lehrvorgang, um Bewegungen in Einzelteile zerlegen und beschreiben zu können;
- bei der Fehleridentifikation;
- wenn es darum geht, aus dem Bewegungsverhalten Rückschlüsse auf psycho-physische Prozesse ziehen zu können;
- bei Kampfrichtertätigkeiten, z. B. im Kunstturnen, Wasserspringen, Eiskunstlauf und in der Rhythmischen Sportgymnastik;
- bei der Schiedsrichtertätigkeit;
- bei der Einteilung von Personen in verschiedene Leistungsgruppen.

6.1.1.1 Probleme beim Beobachtungsvorgang

Schon bei langsamen Bewegungen ist es schwierig, die räumlichen, zeitlichen und dynamischen Komponenten gleichzeitig und umfassend aufzunehmen. Besonders schwer ist es aber bei schnell ablaufenden komplexen Bewegungshandlungen, z. B. beim Wasserspringen (Drehungen um verschiedene Achsen) und bei den Sportspielen, wo gleichzeitig und nacheinander die Bewegungen verschiedener Spieler und des Balls erfaßt werden sollen.

Durch Vergleich von Bewegungen in Gerätturnen/Gymnastik mit solchen aus Spielsportarten soll der unterschiedliche Schwierigkeitsgrad beim Beobachten an Beispielen deutlich gemacht werden:

Gerätturnen/Gymnastik	Spielsportarten
– Die Aufmerksamkeit muß sich nur auf eine Person konzentrieren	– Mehrere Spieler müssen gleichzeitig beobachtet werden
– Das Beobachten der Bewegungsfolgen wird wenig vom Umfeld beeinflußt.	– Die Verhaltensbeobachtung wird durch das Umfeld erschwert.
– Die Bewegungsfolge ist durch bestimmte Körperpositionen strukturierbar.	– Zweckmäßigkeit geht vor Bewegungsqualität und somit vor genormten Bewegungsstrukturen.
– Die Ausführung der Bewegungstechnik ist überwiegend abhängig von der räumlichen und zeitlichen Lageveränderung von Körperteilen zueinander.	– Die Ausführung der spieltechnischen Bewegung ist neben der zeitlichen und räumlichen Lageveränderung von Körperteilen zueinander auch abhängig von der Lage des Gesamtkörpers zu anderen Bezugssystemen (z. B. Ball, Netz, Partner, Gegner).
– Die Übungsfolge ist vorher festgelegt und im allgemeinen dem Beobachter bekannt.	– Aktionen und Reaktionen erfolgen spontan und werden durch den Spielverlauf bestimmt.

Ziel der Bewegungsbeobachtung können aber auch psychische Faktoren sein. Sie sind dann bedeutsam, wenn z. B.:
– Lern- bzw. Leistungsbereitschaft,
– Konflikte und

- soziales Verhalten

festgestellt und beurteilt werden sollen (vgl. H. Baumann 1986, S. 23).

In der Sportpraxis hat die Bewegungsbeobachtung in den meisten Fällen das Ziel, die Qualität der Bewegungskoordination zu erfassen. Beim Bewegungsbeobachten werden folgende Varianten unterschieden:

- systematische (wissenschaftliche)/unsystematische Beobachtung, (ohne wissenschaftliche Zielorientierung),
- vermittelte (z. B. Video)/unvermittelte (direkte) Beobachtung,
- teilnehmende (z. B. Lehrer spielt mit)/nichtteilnehmende Beobachtung.

6.1.1.2 Variablen, die die Beobachtung bestimmen

Die Beobachtung von Bewegungen zum Zwecke der Fehlerkennung und der verbundenen Leistungsbeurteilung ist nur auf der Grundlage vorher festgelegter Normen möglich. Fehler stellen somit grundsätzlich Normabweichungen von qualitativen und quantitativen Gütestandards dar. Bewegungsnormen werden bestimmt durch Bewegungstechniken und Regelvorschriften. Sie sind zudem abhängig von der vom Beobachter festgelegten Ausführungsgüte (z. B. altersspezifische Ausführungsgüte, Regelauslegung bei Spielen).
Die Qualität der Bewegungsbeobachtung ist weiter abhängig vom Beobachter und vom Beobachtungsobjekt.
Bezogen auf den Beobachter sind dies

- das Bewegungskönnen,
- die emotionale Einstellung (Interesse als Trainer, Sportlehrer, Sportler),
- der physische Zustand (z. B. Müdigkeit),
- die Qualität der gespeicherten Bewegungsnorm,
- die Fähigkeit zum Gestaltsehen (Erfassung des komplexen Ganzen),
- Aufmerksamkeit und Wahrnehmungslenkung.

Bezogen auf das Beobachtungsobjekt sind dies

- die Deutlichkeit der Information (z. B. Spieler werden von anderen Spielern verdeckt),
- die Geschehensdichte in Abhängigkeit von der Ablaufgeschwindigkeit und der Dauer der Bewegung (z. B. Drehungen um verschiedene Achsen beim Wasserspringen),

- die zeitliche Dauer der Bewegung (z. B. Fechten, Judo, Boxen, Eishockey, Gerätturnen),
- die Größe des zu beobachtenden Gegenstands (z. B. Golfball, Puck).

Bewegungsbeobachtung wird zudem durch sinnesphysiologische (peripheres Sehen) und wahrnehmungspsychologische Faktoren beeinflußt.

Letztere stehen in einem engen Zusammenhang mit der Gedächtnisleistung des Beobachters. Die Aufgaben der verschiedenen Gedächtnisspeicher sollen in bezug zum Beobachtungsvorgang vereinfacht dargestellt werden:

Im sensorischen Gedächtnis erfolgt eine kurzzeitige Speicherung visueller Informationen in ihrer ursprünglichen Form (vergleichbar mit einer fotografischen Abbildung – Zeitdauer ca. 300 msec.).

Im Kurzzeitspeicher kommt es zu einer Extraktion der im sensorischen Gedächtnis gespeicherten Information. Sie bezieht sich auf bestimmte Bewegungsteile (Aktionen, die eine bestimmte Funktion haben). Zur Erhöhung der Aufnahmekapazität können gleichzeitig ablaufende Teilbewegungen als „Figuren" (chunking, d. h. Bündeln von Einzelinformationen gespeichert werden (z. B. Schlüsselpositionen beim frontalen Schmetterschlag im Volleyball).

Im Langzeitgedächtnis werden Merkmale des Wahrgenommenen langfristig gespeichert.

6.1.1.3 Beobachtungsstrategien

In der Sportpraxis sind zwei Beobachtungsstrategien gebräuchlich, zum einen die ganzheitliche Beobachtung und zum anderen die Beobachtung von Teilbewegungen, bezogen auf Aktionen und Positionen.

Bei der *ganzheitlichen Wahrnehmung* wird in einem ersten Schritt das Ereignis vom Hintergrund isoliert, im zweiten Schritt wird es in Figuren unterteilt (unter Figuren versteht man ein Ganzes, das sich aus Teilen zusammensetzt). Nimmt man eine Bewegung als Ganzes wahr, so versteht man darunter, vereinfacht dargestellt, den Gesamteindruck einer Bewegung. Über die ganzheitliche Beobachtung werden in erster Linie qualitative Bewegungsmerkmale erfaßt (z. B. Bewegungsrhythmus, Bewegungsfluß).

Bewegungen setzen sich aus einer Vielzahl von *Teilbewegungen* (*Aktionen*) zusammen, die miteinander simultan bzw. sukzessiv verbunden sind. Die Aufnahme und Speicherkapazität des Kurzzeitgedächtnisses kann je nach Komplexität des zu beobachtenden Bewegungsablaufs schnell überfordert sein. Eine Bewegungsbeobachtung unter funktionalen Aspekten (vorbereitende, überleitende und unterstützende Aktionen) erleichtert die Beobachtungsaufgabe erheblich. Zur Erleichterung des Beobachters mehrerer Aktionen verschiedener Körperteile kann man die Tatsache nutzen, daß häufig der zeitliche und räumliche Abschluß von mehreren Aktionen zusammenfällt. Dadurch entstehen kurzzeitig wahrnehmbare flüchtige Positionen im Bewegungsablauf, die einer Beobachtung zugänglich sind. Solche „Schlüsselpositionen" eignen sich zur Bewegungsnormierung und damit zur Festlegung eines Gütestandards als Voraussetzung für eine Fehleridentifikation und Interpretation (vgl. H. BAUMANN 1986, S. 52 ff).

Damit wird deutlich, daß vor Beginn des Beobachtungsvorgangs entschieden werden muß, ob für eine möglichst umfassende Informationsaufnahme die Aufmerksamkeit eher auf das Ganze oder auf bestimmte wichtige Teilabschnitte gerichtet werden soll.

6.1.2 Die Selbstbeobachtung

Bei der Selbstbeobachtung wird die Aufmerksamkeit auf das eigene Bewegungsverhalten und die eigenen Verhaltensbedingungen gelenkt (vgl. H. BAUMANN 1986, S. 23). Sie beschäftigt sich weniger mit dem äußerlich in Erscheinung tretenden Teil der Bewegung, sondern mehr mit den die Bewegung begleitenden Erlebnissen und Empfindungen (vgl. THOMAS 1978, S. 69; GABLER 1986, S. 41). Beim Bewegen treten spezifische Reize auf, die über Sinnesrezeptoren (kinästhetische Analysatoren) in Haut, Muskeln und inneren Organen registriert werden. Es sind dies Empfindungen über Spannungszustände in der Muskulatur, Beschleunigungsvorgänge und Gleichgewichtszustände (Vestibularapparat). Auch die in Verbindung mit dem Sich-Bewegen auftretenden Gefühlszuständen wie z. B. Angst, Freude, Enttäuschung, Nervosität werden wahrgenommen, bewertet und gespeichert. Diese Eindrücke sind mitverantwortlich für Einstellungen für oder gegen den Sport.

6.2 Der Test

6.2.1 Begriffsbestimmung

Der Begriff *Test* wird im allgemeinen Sprachgebrauch angewandt im Sinne von Probe oder Überprüfung. Man umschreibt damit die Durchführung einer Untersuchung (medizinischer Test) oder die Überprüfung von Personen (Einstellungstest). Etwas genauer wird der Testbegriff beschrieben als *ein Verfahren zum Erfassen von personalen Merkmalen,* z. B. Intelligenz-, Einstellungs-, Koordinations-, Konditionstest.

Testverfahren sind verbreitete Mittel zur Erfassung psychischer Vorgänge. Sie sind gekennzeichnet durch relative Unkompliziertheit, vielfältige Anwendungsmöglichkeit, schnelle Ergebniserfassung und Auswertung (vgl. SCHNABEL 1974). Im Sport dienen sie vorwiegend zur Messung psychischer und sportmotorischer Fähigkeiten und Fertigkeiten. Ein Test ist nichts anderes als eine besondere Form des Experiments, in dem unter kontrollierten Bedingungen eine Testperson auf Reize Reaktionen zeigt, die dann erfaßt und nach einem vorgegebenen Schema klassifiziert werden (vgl. BÖS 1987; BORTZ 1984; LIENERT 1969; THOMAS 1978).

Unter sportmotorischem Test versteht man die wissenschaftlich begründete Untersuchungs- und Kontrollmethode, die durch Lösen sportlicher Bewegungsaufgaben unter standardisierten Bedingungen charakteristische Ergebnisparameter erfaßt, die als Hinweis für sportliche Fähigkeiten und Fertigkeiten dienen (vgl. SCHNABEL 1974). Wir können im Sport unterscheiden zwischen dem rein psychologischen Test und dem eng mit Sportbewegungen verbundenen sportmotorischen Test.

6.2.2 Testarten

Zur Ermittlung von Ergebnissen dienen *reaktive* und *projektive* Testverfahren. Man spricht von *reaktiven Testverfahren*, wenn von einer Testperson eine bestimmte Reaktion aus einem normierten Leistungsspektrum erbracht wird (qualitative Erfassung von Anlagen, Fähigkeiten, Neigungen, Interessen, Leistungen wie z. B. beim Intelligenztest, Eignungstest, sportmotorischen Test).

Projektive Testverfahren (Entfaltungstest) liegen vor, wenn Personen durch Reizsituationen angeregt werden, psychische Regungen nach außen zu projizieren. Man nimmt an, daß die Art und Weise, in der Personen ihre Umwelt wahrnehmen und interpretieren, Rückschlüsse auf ihre Persönlichkeit zuläßt (vgl. EBERSPÄCHER 1989, S. 246). Die Deutung durch den Betrachter ist allerdings subjektiv (z. B. Deutung von Klecksbildern, Erzählen von Geschichten).

Projektive Testverfahren werden vorwiegend in der klinischen Psychologie zur Persönlichkeitsforschung eingesetzt. Im Sport haben sie geringere Bedeutung. Hier dominiert das reaktive Testverfahren zur Erfassung von Anlagen, Fähigkeiten, Fertigkeiten, Neigungen, Interessen und Leistungen (vgl. THOMAS 1978, S. 89; BAUMANN 1986, S. 27).

6.2.3   Testverfahren im Sport – Anwendungsbereiche

Wie schon angedeutet, werden zur Erfassung von psychischen und psychomotorischen Gegebenheiten im Sport psychologische und sportmotorische Tests angewendet.

Im Sport dienen *psychologische Tests* der

- *Persönlichkeitsdiagnostik*
  Erkennen der Persönlichkeitsstruktur und Feststellung relativ überdauernder Verhaltensmerkmale (Intelligenz-, Konzentrations-, Interessen-, Motivations- und Einstellungstest).
- *Messung der Fähigkeitsstruktur für die gewählte Sportart*
  Leistungstests zur Feststellung der Wahrnehmungsfähigkeit hinsichtlich Raum und Zeit.
- *Beurteilung der Entwicklung und Veränderung der Leistungsfähigkeit*
  Entwicklung der psychophysischen Leistungsfähigkeit im Verlauf eines langjährigen Trainingsprozesses.
- *Feststellung der Mobilisations- und Hemmungsfaktoren im Wettkampf*
  Untersuchungen des Sportlers im Vorstartzustand und bei Wettkampfsituationen (Streßabhängigkeit, Überforderung, Unterforderung) (vgl. THOMAS 1978, S. 87 ff).

Für die Sportwissenschaft bedeutsam sind die *sportmotorischen Tests*. Charakteristisch ist dabei immer ein konkreter Bewegungsvollzug, der der zu untersuchenden Fähigkeit als Grundlage dient (vgl. EBERSPÄCHER 1989, S. 245).

Sportmotorische Testverfahren umfassen folgende Aufgabenbereiche:

- **Leistungsdiagnostischer Aufgabenbereich**
  Bestimmung des individuellen motorischen Fähigkeits- und Fertigkeitsniveaus. Hier wird unterschieden zwischen Konditionstest (z. B. Kraftfähigkeit), Koordinationstest (z. B. Reaktionsfähigkeit), Beweglichkeitstest, Fertigkeitstest (z. B. Ziel-/Ablaufgenauigkeit, Bewegungskonstanz), Rentabilitätstest (z. B. Feststellung des Verhältnisses zwischen konditionellen Möglichkeiten und erzielter Leistung) und dem Test über taktische Fähigkeiten.
  Auf Grund der Tests ist es möglich, Rückschlüsse auf die Wirksamkeit der Trainings- und Belastungsgestaltung zu ziehen.
- **Entwicklungsdiagnostischer Aufgabenbereich**
  Untersuchung der Veränderung des individuellen Fähigkeits- und Fertigkeitsniveaus.
  Erfassung der sportmotorischen Leistungsentwicklung im Verlauf eines Trainingsprozesses.
  Veränderung der Leistungsfähigkeit im Verlauf des Lebens.
- **Eignungsdiagnostischer Aufgabenbereich**
  Feststellung der Eignung für bestimmte Sportarten.
  Sportmotorische Eignungsberatung.

Auf eine genaue Beschreibung von Testverfahren kann nicht eingegangen werden. Die Durchführung psychologischer und sportmotorischer Testverfahren bedarf spezieller Vorkenntnisse und sollte daher nur von Psychologen oder psychologisch geschulten Trainern vorgenommen werden (vgl. BALLREICH 1981; THOMAS 1978; EBERSPÄCHER 1989; SCHNABEL 1989; BAUMANN 1986).

6.3 Die Befragung

6.3.1 Begriffsbestimmung

Unter Befragung in schriftlicher und mündlicher Form versteht man nach SCHEUCH (1973, S. 70 f) ein planmäßiges Vorgehen mit wissenschaftlicher Zielsetzung, bei dem die Versuchsperson durch eine Reihe gezielter Fragen zu verbalen Informationen veranlaßt werden soll. Bei der Befragung handelt es sich um einen Kommunikationsprozeß, der meist einseitig vom Befrager gesteuert wird (vgl. EBERSPÄCHER 1978, S. 240).

6.3.2 Die Bedeutung der Befragung

Das, was der Mensch denkt, fühlt und erlebt, kann von außen nur sehr begrenzt beobachtet werden, es setzt eine Erschließung voraus. Voraussetzung für diesen Erschließungsvorgang ist das Wissen über psychische Vorgänge und Erscheinungen während des Handlungsverlaufs. Die Kenntnisse erwirbt sich der Mensch über die Selbstbeobachtung. Er ist nicht nur fähig zu handeln und zu empfinden, sondern auch darüber nachzudenken. Beobachtet er nun andere Personen in vergleichbaren Situationen, so muß er annehmen, daß in ihnen gleiche Prozesse ablaufen bzw. gleiche Erscheinungsformen auftreten. Stellen sich Zweifel ein, so hat er die Möglichkeit, sie darüber zu befragen. Auf dieser Überlebensgrundlage bauen alle wissenschaftlichen Befragungsmethoden auf (vgl. Bortz 1984; Mummendey 1987; Thomas 1978).

Tab. 6.1: Befragungsmethoden – Übersicht in Anlehnung an Eberspächer (1989, S. 240 ff).

	standardisiert	halbstandardisiert	nichtstandardisiert
M Ü N D L I C H	Fragen und Antworten sind präzise vorgegeben. Die Antworten werden vom Befrager in einen Fragebogen eingetragen.	Fragen und Antworten sind nicht präzise vorgegeben. Befrager und Befragte haben einen Interpretationsspielraum.	Gespräche, die der Vorklärung und Findung von Hypothesen dienen.
	(geschlossene Fragen)	(offene Fragen)	(offene Fragen)
S C H R I F T L I C H	Wortlaut und Reihenfolge der Fragen sind genau vorgegeben. Antwortalternativen werden angekreuzt.	Auf genau festgelegte Fragen kann der Befragte mit eigenen Worten schriftlich antworten.	Zu allgemein gestellten Fragen nimmt der Befragte schriftlich Stellung.
	(geschlossene Fragen)	(offene Fragen)	(offene Fragen)

6.3.3 Befragungsmethoden

Die Befragungsmethoden lassen sich grob in eine schriftliche und eine mündliche Befragung unterteilen. Die beiden Befragungsarten können dann unter standardisierten, halbstandardisierten und nicht-standardisierten Bedingungen durchgeführt werden.

6.3.4 Probleme und Grenzen der Befragungsmethoden

Die Hauptschwierigkeit bei den Befragungsmethoden besteht darin, die Fragen so zu formulieren, daß sie vom Befragten eindeutig verstanden werden und daß der Befragte in der Lage ist, mit seiner Antwort den Sachverhalt zu treffen. Verallgemeinert ausgedrückt bedeutet dies, daß Frager und Befragter die „gleiche" Sprache sprechen. Weiter ist darauf zu achten, daß der Befragte nicht erfährt, wie seine Antworten bewertet werden und der Befrager keine Suggestivfragen stellt.

Verwertbare Ergebnisse kommen nur zustande, wenn die Fragen und Befragungstechniken folgende Gütekriterien beinhalten:

Objektivität:	Das Ergebnis wird nur vom zu beurteilenden Sachverhalt bestimmt, d. h. Unabhängigkeit vom Untersucher ist ein Kriterium.
Reliabilität:	Das Datenerhebungsverfahren muß genaue Ergebnisse ermöglichen, z. B. durch Testwiederholung, unabhängig davon, ob das Merkmal, das gemessen werden soll, auch tatsächlich gemessen wird.
Validität:	Bezeichnung für das Maß der Genauigkeit, mit der das tatsächliche gemessen wird, was gemessen bzw. erhoben werden soll.
Praktikabilität:	Die Befragung muß leicht handhabbar sein (wirtschaftlich vertretbar).
Standardisierung:	Die verwendeten Materialien, die Instruktionen und die Durchführung der Ausführung müssen gleich sein.

6.4   Das Experiment

6.4.1   Begriffsbestimmung

Das Experiment ist in der Sportpraxis ein häufig angewandtes Verfahren, um bekannte Sachverhalte zu erkunden, abzusichern oder sie zu bestätigen. So experimentiert der Coach mit dem Einsatz von Spielern auf unterschiedlichen Positionen, der Wachsspezialist im Skilanglauf mit neuen Wachssorten, der Skiläufer mit Skiern unterschiedlicher Härtegrade. Diese unter laienhaften Vorstellungen und Bedingungen versuchten Experimente genügen aber nicht den wissenschaftlichen Anforderungen; deshalb sind die erzielten Ergebnisse nur selten verwertbar.

Unter Experiment wird das wissenschaftliche Verfahren verstanden, bei dem Vorgänge gezielt ausgelöst und planmäßig gestaltet und unter systematisch kontrollierten Bedingungen Auswirkungen auf einen fraglichen Sachverhalt und seine Veränderungen überprüft werden (vgl. THOMAS 1978, S. 82; WARWITZ 1976, S. 22).

Im Experiment begnügt man sich nicht, Merkmale und Sachverhalte zu messen, sondern es werden Sachverhalte gezielt manipuliert und variiert. Ziel ist es, zu *Wenn-dann-Aussagen* zu kommen. Auf Grund auftretender möglicher Störfaktoren lassen sich über das Experiment Zusammenhänge von Ursache und Wirkung nicht sichern (vgl. EBERSPÄCHER 1987, S. 249). Sog. Variablen, die vom Forscher gezielt verändert (manipuliert) werden, nennt man *unabhängige Variable*, die davon abhängigen nennt man *abhängige* Variable. In einem Schulexperiment könnte die unabhängige Variable z. B. die Unterrichtsmethode (in verschiedenen Ausprägungen bzw. Stufen) sein, die abhängige Variable wäre eine bestimmte zu ermittelnde Lernleistung.

6.4.2   Merkmale und Kennzeichen des Experiments

Das Experiment ist gekennzeichnet durch:

Planmäßigkeit: Der zu untersuchende Vorgang wird zu einem geeigneten Zeitpunkt abgerufen, es muß nicht auf sein Auftreten gewartet werden.

Wiederholbarkeit: Zufallsergebnisse werden ausgeschlossen, Nachprüfung durch andere Beobachter ist möglich.

| Variierbarkeit: | Die Versuchssituation kann verändert werden. Der zu untersuchende Sachverhalt kann unter veränderten Bedingungen überprüft werden. |
| Erfaßbarkeit: | Die erzielten Ergebnisse sind nach dem C-G-S-System objektivierbar (vgl. THOMAS 1978, S. 82; WARWITZ 1976, S. 32; EBERSPÄCHER 1987, S. 250). |

6.4.3 Formen sportpsychologischer Experimente

Hinsichtlich der Zielsetzung wird unterschieden zwischen Erkundungsexperiment und Kontrollexperiment; hinsichtlich der Erhebungstechnik zwischen Labor- oder künstlichem Experiment und Feld- oder natürlichem Experiment.

Beim *Erkundungsexperiment* liegt eine Vermutung oder eine vorwissenschaftliche Annahme vor. Untersucht werden können z. B. Veränderungen von Trainingszeiten auf die Leistungsfähigkeit im Wettkampf, Wirkung der Farbe der Spielkleidung des Torhüters auf den Angreifer.

Beim *Kontrollexperiment* liegen Ergebnisse eigener und fremder Untersuchungen bereits vor. Zum Zwecke einer weiteren Absicherung wird das Experiment wiederholt oder auf andere Situationen übertragen, z. B. Gewöhnung der Spieler an die Zuschauerkulisse durch Lautsprecherübertragung beim Training.

Laborexperimente finden unter künstlichen Bedingungen, d. h. in einer Laborsituation statt, z. B. Messen der Reaktionszeit auf ein optisches oder akustisches Signal. Störfaktoren werden bei dieser Erhebungstechnik weitgehend ausgeschlossen.

Unter *Feldexperimenten* versteht man Untersuchungen, die im natürlichen Umfeld des Sportlers stattfinden, z. B. Messen der Reaktionszeit zwischen Startschuß und dem Verlassen der Startmaschine bei Wettkämpfen (vgl. WARWITZ 1976, S. 26/EBERSPÄCHER 1987, S. 250).

6.4.4 Grenzen experimenteller Verfahren

Die Grenzen experimenteller Beobachtungen liegen im ethisch-moralischen und im medizinisch-psychologischen Bereich.

Experimente werden dann fragwürdig, wenn sie gegen die Würde oder das Ehrgefühl des Menschen verstoßen oder wenn die Grenze der physischen Unversehrtheit überschritten wird (z. B. Versuche hinsichtlich Sexualität und sportlicher Leistung, Mutproben, Versetzen in Todesangst, um die Grenzkraft zu messen, Dauerleistungen bis zur völligen Erschöpfung unter Einfluß von Drogen). Auch im Bereich der Erforschung von Empfindungen und Gefühlen sind im Sport enge Grenzen gesetzt (vgl. WARWITZ 1976, S. 32 ff).

Lernerfolgskontrolle

1. Zur Messung von Merkmalen des menschlichen Verhaltens werden in der Sportpsychologie bestimmte Datenerhebungsverfahren angewandt. Um welche Verfahren handelt es sich dabei?
2. Welche Beziehungen gibt es zwischen Bewegungsbeobachtung und Bewegungsanalyse?
3. Bei welchen Anlässen und Situationen ist im Sport Bewegungsbeobachtung gefordert?
4. Welche Varianten können beim Beobachten von Bewegungen unterschieden werden?
5. Die Qualität der Bewegungsbeobachtung ist abhängig vom Beobachter und von dem zu beobachtenden Objekt. Zeigen Sie jeweils die sie bestimmenden Faktoren auf!
6. Nennen Sie die in der Sportpraxis üblichen Beobachtungsstrategien und legen Sie dar, worin sie sich unterscheiden!
7. Wodurch ist die Selbstbeobachtung charakterisiert?
8. Was versteht man unter einem Test? Zu welchem Zweck wird er eingesetzt?
9. Welche Testverfahren (Testarten) können zur Ermittlung von Ergebnissen in der Sportpraxis herangezogen werden?
10. Charakterisieren Sie den sportmotorischen Test und beschreiben Sie seine Aufgabenbereiche in der Sportpraxis!
11. Stellen Sie die Bedeutung der Befragung für die Erforschung psychischer Vorgänge im Sport dar!
12. Wir lassen sich Befragungsmethoden einteilen?
13. Zeigen Sie die Probleme und Grenzen der Befragungsmethoden auf!
14. Was versteht man unter einem Experiment? Worin unterscheidet es sich gegenüber dem Test?
15. Durch welche Merkmale und Kennzeichen ist das Experiment geprägt?
16. Welche Formen des Experiments kennen Sie?
17. Wo liegen die Grenzen experimenteller Verfahren?

Literaturverzeichnis

Adden, W./Leist, K.-H./Petersen, U.: Problemlösendes Lernen im Sport, in: Zeitsch. f. Sportpäd. 1978/81, S. 16–31

Adler, D.: Ausgewählte Theorien des motorischen Lernens, in: Leistungssport, 1977/6, S. 484–487

Autorenkollektiv: Sportliche Motorik – Standpunkte zu Gegenstandsbereich, Aufgabenstellung und Einordnung, in: Th. u. P.d.K., 1978/25, S. 524–532

Ballreich, R.: Analyse und Ansteuerung sportmotorischer Techniken aus trainingsmethodischer und biomechanischer Sicht, in: Leistungssport, 1981/6, S. 513–526

Baltes, P. B./Schaie, K. W. (eds.): Lifespan development psychology: Personality and socialisation, New York, London, 1973

Bandura, A. (Hrsg.): Lernen am Modell, Stuttgart, 1978

Bauersfeld, K.-H./Schröter, G.: Grundlagen der Leichtathletik, Berlin (O), 1976

Baumann, H. (Hrsg.): Älter werden – Fit bleiben, Ahrensburg b. Hamburg, 1988

Baumann, H./Bäumler, G.: Anlern- und Behaltenseffekte beim Erlernen des Grundschwungs im Skilauf, in: Aktuelle Probleme in der Sportpsychologie (Schriftenreihe des BISP, Bd. 27), Schorndorf, 1979

Baumann, H.: Methoden der Fehleranalyse durch Bewegungsbeobachtung, Bad Homburg, 1986

Baumann, S.: Praxis der Sportpsychologie (BLV Sportwissen), München, Wien, Zürich, 1986

Baumann, S.: Praxis der Sportpsychologie (blv Sportwissen), München, 1986

Baumann, S.: Psychologische Bedingungsfaktoren von Unfällen und Verletzungen im Sportspiel, in: Leistungssport, 1979/2, S. 94–103

Baur, J.: Körper und Bewegungskarrieren, Schorndorf, 1989

Baur, J.: Über die Bedeutung „sensibler Phasen" für das Kinder- und Jugendtraining, in: Leistungssport 4/1987, S. 9–14

Bernstein, N. A.: Bewegungsphysiologie, Leipzig, 1975

Beulke, H.: Kybernetische Gesichtspunkte zur Steuerung und Regelung sportlicher Bewegungsprozesse, in: Leistungssport, 1980/3, S. 171–189

Bielefeld, J.: Einstellung zum Sport (Beiträge zur Lehre und Forschung im Sport, Bd. 75), Schorndorf, 1981

Bielefelder Sportpädagogen: Methoden im Sportunterricht, Schorndorf, 1989

Mörike, K./Betz, E./Mergenthaler, W.: Biologie des Menschen, 12. völlig neu bearb. u. erw. Aufl., Heidelberg, Wiesbaden, 1989

Blume, D.: Zu einigen wesentlichen theoretischen Grundpositionen für die Untersuchung der koordinativen Fähigkeiten, in: Th. u. P.d.K., 1978/1, S. 31–38

Böhm, W.: Wörterbuch der Pädagogik, 13. überarb. Auflage, Stuttgart, 1988

Boisen, M.: Angst im Sport (Schriftenreihe des Instituts für Sportwissenschaft der Universität Hamburg), Hamburg, 1975

Bortz, J.: Lehrbuch der empirischen Forschung für Sozialwissenschaftler, Heidelberg, New York, Tokyo, 1984

Bös, K.: Handbuch sportmotorischer Tests, Göttingen, Toronto, Zürich, 1987

Bös, K./Mechling, H.: Definition und Messung der Beweglichkeit, in: Sportunterricht, 1980/2, S. 464–476

Bös, K./Mechling, H.: Dimensionen sportmotorischer Leistungen, Schorndorf, 1983

Brünner, G./Röthig, P.: Grundlagen und Methoden rhythmischer Erziehung, Stuttgart, 1975/2

Bussek, R./Weinberg, P.: Die etappenweise Ausbildung von Sporthandlungen, in: Zeitschrift für Sportpädagogik, 1978/4, S. 407–431

Buytendijk, N.: Allgemeine Theorie der menschlichen Haltung und Bewegung, Berlin, Göttingen, Heidelberg, 1956

Carl u. a. (Hrsg.): Handbuch Sport (Band 1), Düsseldorf, 1984

Coucilman, B.: Schwimmen, Bad Homburg, 1977

Cratty, B.: Motorisches Lernen und Bewegungsverhalten, Bad Homburg, 1979

Csikszentmihalyi, M./Csikszentmihalyi, J. S.: Optimal experience: Psychological studies of flow in conseiousness, New York, 1988

Daugs, R.: Programmierte Instruktion und Lerntechnologie im Sportunterricht (Minerva Fachserie Pädagogik), München, 1979

Daugs, R./Blischke, K.: Sensomotorisches Lernen, in: Handbuch Sport, Band 1 (Hrsg.: Carl, K. u. a.), Düsseldorf, 1984, S. 381–420

Dietrich, K./Landau, G. (Hrsg.): Beiträge zur Didaktik der Sportspiele, Teil II (Schriftenreihe des BISP Bd. 115), Schorndorf, 1980

Dietrich, K.: Was leisten Theorien für das Lehren und Lernen von Sportspielen, in: R. Andresen/G. Hagedorn (Hrsg.). Lernen im Sportspiel (Theorie und Praxis der Sportspiele, Bd. 5), Berlin, 1982, S. 51–58

Donskoi, D. D.: Biomechanik der Körperübungen, Berlin (O), 1975

Dorsch, F. (Hrsg.): Psychologisches Wörterbuch, 9. vollst. neubearb. Aufl., Bern, 1976

Drowatzky, H. N.: Motor Learning; Principles and Practices, Minneapolis, Minnesota, 1975

Eberspächer, H.: Individuelle Handlungsregulation (Hrsg. Trainerakademie Köln e.V., Studienbrief 13), Schorndorf, 1988

Eberspächer, H.: Sportpsychologie. Reimbek b. Hamburg, 1987

Eberspächer, H. (Hrsg.): Handlexikon Sportwissenschaft, ro ro ro Reinbek bei Hamburg, 1987

Egger, K.: Lernübertragung in der Sportpädagogik, Basel, 1975

Eggert, D./Kiphard, E.: Die Bedeutung der Motorik für die Entwicklung normaler und behinderter Kinder, 4. unveränd. Aufl., Schorndorf, 1980

Egli, P. (Hrsg.): Bewegung in der Erziehung (Schriftenreihe der Eidgenössischen Sportschule Magglingen, Nr. 43), 1991

Ehlenz, H./Grosser, M./Zimmermann, E.: Krafttraining. Grundlagen – Methoden – Übungen, Leistungssteuerung, Trainingsprogramme, 4. überarb. Aufl., München, Wien, Zürich, 1991

Ennenbach, W.: Bild und Mitbewegung, Köln, 1989

Farfel, W. S.: Bewegungssteuerung im Sport, Berlin (O), 1977

Feige, K.: Wesen und Problematik der Sportmotivation, dargestellt anhand eines mehrdimensionalen Strukturmodells, in: Sportunterricht, 1976/1, S. 4–7

Feldes, D.: Reafferenzprinzip und sportliche Bewegungslehre, in: Th. u. P.d.K., 1966/11, S. 1018–1028

Fend, H.: Sozialisierung und Erziehung, Weinheim, 1969

Fetz, F.: Bewegungslehre der Leibesübungen, 3. überarb. Aufl., Wien, 1989

Flechtner, H. J.: Biologie des Lernens (Memoria and Mnema, Bd. II), Stuttgart, 1976

Fleiss, O.: Die Bewegungssteuerung in den drei Lernphasen, in: Methodik der Leibesübungen (Hrsg. J. Recla), Graz, 1969

Foppa, K.: Lernen, Gedächtnis, Verhalten, Köln, 1972/8

Frester, R.: Aktionstherapie im Sport, in: Kunath, P. (Gesamtl.): Beiträge zur Sportpsychologie, Teil 1. Berlin (O) 1972, S. 194–203

Frey, G.: Training und Schulsport (Reihe Sportwissenschaft, Bd. 16), Schorndorf, 1981

Frey, G.: Zur Terminologie und Struktur physischer Leistungsfaktoren und motorischer Fähigkeiten, in: Leistungssport, 1977/5, S. 339–362

Gabler, H.: Individuelle Voraussetzungen der sportlichen Leistung und Leistungsentwicklung (Hrsg.: Trainerakademie Köln e.V., Studienbrief 11), Stuttgart, 1988

Gabler, H./Nitsch, J. R./Singer, R.: Einführung in die Sportpsychologie, Teil 1: Grundthemen, Bd. 2, Schorndorf, 1986

Gagne, R. M.: Die Bedingungen des Lernens (Beiträge zu einer neuen Didaktik), neu bearb. Aufl. nach der 3. amerik. Aufl., 1980

Gallahue, D. L./Werner, P. H./Lüdke, G. C.: A conceptual approach to moving and learning, New York, 1975

Gehlen, A.: Der Mensch. Seine Natur und seine Stellung in der Welt, Frankfurt/M., 1971

Gerken, u. a.: Entwicklung koordinativer Fähigkeiten und Fertigkeiten, Schorndorf, 1975

Gesell, A.: Infant Development, New York, 1952

Göhner, U.: Bewegungserziehung durch Sport, in: Haag (Hrsg.): siehe unten, S. 43–50

Göhner, U.: Bewegungsanalyse im Sport, Schorndorf, 1979

Göhner, U.: Lehren nach Funktionsphasen I+II, in: Sportunterricht, 1975/1, S. 4–8; 1975/2, S. 45–50

Götte, M.: Entwicklungspsychologie (unveröffentl. Begleitschrift), Päd. Hochschule Schw. Gmünd 1970 in Söll.: Psychomotorische Entwicklung im Kindes- und Jugendalter, Schorndorf, 1982

Gropler, H./Thieß, G.: Elemente körperlicher Leistungsfähigkeit, in: Th. u. P.d.K., 1976/2, S. 127 ff

Grosser, M./Starischka, S./Zimmermann, E.: Konditionstraining, Theorie und Praxis der Sportarten. 5. Aufl., München, Wien, Zürich, 1989

Grosser, M.: Schnelligkeitstraining. (BLV Sportwissen) München, Wien, Zürich, 1991

Grosser, M./Brüggemann, P./Zintl, F.: Leistungssteuerung in Training u. Wettkampf (blv Sportwissen; 414), München u. a., 1986

Grosser, M.: Ansätze zu einer Bewegungslehre des Sports, in: Sportwissenschaft, 1978/4, S. 370–392

Grosser, M.: Techniktraining (blv Sportwissen 406), München, 1982

Größing, S.: Der Erlebnisreichtum der menschlichen Bewegung und die Erlebnisarmut des Schulsports, in: Egli (Hrsg.), S. 117–126

262

Größing, S./Wutz, E.: Theorie im Leistungskurs Sport, 2. u. verb. Aufl., Schorndorf, 1978

Größing, S.: Einführung in die Sportdidaktik, Frankfurt/M., 5., völlig neu bearb. Aufl., Wiesbaden, 1983

Grupe, O. (Hrsg.): Kulturgut oder Körperkult. Sport und Sportwissenschaft im Wandel, Tübingen, 1990

Grupe, O. (Hrsg.): Einführung in die Theorie der Leibeserziehung und des Sports, 5. völl. neu bearb. Aufl., Schorndorf, 1973

Grupe, O.: Bewegungs-, Gesundheits- und Freizeiterziehung durch Sport, in: Sporterziehung und Evaluation, Hrsg. Haag (BISP, Bd. 36), Schorndorf, 1981, S. 29–42

Grupe, O.: Was ist und was bedeutet Bewegung, in: Die menschliche Bewegung (BISP, 7), Schorndorf, 1976(a)

Grupe, O.: Leibeserziehung und Erziehung zum Wohlbefinden, in: Sportwissenschaft, 1976/4, S. 355–373

Guilford, H. R.: Persönlichkeit, Weinheim, 1971/5

Günzel, W. (Hrsg.): Körper und Bewegung. Improvisieren – Gestalten – Darstellen (Hrsg.: W. Günzel: Unterrichtsbeispiele Sport, Band 1), Baltmannsweiler, 1989

Haag, H. (Hrsg.): Sporterziehung und Evaluation (BISP, Bs. 36), Schorndorf, 1981

Hacker, W.: Allgemeine Arbeits- und Ingenieurpsychologie, Berlin (O), 1973

Hahn, E.: Kindertraining, München, 1982

Hamsen, G. (Red.): Rhythmus und Bewegung (Heidelberger Fachgespräche zur Sportwissenschaft 1992/Band 1), Heidelberg, 1992

Hassenstein, B.: Biologische Kybernetik, Heidelberg, 1967

Hatz, H.: Eine Fundamentalhypothese der Bewegungslehre, in: Sportwissenschaft, 1976/2, S. 155–171

Heidemann, H.: Der Begriff der Bewegung, in: Leibeserziehung, 1965/11, S. 395–401

Heinrich, W.: Die Handlungskompetenz im Sportspiel, in: Sportunterricht, 1980/11, S. 417–425

Henatsch, H.-D.: Bauplan der peripheren und zentralen sensomotorischen Kontrollen; in: Haase, H. u. a.: Sensomotorik (Physiologie des Menschen, Bd. 14), U&S Taschenbücher, 19, München u. a., 1976, S. 193–236

Herzberg, P.: Testbatterie zur Erfassung der motorischen Lernfähigkeit, in: Th. u. P.d.K., 1968/12, S. 1066–1073

Herzberg, P.: Zum Problem der motorischen Lernfähigkeit und zu den Möglichkeiten des Diagnostizierens mit motorischen Tests, in: Th. u. P.d.K., 1968/9, S. 799–804

Hilgard, E. R./Bower, G. H.: Theorien des Lernens I, Stuttgart, 1970

Hirtz, P./Thomas, S.: Zur Entwicklung und Struktur koordinativ-motorischer Leistungsvoraussetzungen von Teilnehmern am außerunterrichtlichen Sport, in: Th. u. P.d.K., 1978/3, S. 219–222

Hirtz, P.: Koordinative Fähigkeiten im Schulsport, Berlin (O), 1985

Hirtz, P.: Schwerpunkte der koordinativ-motorischen Vervollkommnung in Sportunterricht 1–10, in: Körpererziehung, 1978/7, S. 340–344

Hochmuth, G. R.: Biomechanik sportlicher Bewegungen, Berlin (O), 1975

Holst, E. von/Mittelstaedt, H.: Das Reafferenzprinzip, in: Die Naturwissenschaften 37, 1950/20, S. 464–476

Hollmann, W./Hettinger, Th.: Sportmedizin – Arbeits- und Trainingsgrundlagen, Stuttgart, 1980

Hotz, A./Weineck, J.: Optimales Bewegungslernen, 2. Aufl., Erlangen, 1988

Hug, O.: Die Bewegungsregulation im Sport (Sportwiss. u. Sportprax.: Hrsg.: C. Cwalina/E. Jost, Bd. 43), Ahrensburg b. Hamburg, 1982

Israel, S.: Die Bewegungskoordination frühzeitig ausbilden, in: Körpererziehung 26, 1976/11, S. 501 ff

Israel, S.: Grundprinzipien der bewegungsbedingten körperlichen Adaption, in: Körpererziehung 35(7), 1985, S. 293–301

Jacobs, D.: Die menschliche Bewegung, Wolfsbüttel, 1985 (4)

Joch, W.: Motorische Entwicklung, in: Handbuch Sport Band 1 (Hrsg.: Carl, K. u. a.), Düsseldorf, 1984, S. 353–380

Kaminski, G.: Bewegung von außen und von innen gesehen, in: Sportwissenschaft, 1972/1, S. 51–63

Kaminski, G.: Bewegungshandlungen als Bewältigung von Mehrfachaufgaben, in: Sportwissenschaft, 1973/3, S. 233–250

Klix, F.: Information und Verhalten, Bern u. a., 1971

Koch, K. (Hrsg.): Sportkunde für den Kursunterricht in der Sekundarstufe II, 2. neugest. Aufl., Schorndorf, 1976

Kohl, K.: Psychologisch-phänomenologische Aspekte des Lernens im Sportspiel. Erörterungen im Anschluß an Gallweys Buch „Tennis und Psyche – Das innere Spiel" in: Andresen, G./Hagedorn, G. (Hrsg.): Lernen im Sportspiel (Theorie und Praxis der Sportspiele, Bd. 5), Worms, 1982

Kohl, K.: Psychologische Erkenntnis und Sportpraxis, in: Sportwissenschaft und Sportpraxis, Bd. 34 (Hrsg. C. Czwalina), Hamburg, 1979

Kohl, K.: Zum Problem der Sensomotorik, Frankfurt/M., 1956

Krüger, H./Schabel, G.: Zu einigen aktuellen Fragen der Theorie des motorischen Lernens im Sport, in: Wiss. Zeitschr. d. DHfK Leipzig, 1979/1, S. 67–80

Kuchler, W.: Sportethos (Wiss. Schriftenreihe des DSB, Bd. 7), München, 1969

Kuhn, W.: Funktionelle Anatomie des menschlichen Bewegungsapparats, Schorndorf, 1981

Kuhn, W.: Motorisches Gedächtnis, Schorndorf, 1984

Kunath, P./Pöhlmann, R.: Handlungs- und persönlichkeitstheoretische Grundlagen zur Erforschung und Abbildung des sportmotorischen Lernprozesses, in: Rieder, H. u. a. (Hrsg.): Motorik und Bewegungsforschung, S. 143–164

Kupfmüller, K.: Regelungsvorgänge bei gezielten Bewegungen, in: Kybernetik, Frankfurt, 1964

Kurz, D.: Elemente des Schulsports (Reihe Sportwissenschaft, Bd. 8, Hrsg.: O. Grupe), Schorndorf, 1979/2

Landgraf, F. K.: Über das Links-Rechts-Problem in der Leichtathletik, in: Lehre der Leichtathletik XIV, 1963/39

Lechenperg, H. (Hrsg.): Olympische Spiele 1972, München, 1972

Lehmann, G.: Zu Problemen der Interferenz und Transferenz im motorischen Lernen, in: Beiheft zu Leistungssport, Techniktraining I, 1980/7

Leist, K. H.: Transfer im Sport, Schorndorf, 1978

Lenk, K. H.: Leistungssport-Ideologie oder Mythos (Urban, 826), Stuttgart, 1972

Lutz, S.: Geschlechtsspezifisches Rollenverhalten im Schulsport; eine empirische Untersuchung; in: (ADL (Hrsg.): Sozialisation im Sport (Kongreßbericht), Schorndorf, 1974

Magill, R.: Motor Learning, Concepts and Applications, Dubuque, Iowa, 1980

Marées, de H./Mester, J.: Sportphysiologie I (Studienbücher Sport), 2. Auflage, Frankfurt/M., Berlin, München, 1983

Marées, de H./Mester, J.: Sportphysiologie II (Studienbücher Sport), Frankfurt/M., Berlin, München, 1984

Marées, de H./Mester, J.: Sportphysiologie III (Studienbücher Sport), Frankfurt/M., Berlin, München, 1984

Marées, de H.: Sportphysiologie, E. üb. u. erw. Aufl., Köln, Mühlheim, 1981(a)

Martin, D. (Red.): Handbuch der Trainingslehre, Martin, D./Carl, K./Lehnertz, K., Schorndorf, 1991

Martin, D.: Grundlagen der Trainingslehre I (Beiträge z. Lehre u. Forsch. i. Sport, Bd. 63/64, Hrsg.: ADL, Schorndorf, 1977

Mattausch, W. D.: Zu einigen Problemen der begrifflichen Fixierung konditioneller und koordinativer Fähigkeiten, in: Th. u. P.d.K., 1973/9, S. 849 ff

Mechling, H./Schiffer, J./Carl, K. (Red.): Theorie und Praxis des Techniktrainings. Köln, 1988

Meinberg, E.: Das Menschenbild der modernen Erziehungswissenschaft, Darmstadt 1988

Meinberg, E.: Hauptprobleme der Sportpädagogik. Eine Einführung. 2. Aufl., Darmstadt, 1991

Meinel, G./Schnabel, G.: Bewegungslehre – Sportmotorik, 8. stark überarb. Auflage, Berlin (O), 1987

Meinel, K.: Bewegungslehre, Berlin (O), 1962

Metzger, W.: Der Geltungsbereich gestalttheoretischer Ansätze, Ertel, S. u. a. (Hrsg.): Gestalttheorie in der modernen Psychologie, Darmstadt, 1975

Meusel, H.: Einführung in die Sportpädagogik (UTB 529), München, 1976

Miller, G./Galanter, E./Pribram, K.: Plans and the structure of behavior, New York, 1960

Moegling, K.: Bewegung in der Bewegungslehre, in: Sportunterricht, 1987/11, S. 424–431

Mögling, K.: Alternative Bewegungskultur, Frankfurt/M., 1988

Mühlfriedel, B.: Trainingslehre (Studienbücher Sport), 3. neubearb. u. erw. Auflage, Frankfurt/M., Berlin, München, 1987

Mummendey, H. D.: Die Fragebogenmethode, Göttingen, Toronto, Zürich, 1987

Neumaier, A.: Untersuchung zur Funktion des Blickverhaltens bei visuellen Wahrnehmungsprozessen im Sport, in: Sportwissenschaft, 1982/1, S. 79–91

Neumaier, A.: Bewegungsbeobachtung und Bewegungsbeurteilung im Sport, Sankt Augustin, 1988

Nickel, U.: Angewandte Bewegungslehre (Schriftenreihe des BSIP. Band 48), Schorndorf, 1983

Niedermann, E.: Philosophische Orientierung über den sich sportlich bewegenden Menschen u. Leibesübungen – Leibeserziehung, 33 (1979) Q, S. 195–199

Nitsch, J. R.: Sportliches Handeln als Handlungsmodell, Sportwissenschaft, 1975/5, S. 39–55

Nöcker: Physiologie der Leibesübungen für Sportlehrer, Trainer, Sportstudenten, Sportärzte, 4. neubearb. Aufl., Stuttgart, 1980

Oerter, R./Weber, E. (Hrsg.): Der Aspekt des Emotionalen in Unterricht und Erziehung, Donauwörth, 1975/2

Oerter, R.: Hochleistungssport unter entwicklungspsychologischer Perspektive, in: Leistungssport, 1982/1, S. 6–12

Oerter, R.: Moderne Entwicklungspsychologie, Donauwörth, 1980

Piaget, J.: Erkenntnistheorie der Wissenschaften vom Menschen, Frankfurt/M., 1973

Piaget, J.: Psychologie der Intelligenz, Zürich, Stuttgart, 1967

Pickenhain, L.: Die Bedeutung innerer Rückkoppelungskreise für den Lernvorgang (gezeigt am Beispiel des motorischen Lernens), in: Zeitschr. f. Psychologie (Bd. 184), 1976/4, S. 551–561

Plessner, H. u. a.: Sport und Leibeserziehung, München, 1967

Pöhlmann, R.: Der motorische Lernprozeß, in: Th. u. P.d.K., 1977, S. 132–136

Pöhlmann, R./Kirchner, G./Wohlgefart, K.: Der psychomotorische Fähigkeitskomplex – seine Kennzeichnung und seine Vervollkommnung, in: Th. u. P.d.K., 1979/11, S. 898–907

Pöhlmann, R.: Motorisches Lernen, Berlin (O), 1986

Portmann, A: Zoologie und das neue Bild vom Menschen, Hamburg, 1956

Prokop, L.: Einführung in die Sportmedizin, 2. erw. Aufl., (Uni-Taschenbücher 531), Stuttgart, 1979

Puni, A. Z.: Abriß der Sportpsychologie. Berlin, 1961

Rapp, G./Schroder, G.: Motorische Testverfahren, Stuttgart, 1977

Retter, H.: Die Bedeutung motivierender Bewegungserziehung in der vorschulischen Kindheit für den Schulsport, in: Sportunterricht, 1974/7

Rieder, H.: Koordinative Fähigkeiten. Zum Stand der Diskussion und der Lücken in der Forschung. In: Kornexl, E. (Red.): Spektrum der Sportwissenschaft, Wien, 1987, S. 75–101

Rieder, H./Balschbach, R./Payer, B.: Lernen durch Rhythmus, Heidelberg, 1991 (Berichte und Materialien des BISP, 1991/3)

Rieder, H./Lehnnertz, K.: Bewegungslernen und Techniktraining (Hrsg.: Trainerakademie Köln e.V., Studienbrief 21), Schorndorf, 1991

Rieder, H. (Hrsg.): Bewegung – Leistung – Verhalten (Festschrift z. 70. Geburtstag v. Prof. Dr. O. Neumann), Schorndorf, 1972

Rieder, H. u. a. (Hrsg.): Motorik und Bewegungsforschung, Schorndorf, 1983

Rieder, H./Hahn, E. (Hrsg.): Psychomotorik und sportliche Leistung, Schorndorf, 1976

Rieder, H.: Bewegungslehre des Sports I (Hrsg.): ADL; Reihe Theorie der Leibeserziehung, Bd. 8, Schorndorf, 1973

Rieder, H.: Bewegungslehre des Sports II (s. Bewegungslehre I), Schorndorf, 1977

Ritter, H. F.: Kybernetik des neuromuskulären Systems, in: Leistungssport, 1976/6, S. 464–474

266

Robb, M. D.: The Dynamics of Motor-Skill Acquisition, Englewood Cliffs, New Jersey, 1972

Rock, E.: Wahrnehmung. Vom visuellen Reiz zum Sehen und Erkennen, Heidelberg, 1985

Rokusfalvy, P.: Sportpsychologie, Bad Homburg, 1980

Rösch, H. E. (Hrsg.): Einführung in die Sportwissenschaft, Darmstadt, 1978

Roth, K.: Strukturanalyse koordinativer Fähigkeiten (Beiträge zur Bewegungsforschung im Sport, Bd. 6, Hrsg. Rieder, H.), Bad Homburg, 1982

Röthig, P.: Rhythmus und Bewegung. Schorndorf, 1970

Röthig, P. (Red.): Sportwissenschaftliches Lexikon (Beiträge zur Lehre und Forschung im Sport, Bd. 49/50), 4. unveränd. Aufl., Schorndorf, 1977

Röthig, P./Größing, S. (Hrsg.): Bewegungslehre (Kursbuch 3), 3. neubearb. Auflage, Wiesbaden, 1990

Röthig, P.: Stabilität und Flexibilität im motorischen Verhalten, in: Jugend und Sport, Magglingen 33, 1976

Rudinger, G.: Entwicklung; in Hdb. psychologischer Grundbegriffe, München, 1977, S. 122–135

Rüssel, A.: Psychomotorik, Darmstadt, 1976

Schaller, H. H.: Programmiertes Lernen im Sport, Wuppertal, 1981

Scheid, V.: Bewegung und Entwicklung im Kleinkindalter, Schorndorf, 1989

Schellenberger, B.: Die Bedeutung der kognitiven und sensomotorischen Ebene in der psychischen Regulation sportlicher Handlungen, in: Wiss. Zeitschr. d. DHfK Leipzig, 1980/1, S. 43–52

Schenk-Danzinger, L.: Entwicklungspsychologie, Wien, 1975

Scherler, K.: Sensomotorische Entwicklung und materiale Erfahrung (Reihe Sportwissenschaft. Ansätze und Ergebnisse Bd. 2, Hrsg.: O. Grupe), Schorndorf, 1975

Schewe, H.: Bemerkungen zur sensomotorischen Kontrolle willkürlicher Bewegungen, in: Sportunterricht, 1976/7

Schlagenauf, K.: Sportvereine in der Bundesrepublik Deutschland, Teil I (Schriftenreihe des BISP, Bd. 15), Schorndorf, 1977

Schmidt, R. F.: Grundriß der Neurophysiologie (Heidelberger Taschenbücher, Bd. 96), korr. Nachdr. d. 4. Aufl., Berlin, Heidelberg, New York, 1979

Schmidt, R. A.: Motor control and learning, Champaign Illinois, 1982

Schmidt, R. A.: Motor Skills, New York, 1975

Schnabel, G.: Die koordinativen Fähigkeiten und das Problem der Gewandtheit, in: Th. u. P.d.K., 1973/3, S. 263–269

Schnabel, G./Meinel, K.: Bewegungslehre, Berlin (O), 1989 (4)

Schnabel, G.: Die koordinativen Fähigkeiten im Sport – ihre Erfassung und zielgerichtete Ausbildung, in: Th. u. P.d.K., 1974/7, S. 627–632

Schnabel, G.: Zur Bewegungskoordination, in: wiss. Zeitschr. d. DHfK Leipzig, 1968/10

Semjen, A.: Vom motorischen Lernen zum sensomotorischen Geschicklichkeitserwerb, in: Beiheft zu Leistungssport: Informationen zum Training, 1980/2 (dsb – Bundesausschuß Leistungssport), S. 56–74

Singer, R. N.: Motor learning and human performance, New York, 1968

Singer, R. N.: Motorisches Lernen und menschliche Leistung, Bad Homburg, 1985

267

Sobotka, R.: Formgesetze der Bewegungen im Sport (Wissenschaftl. Schriftenreihe des Deutschen Sportbundes, Bd. 11, Hrsg. Bock, H. E. u. a.), Schorndorf, 1974

Söll, H.: Biomechanik der Sportpraxis (Schriftenreihe z. Prax. d. Leibeserz. u.d. Sports. Bd. 96), Schorndorf, 1975

Söll, H.: Psychomotorische Entwicklung im Kindes- und Jugendalter, in: Schriftenreihe zur Praxis der Leibeserziehung und des Sports, Bd. 163, Schorndorf, 1982

Springer, S./Dentsch, G.: Linkes und rechtes Gehirn. Funktionelle Asymmetrien. 2. Aufl., Heidelberg, 1988

Stallings, L. M.: Motor Skills – Development and Learning, Washington, 1973

Starischka, S.: Zur Vervollkommnung sportmotorischer Bewegungsabläufe unter Anwendung biomechanischer Verfahren, in: Leistungssport, 1975/6, S. 467–473

Starosta, W./Hirtz, P.: Zur Existenz sensibler und kritischer Perioden in der Entwicklung der Bewegungskoordination, in: Leistungssport 6/1989, S. 11–16

Stegemann, J.: Leistungspsychologie, 2. überarb. u. erw. Aufl., Stuttgart, 1977

Streicher, M.: Grundriß einer Bewegungslehre, in: Natürliches Turnen, Ges. Aufsätze, Bd. 5, Wien, 1959

Teipel, D.: Bewegungslernen und visuelle Kontrolle (Diss.), Köln, 1979

Thieß, G./Schnabel, G./Baumann, R. (Red.): Training von A bis Z, Berlin (O), 1978

Thomas, A. (Hrsg.)/Brackhane, R.: Wahrnehmen, Urteilen, Handeln; Bern, Stuttgart, Wien, 1980

Thomas, A./Simons, D./Brackhane, R.: Handlungspsychologische Aspekte sportlicher Übungsprozesse (BISP, Bd. 14), Schorndorf, 1977

Thomas, A.: Einführung in die Sportpsychologie, Göttingen, Toronto, Zürich, 1978

Thomas, A.: Psychologie der Handlung und Bewegung (Psychologie universalis, Hrsg. E. Bay u. a., Bd. 32), Meinsenheim, 1976

Thorhauer, H. A.: Wesen und Charakter des Prinzips der „objektiv ergänzenden Information" und allgemeine Probleme der Steuerung und Regelung von Willkürbewegungen des Menschen, in: Th. u. P.d.K., S. 4–11

Tittel, K.: Beschreibende und funktionelle Anatomie des Menschen, 8. Aufl., Jena, 1978

Tiwald, H./Stripp, K.: Psychologische Grundlagen der Bewegungs- und Trainingsforschung (Schriftenreihe des Inst. f. Sportwiss. d. Univ. Hamburg, Bd. 9), Gießen, 1975

Trauner, H. M.: Lehrbuch der Entwicklungspsychologie, Bd. 1, Göttingen, 1978

Ungerer, D.: Leistungs- und Belastungsfähigkeit im Kindes- und Jugendalter, 4. erw. u. verb. Aufl., Schorndorf, 1977

Ungerer, D.: Zur Theorie des sensomotorischen Lernens (Beiträge zur Lehre und Forschung der Leibeserziehung, Hrsg.: ADL, Bd. 36), Schorndorf, 1977

Volger, B.: Lehren von Bewegungen. Ahrensberg b. Hamburg, 1990

Volpert, W.: Sensomotorisches Lernen (Training und Beanspruchung, Bd. 1), Frankfurt, 2. durchges. Aufl., 1973

Warwitz, S.: Das sportwissenschaftliche Experiment. Stuttgart, 1976

Wassermann, B.: Zu den qualitätsbestimmenden Relationen zwischen den körperlichen Fähigkeiten und den körperlich-sportlichen Fertigkeiten bei Schülern, in: Th. u. P.d.K., 1977/3, S. 700–705

Weber, E.: Emotionalität und Erziehung (ein pädagogischer Orientierungsversuch), in: Oerter, R., Weber, E., s. o., S. 69–114

Weineck, J.: Optimales Training (Beiträge zu Sportmedizin, Bd. 10), 7. Aufl., Erlangen, 1990

Weineck, J.: Sportbiologie (Beiträge zur Sportmedizin, Bd. 27), Erlangen, 1986

Weizsäcker, V. von: Der Gestaltkreis, Stuttgart, 1973

Widmer, K.: Entwicklungspsychologische Fragestellungen im Sportunterricht, in: Sportunterricht 1978/10, S. 371–376

Willimczik, K./Grosser, M.: Die motorische Entwicklung im Kindes- und Jugendalter (Hrsg.: BISP, Bd. 24), Schorndorf, 1979

Willimczik, K./Roth, K.: Bewegungslehre, Reinbek, 1985

Willimczik, K.: Entwicklung, motorische, in: Eberspächer, H. (Hrsg.) Handlexikon Sportwissenschaft, S. 106–114

Winter, R.: Die Ontogenese der Motorik des Menschen als Lehr- und Forschungsbereich unter dem Aspekt der sportwissenschaftlichen Fragestellung und Zweckbestimmung, in: Rieder, H. (Zus.stell.): Bewegungslehre des Sports II, s. o.

Winter, R.: Zum Problem der sensiblen Phasen im Kindes- und Jugendalter, Körpererziehung 34 (1984) 8/9, S. 342–358

Wohl, A.: Bewegung und Sprache, Schorndorf, 1977

Wolanski, N.: Biologische und soziale Komponenten der motor. Entwicklung, in: Willimczik/Grosser, S. 324–341

Zieschang, K./Buchmeier, W. (Hrsg.): Sport zwischen Tradition und Zukunft, Schorndorf, 1992

Zieschang, K.: Aufwärmen beim motorischen Lernen, Training und Wettkampf, in: Sportwissenschaft, 1978/8, S. 235–252

Zimmermann, K. W./Kaul, P.: Einführung in die Psychomotorik, Teil IV, Das Lernen von Bewegungen, Kassel, 1990

Zimmermann, K.: Zu ausgewählten Fragen der koordinativen Fähigkeiten aus theoretischer Sicht, in: Wiss. Zeitschr. d. DHfK Leipzig, 1980/3, S. 53–67

Zintl, F.: Ausdauertraining (BLV Sportwissen), München, 1988

Sachwortverzeichnis

Abbildungsverzeichnis

Baumann, H.: Turnen in Freizeit, Schule und Verein, BLV, München, 1980: *Abb. 4.9*

Baumann, S.: Sportspiele, BLV, München, 1979: *Abb. 3.19*

Councilman, B.: Schwimmen, Limpert, Bad Homburg, 1977: *Abb. 4.11, 4.12*

Die Leber der Leichtathletik, 1981, Heft 41, Seite 1386: *Abb. 3.18*

Daugs, R./Blischke, K.: Sensomotorisches Lernen, Handbuch Sport, Band 1, Düsseldorf 1984: *Abb. 5.2*

Fetz, F.: Bewegungslehre der Leibesübungen, 3. überarb. Auflage, Wien 1989: *Abb. 5.11*

Gabler, H./Nitsch, J. R./Singer, R.: Einführung in die Sportpsychologie, Teil 1: Grundthemen, Bd. 2, Schorndorf, 1986: *Abb. 4.6*

Hirtz, P.: Koordinative Fähigkeiten im Schulsport, Berlin (O) 1985: *Abb. 3.9*

Hansa-Theater, Hamburg: *Abb. 3.25*

Hochmuth, G.: Biomechanik sportlicher Bewegungen, Sportverlag Berlin, 5. Aufl., Berlin (O), 1982: *Abb. 2.16*

Hollmann, W./Hettinger, Th.: Sportmedizin – Arbeits- und Trainingsgrundlagen, Stuttgart, 1980: *Abb. 3.24*

von Holst, E./Mittelstaedt, H.: Das Reafferenzprinzip (Wechselwirkungen zwischen Zentralnervensystem und Peripherie) Die Naturwissenschaften 37 (1950) 20, S. 464–475: *Abb. 4.5*

Koch, K. (Hrsg.): Sportkunde für den Kursunterricht in der Sekundarstufe II, 2. neugest. Aufl., Hofmann, Schorndorf, 1976: *Abb. 2.14, 2.15, 2.18, 2.19, 2.21, 2.22, 3.17*

Lechenperg, H. (Hrsg.): Olympische Spiele 1972, Compress, München, 1972: *Abb. 2.10*

McNaught, A. B./Callander, R.: Illustrated Physiology, Livingstone Ltd., Edinburgh, 1975: *Abb. 2.8*

Meinel, G./Schnabel, G.: Bewegungslehre – Sportmotorik, 8. stark überarb. Aufl., Berlin 1987: *Abb. 3.7*

Oerter, R.: Moderne Entwicklungspsychologie, Auer, Donauwörth, 17. Aufl., 1977: *Abb. 5.5*

Pöhlmann, R./Kirchner, G./Wohlgefahrt, K.: Der psychomotorische Fähigkeitskomplex – seine Kennzeichnung und seine Vervollkommnung, in: Th. u. P. d. K., 1979/11: *Abb. 3.8*

Schmidt, R. F.: Grundriß der Neurophysiologie (Heidelberger Taschenbücher, Bd. 96) korr. Nachdr. d. 4. Aufl., Springer, Berlin, Heidelberg, New York, 1979: *Abb. 2.3, 2.6, 5.7, 5.8*

Schnabel, G.: Zur Bewegungskoordination: Wissenschaftl. Zeitschr. der DHfK Leipzig, 1968, S. 13–32: *Abb. 5.1*

Weineck, J.: Sportbiologie (Beiträge zur Sportmedizin, Bd. 27), Erlangen, 1986: *Abb. 3.8*

Widmer, K.: Entwicklungspsychologische Fragestellungen im Sportunterricht, in: Sportunterricht 1978/10: *Abb. 5.6*

98765432